4주 완성 스케줄표

공부한 날	주	일	학습 내용
월 일	1주	도입	이번에 배울 내용을 알아볼까요?
		1일	덧셈과 뺄셈이 섞여 있는 식
월 일		2일	곱셈과 나눗셈이 섞여 있는 식
월 일		3일	덧셈, 뺄셈, 곱셈이 섞여 있는 식
월 일		4일	덧셈, 뺄셈, 나눗셈이 섞여 있는 식
월 일		5일	덧셈, 뺄셈, 곱셈, 나눗셈이 섞여 있는 식
		평가/특강	누구나 100점 맞는 테스트/창의·융합·코딩
월 일	2주	도입	이번에 배울 내용을 알아볼까요?
		1일	약수 알아보기, 배수 알아보기
월 일		2일	공약수와 최대공약수
월 일		3일	최대공약수를 구하는 방법
월 일		4일	공배수와 최소공배수
월 일		5일	최소공배수를 구하는 방법
		평가/특강	누구나 100점 맞는 테스트/창의·융합·코딩
월 일	3주	도입	이번에 배울 내용을 알아볼까요?
		1일	크기가 같은 분수 알아보기
월 일		2일	분수를 간단하게 나타내기
월 일		3일	분모가 같은 분수로 나타내기
월 일		4일	분수의 크기 비교하기
월 일		5일	분수와 소수의 크기 비교하기
		평가/특강	누구나 100점 맞는 테스트/창의·융합·코딩
월 일	4주	도입	이번에 배울 내용을 알아볼까요?
		1일	(진분수)+(진분수)
월 일		2일	(대분수)+(진분수)
월 일		3일	(대분수)+(대분수)
월 일		4일	(진분수)−(진분수), (대분수)−(진분수)
월 일		5일	(대분수)−(대분수)
		평가/특강	누구나 100점 맞는 테스트/창의·융합·코딩

공부한 날을 표시하고 하루하루 학습 내용을 살펴보세요.

Chunjae
Maketh
Chunjae

기획총괄 박금옥
편집개발 지유경, 정소현, 조선영, 원희정,
이정선, 최윤석, 김선주, 박선민
디자인총괄 김희정
표지디자인 윤순미, 안채리
내지디자인 박희춘, 이혜진
제작 황성진, 조규영

발행일 2021년 2월 1일 초판 2021년 2월 1일 1쇄
발행인 (주)천재교육
주소 서울시 금천구 가산로9길 54
신고번호 제2001-000018호
고객센터 1577-0902

※ 정답 분실 시에는 천재교육 홈페이지에서 내려받으세요.
※ KC 마크는 이 제품이 공통안전기준에 적합하였음을 의미합니다.
※ 주의
책 모서리에 다칠 수 있으니 주의하시기 바랍니다.
부주의로 인한 사고의 경우 책임지지 않습니다.
8세 미만의 어린이는 부모님의 관리가 필요합니다.

똑 똑 한

하루 계산

5A

기운과 끈기는
모든 것을 이겨낸다.
- 벤자민 플랭크린 -

주별 Contents

똑똑한 하루 계산

이 책의 특징

도입 이번에 배울 내용을 알아볼까요?

이번 주에 공부할 내용을 만화로 재미있게!

반드시 알아야 할 개념을 쉽고 재미있는 만화로 확인!

개념 완성 개념·원리 확인

쉬운 계산 원리를 만화로 쏙쏙!

계산 반복 훈련

계산 원리와 방법이 한눈에 쏙쏙!

1일 약수 알아보기

똑똑한 계산 연습

똑똑한 하루 계산법

- **약수 알아보기**

약수: 어떤 수를 나누어떨어지게 하는 수

예 8의 약수 구하기

8÷1=8	8÷2=4	8÷3=2···2
8÷4=2	8÷5=1···3	8÷6=1···2
8÷7=1···1	8÷8=1	

8을 나누어떨어지게 하는 수를 **8의 약수**라고 합니다.

⇨ 8의 약수: 1, 2, 4, 8

1은 모든 수의 약수예요.

○× 퀴즈

설명이 옳으면 ○에, 틀리면 ×에 ○표 하세요.

4를 나누어떨어지게 하는 수를 4의 약수라고 합니다.

○ ×

정답 ○에 ○표

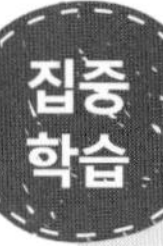

기초 집중 연습

다양한 형태의 계산 문제를 **반복**하여 완벽하게 익히기!

생활 속에서 필요한 계산 연습!

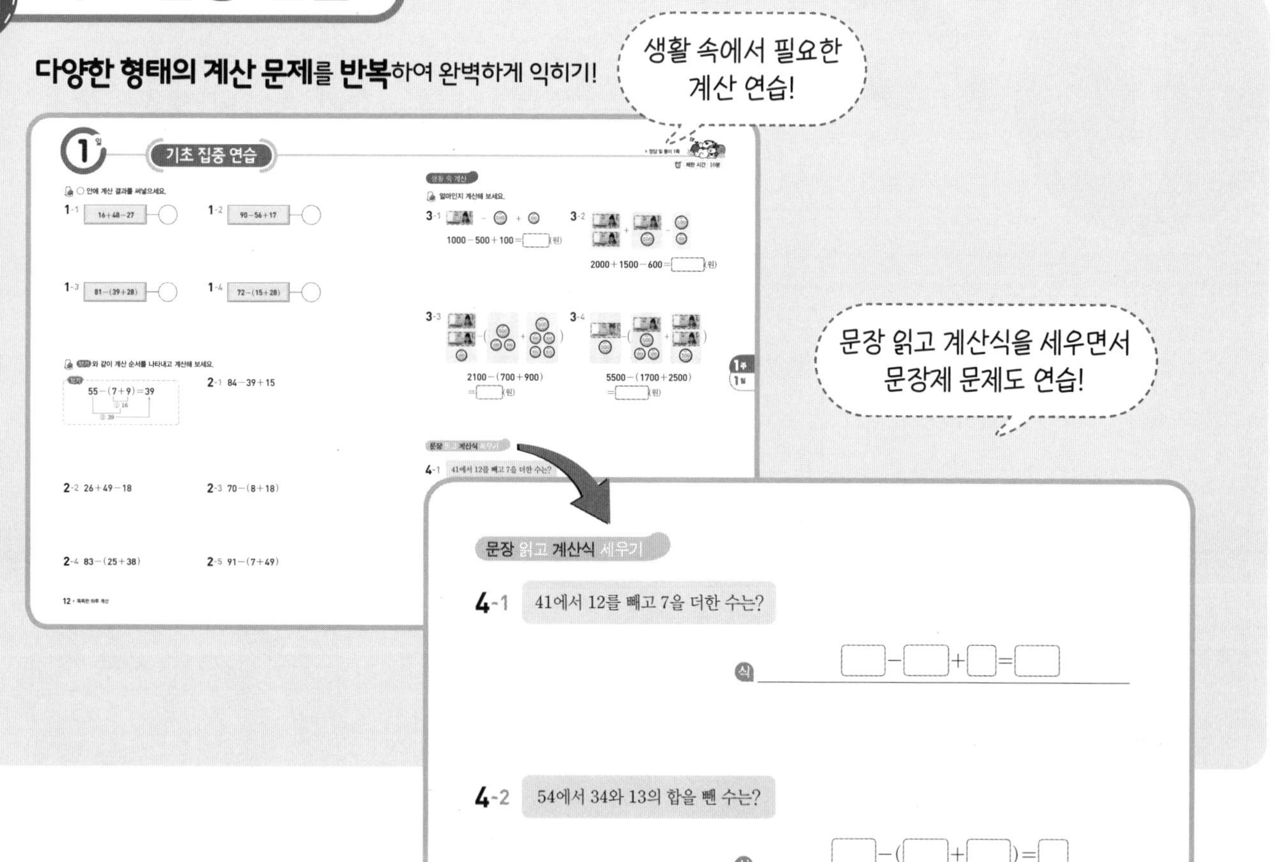

문장 읽고 계산식을 세우면서 문장제 문제도 연습!

평가 + 창의·융합·코딩

한 주에 **배운 내용**을 **테스트**로 마무리!

빠르고 정확하게 풀어 보자!

4차 산업 혁명 시대에 알맞은 최신 트렌드 유형

요즘 수학 문제인 **창의·융합·코딩** 문제 수록

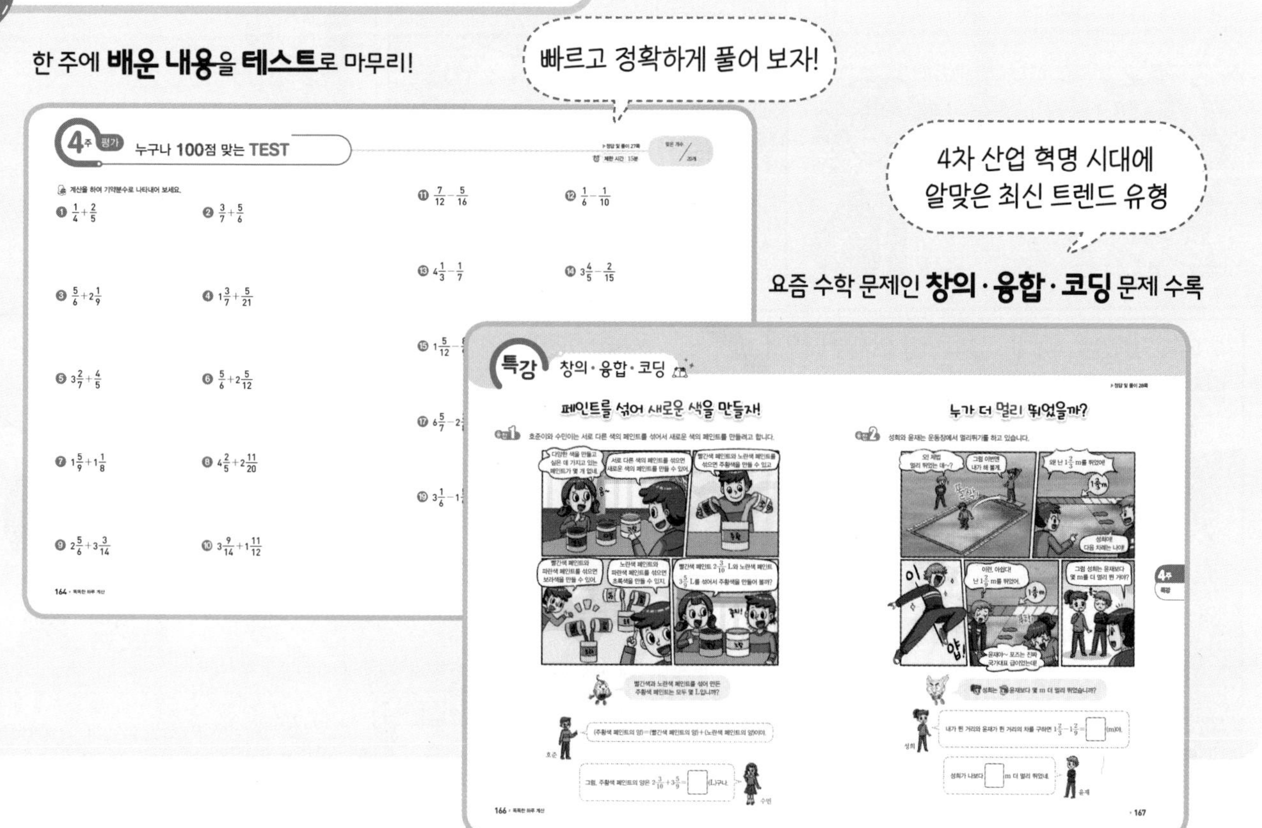

1
주

자연수의 혼합 계산

승혜야~.
어디 가니?
선생님 초대로
피자 먹으러 가는
길이야.

혹시
너희도?
당연하지!
자, 봐!
피자파티에
초대합니다.

그럼 초대장 밑에
문제도 풀었
겠구나?
문제?
그런 게
있었어?

덧셈과 뺄셈이
섞여 있는
문제군.
이 문제는
말이지…….
30－8＋20

승혜야~
도와줘…….
안다며!

덧셈과 뺄셈이 섞여 있는
식에서는 앞에서부터 차례로
계산하면 돼.
30－8＋20＝42
① 22
② 42

이제 맛있는
피자를 먹을 일만
남은 거야?
난 어제부터
밥을 안 먹고
기다렸잖아~.

선생님 집에
다 왔다.

오, 다들
왔군요.
딩동~.

 이번에 배울 내용을 알아볼까요? 

- 1일 덧셈과 뺄셈이 섞여 있는 식
- 2일 곱셈과 나눗셈이 섞여 있는 식
- 3일 덧셈, 뺄셈, 곱셈이 섞여 있는 식
- 4일 덧셈, 뺄셈, 나눗셈이 섞여 있는 식
- 5일 덧셈, 뺄셈, 곱셈, 나눗셈이 섞여 있는 식

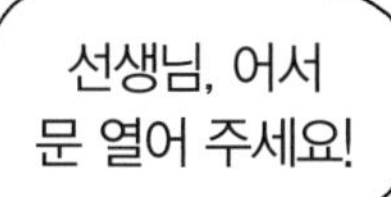

이번에 배울 내용을 알아볼까요? ②

4-1 (세 자리 수)×(두 자리 수)

한 도막에 382 g인 나무 도막 47개의 무게는 몇 g일까?
47개를 40개와 7개로 나누어 생각해 볼 수 있어.
382×47=17954
나무 도막 40개
나무 도막 7개

382×47은 382×40과 382×7의 결과를 더하여 구할 수 있어요.

382×40=15280,
382×7=2674이므로
382×47=15280+2674
=17954예요.

 계산해 보세요.

1-1

		4	1	9
	×		3	6

$419\times36=\square$

$419\times6=\square$

$419\times30=\square$

1-2

		3	2	4
	×		9	3

$324\times93=\square$

$324\times3=\square$

$324\times90=\square$

4-1 (세 자리 수)÷(두 자리 수)

사탕 647개를 25명에게 똑같이 나누어 주면 한 사람에게 몇 개씩 나누어 주고, 몇 개가 남을까요?
세로셈으로 구하면 한 사람에게 25개씩 나누어 주고, 22개가 남는 것을 알 수 있어요.
25
25)647
50
147
125
22

나누어지는 수의 왼쪽 두 자리 수 64에서 25를 2번 뺄 수 있어요.

나누어지는 수의 일의 자리 숫자 7을 내려 쓴 다음 147에서 25를 5번 뺄 수 있네요.

계산해 보세요.

2-1 $31\overline{)718}$

2-2 $14\overline{)917}$

2-3 $36\overline{)847}$

2-4 $27\overline{)489}$

1주 1일

덧셈과 뺄셈이 섞여 있는 식 ①

도우를 반죽해 봅시다.
이렇게 하는 걸 본 적 있죠?
빙글
빙글
도우를 조금씩 던져 가며 늘려야 반죽이 얇아져요.

가장 알맞은 도우의 지름은 이 혼합 계산식의 계산 결과와 같아요.
21－8＋12

지름이 25 cm라…….
피자는 크면 클수록 좋지 않나?

으악! 도우가 너무 얇아져서 구멍이 났잖아~.
나도…….
너덜
너덜
욕심쟁이들 같으니…….

똑똑한 하루 계산법

• (   )가 없고 덧셈과 뺄셈이 섞여 있는 식

예 21－8＋12의 계산

$$21-8+12=25$$

① 13

② 25

덧셈과 뺄셈이 섞여 있는 식에서는 앞에서부터 차례로 계산합니다.

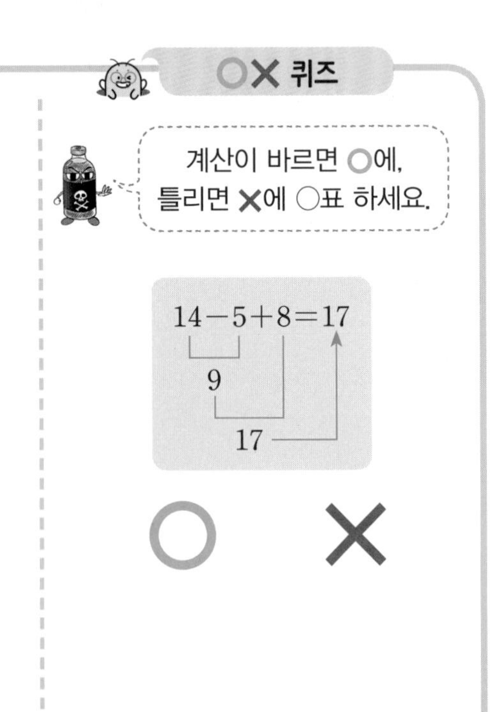

OX 퀴즈
계산이 바르면 ○에, 틀리면 ✕에 ○표 하세요.
14－5＋8＝17
9
17
○ ✕

정답 ○에 ○표

똑똑한 계산 연습

▶정답 및 풀이 1쪽

제한 시간 5분

□ 안에 알맞은 수를 써넣으세요.

❶ $19+7-8=\square$

❷ $42-15+6=\square$

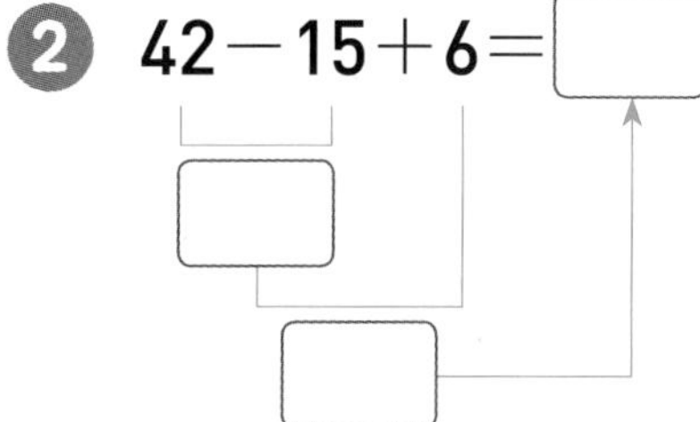

❸ $33-5+24=\square$

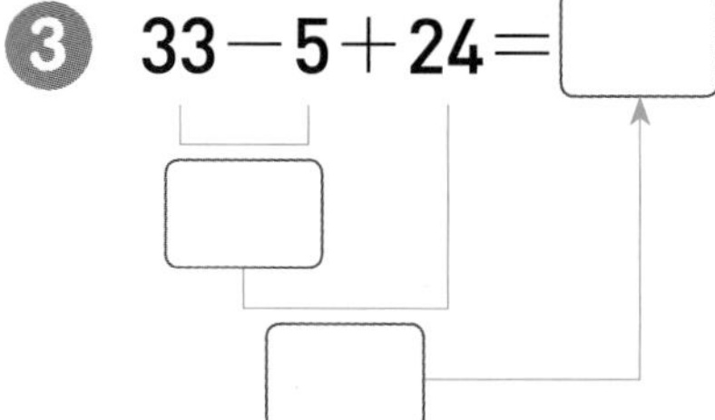

❹ $16+77-45=\square$

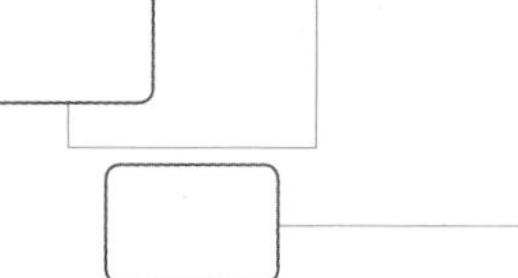

❺ $52-8+27=\square$

❻ $28+45-39=\square$

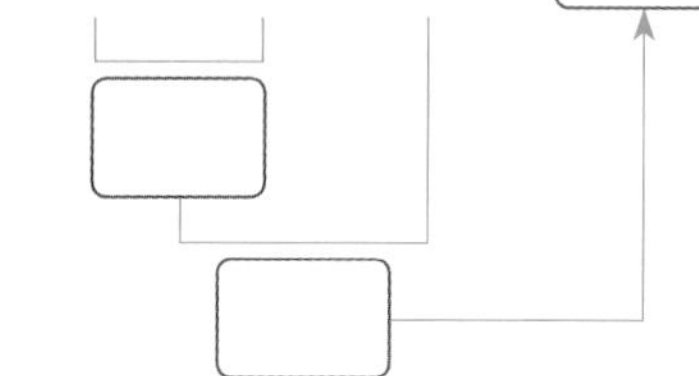

계산 순서대로 □ 안에 알맞은 수를 써넣으세요.

❼ $81-49+26=\square+\square$
$=\square$
①
②

❽ $45+16-33=\square-\square$
$=\square$
①
②

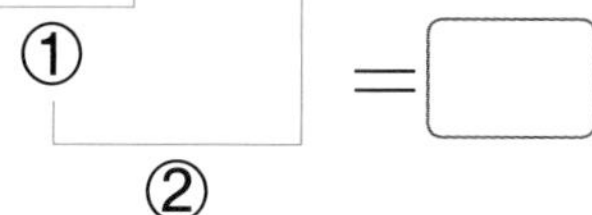

❾ $52+28-41=\square-\square$
$=\square$
①
②

❿ $64-35+21=\square+\square$
$=\square$
①
②

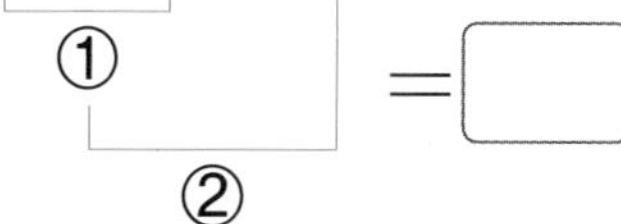

1주 1일

1일 덧셈과 뺄셈이 섞여 있는 식 ②

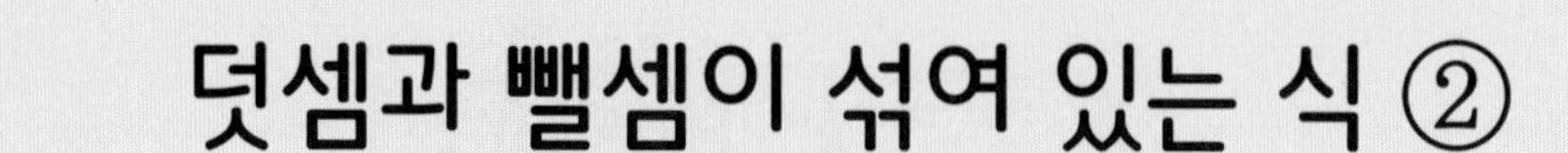

똑똑한 하루 계산법

• (　)가 있고 덧셈과 뺄셈이 섞여 있는 식

㉮ $21-(8+12)$의 계산

$$21-(8+12)=1$$

① 20

② 1

(　)가 있는 식에서는
(　) 안을 먼저 계산합니다.

OX 퀴즈

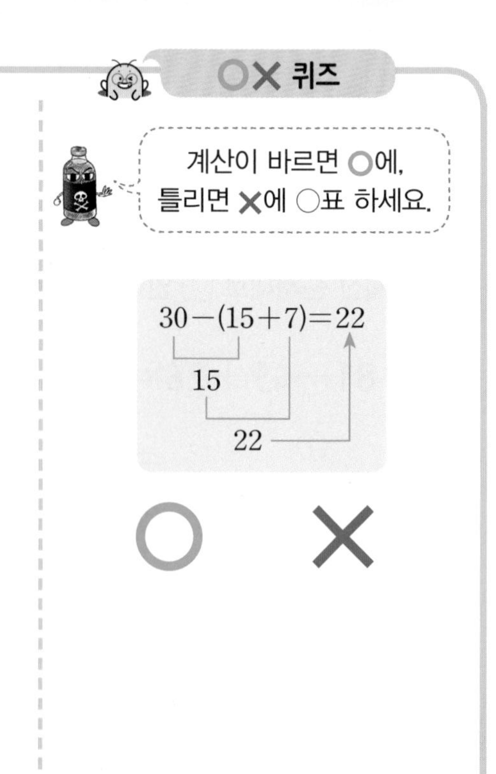

계산이 바르면 ○에,
틀리면 ×에 ○표 하세요.
30−(15+7)=22
15
22
○ ×

정답 ×에 ○표

▶정답 및 풀이 1쪽

똑똑한 계산 연습

제한 시간 5분

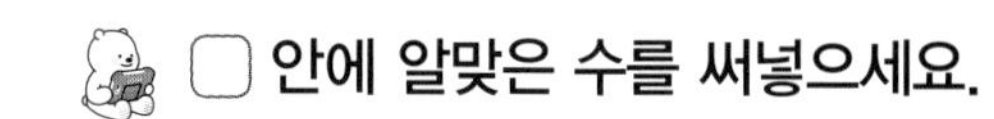

❶ $72-(26+19)=\square$

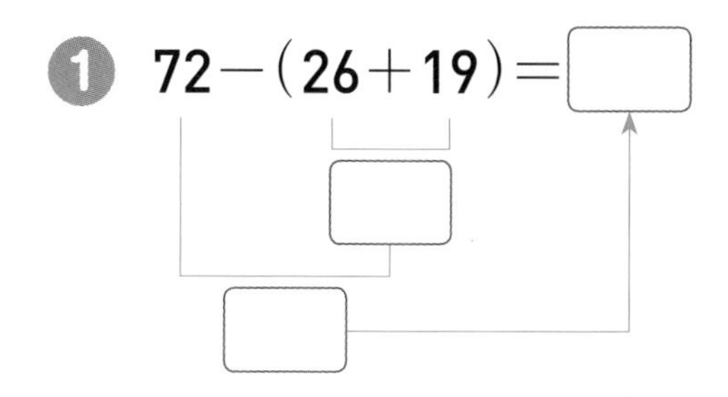

❷ $58-(18+28)=\square$

❸ $66-(9+37)=\square$

❹ $80-(17+16)=\square$

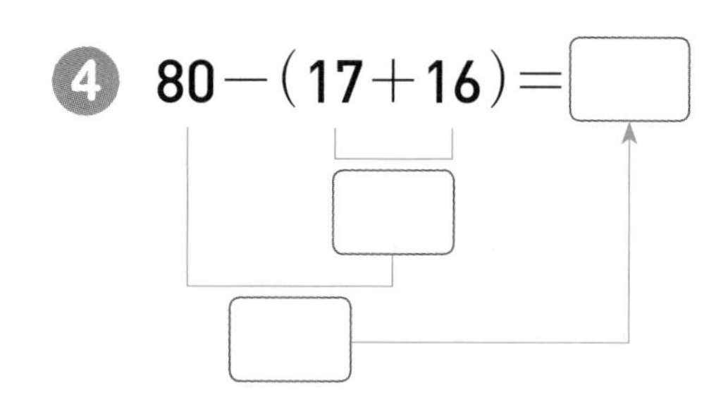

❺ $94-(56+17)=\square$

❻ $41-(19+3)=\square$

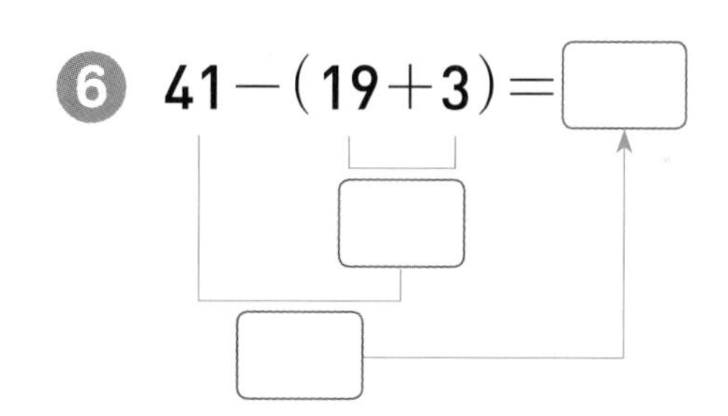

계산 순서대로 □ 안에 알맞은 수를 써넣으세요.

❼ $65-(16+28)=\square-\square$ $=\square$

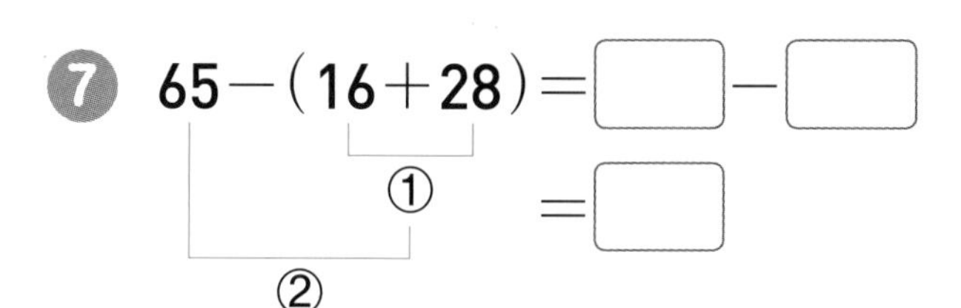

❽ $91-(35+17)=\square-\square$ $=\square$

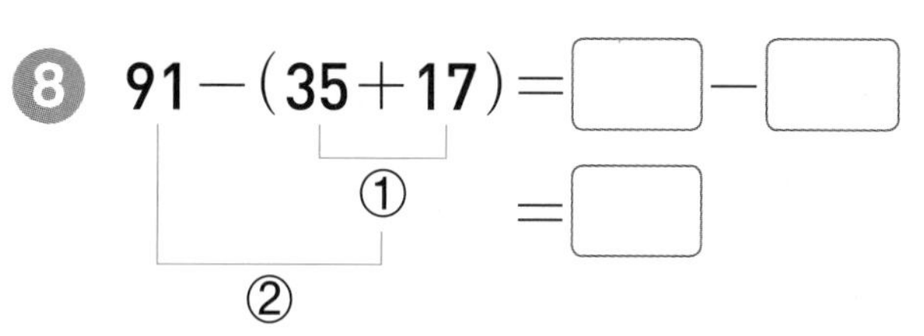

❾ $77-(23+16)=\square-\square$ $=\square$

① ②

❿ $84-(19+49)=\square-\square$ $=\square$

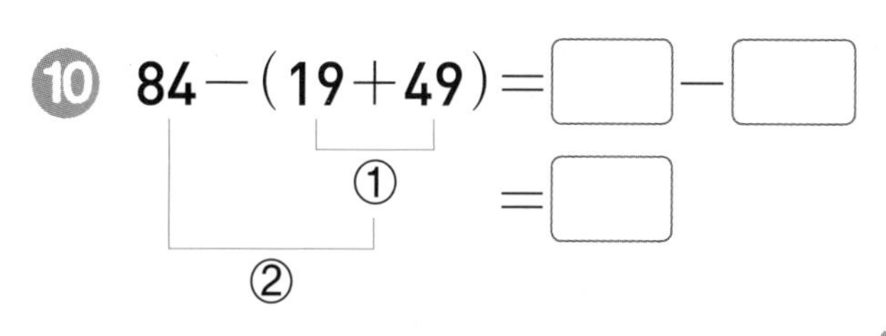

1주 1일

기초 집중 연습

◯ 안에 계산 결과를 써넣으세요.

1-1 $16+48-27$ — ◯

1-2 $90-56+17$ — ◯

1-3 $81-(39+28)$ — ◯

1-4 $72-(15+28)$ — ◯

보기 와 같이 계산 순서를 나타내고 계산해 보세요.

보기

$55-(7+9)=39$

① 16

② 39

2-1 $84-39+15$

2-2 $26+49-18$

2-3 $70-(8+18)$

2-4 $83-(25+38)$

2-5 $91-(7+49)$

제한 시간 10분

생활 속 계산

 얼마인지 계산해 보세요.

3-1 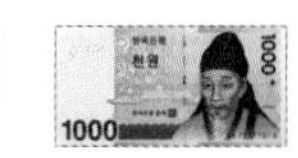 

$1000-500+100=$ □(원)

3-2 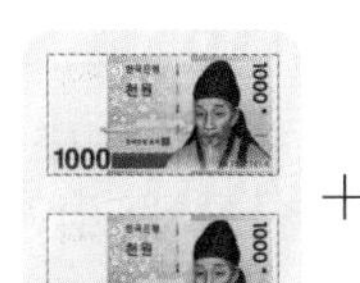 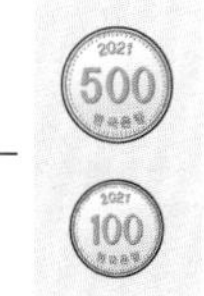

$2000+1500-600=$ □(원)

3-3 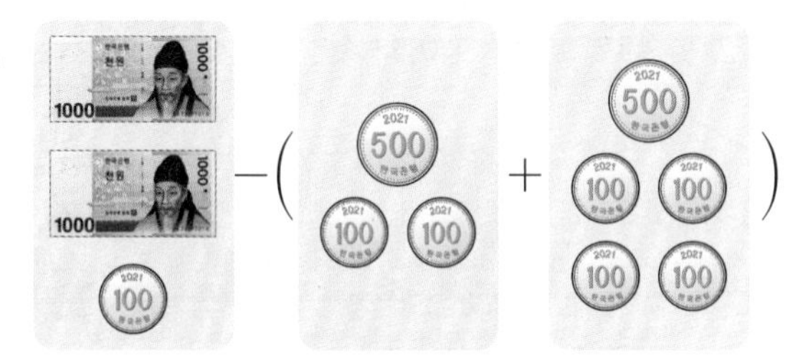

$2100-(700+900)$

$=$ □(원)

3-4 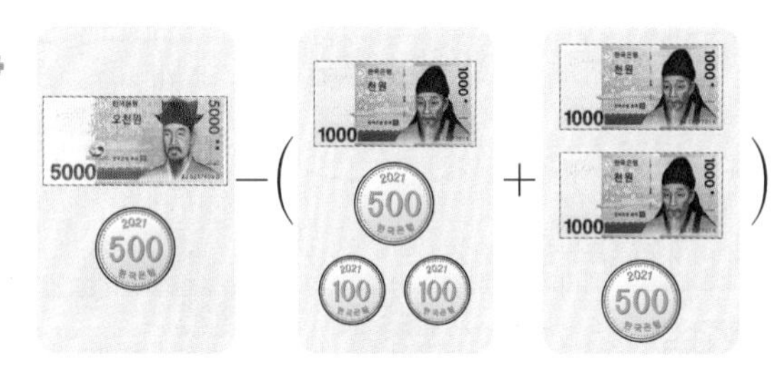

$5500-(1700+2500)$
$=$ □(원)

문장 읽고 계산식 세우기

4-1 41에서 12를 빼고 7을 더한 수는?

식 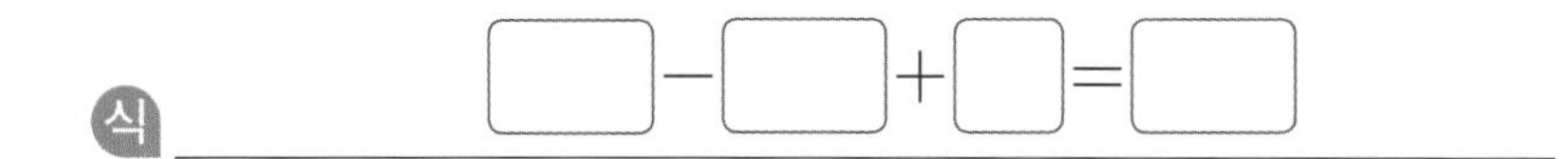
□−□+□=□

4-2 54에서 34와 13의 합을 뺀 수는?

식 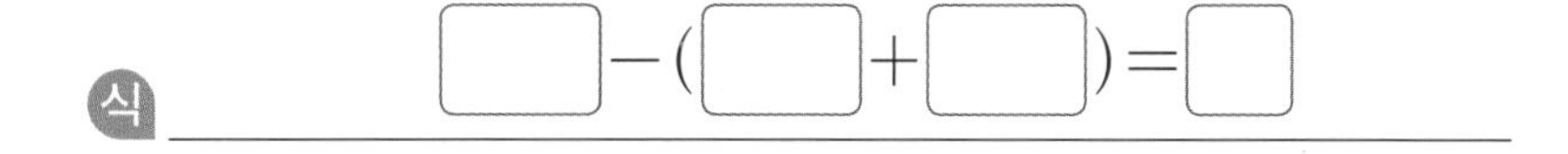
□−(□+□)=□

1주 1일

곱셈과 나눗셈이 섞여 있는 식 ①

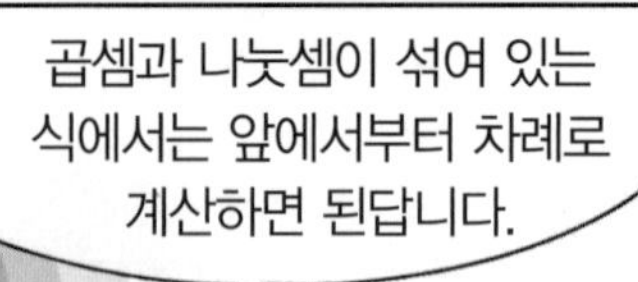

똑똑한 하루 계산법

- ( )가 없고 곱셈과 나눗셈이 섞여 있는 식

㉠ $240 \div 30 \times 2$의 계산

$$240 \div 30 \times 2 = 16$$

① 8

② 16

곱셈과 나눗셈이 섞여 있는 식에서는 앞에서부터 차례로 계산합니다.

OX 퀴즈

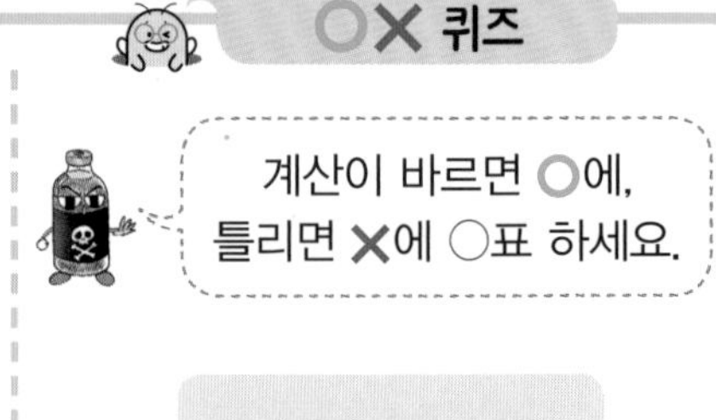

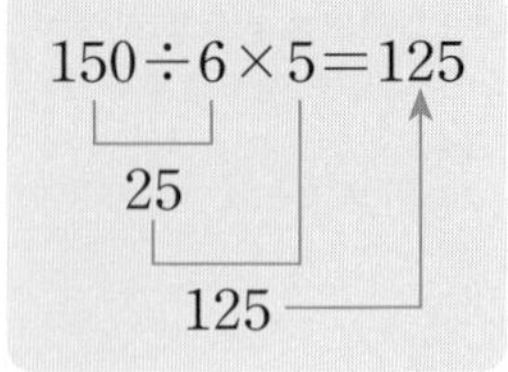

똑똑한 계산 연습

▶정답 및 풀이 2쪽

제한 시간 5분

□ 안에 알맞은 수를 써넣으세요.

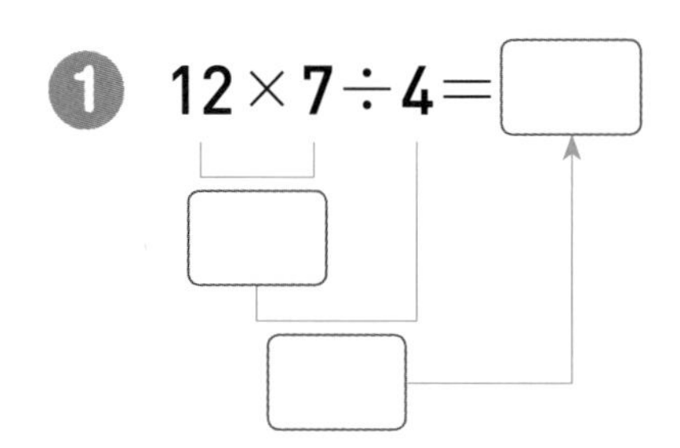

❶ $12 \times 7 \div 4 = \square$

❷ $90 \div 5 \times 2 = \square$

❸ $48 \div 3 \times 4 = \square$

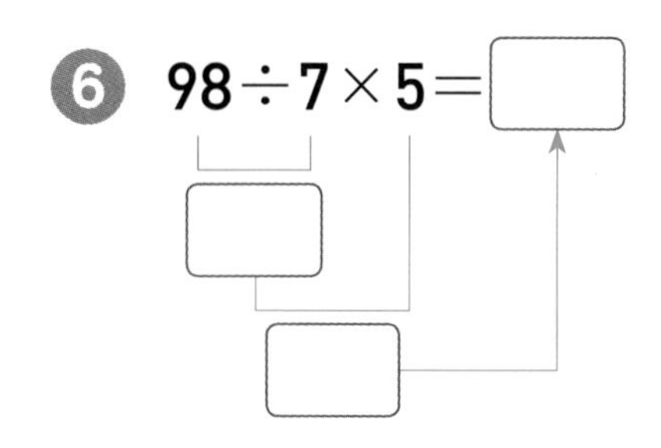

❹ $6 \times 8 \div 12 = \square$

❺ $8 \times 12 \div 6 = \square$

❻ $98 \div 7 \times 5 = \square$

계산 순서대로 □ 안에 알맞은 수를 써넣으세요.

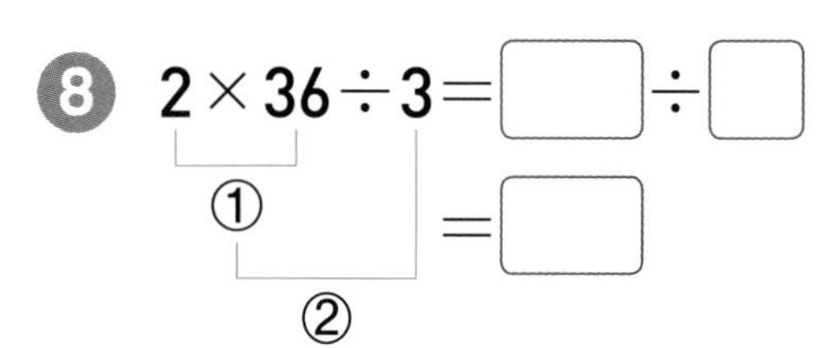

❼ $96 \div 8 \times 3 = \square \times \square = \square$

①

②

❽ $2 \times 36 \div 3 = \square \div \square = \square$

①

②

❾ $4 \times 18 \div 3 = \square \div \square = \square$

①

②

❿ $80 \div 5 \times 4 = \square \times \square = \square$

①

②

곱셈과 나눗셈이 섞여 있는 식 ②

똑똑한 하루 계산법

- **( )가 있고 곱셈과 나눗셈이 섞여 있는 식**

㉠ $240 \div (30 \times 2)$의 계산

$$240 \div (30 \times 2) = 4$$

① 60

② 4

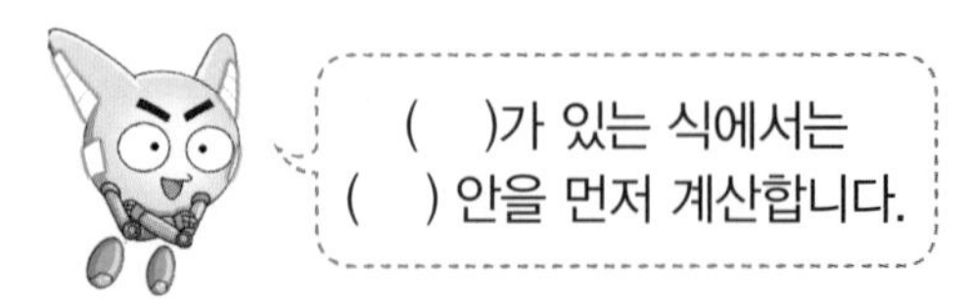

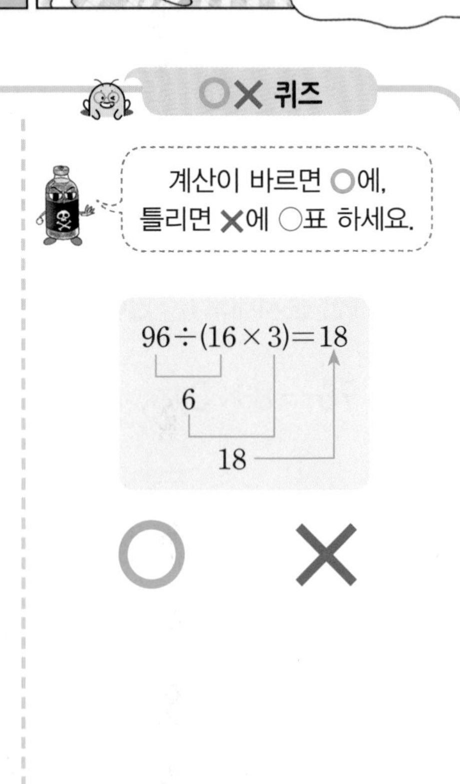

○✕ 퀴즈

계산이 바르면 ○에, 틀리면 ✕에 ○표 하세요.

$96 \div (16 \times 3) = 18$

6

18

○ ✕

정답 ✕에 ○표

똑똑한 계산 연습

▶정답 및 풀이 2쪽

제한 시간 5분

▢ 안에 알맞은 수를 써넣으세요.

❶ $90 \div (6 \times 3) = \square$

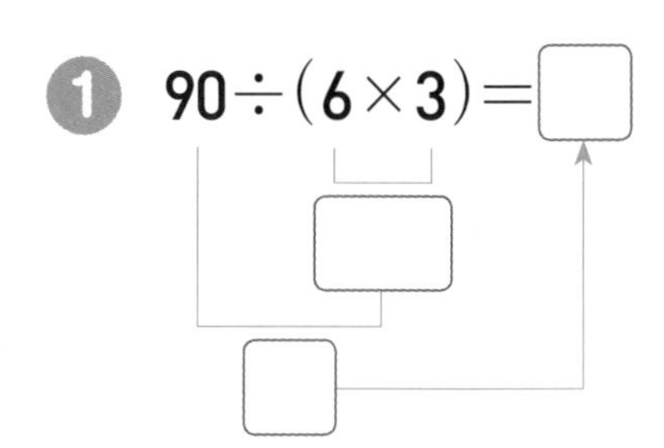

❷ $72 \div (3 \times 4) = \square$

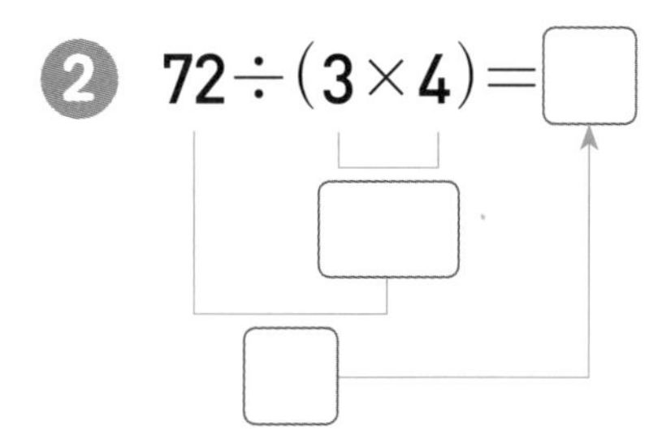

❸ $72 \div (4 \times 9) = \square$

❹ $60 \div (4 \times 5) = \square$

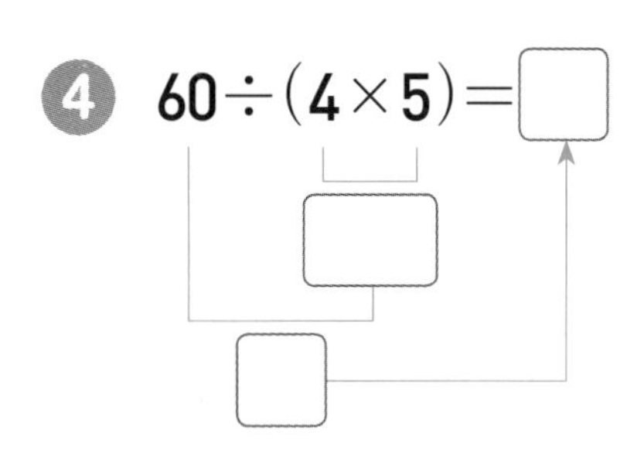

❺ $96 \div (6 \times 4) = \square$

❻ $120 \div (2 \times 12) = \square$

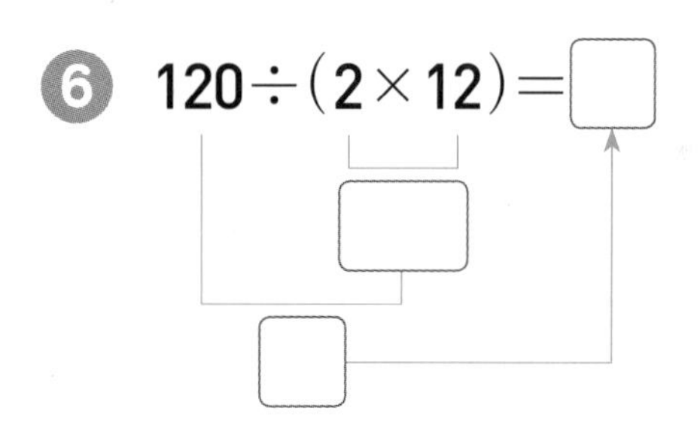

계산 순서대로 ▢ 안에 알맞은 수를 써넣으세요.

❼ $78 \div (3 \times 2) = \square \div \square$
$= \square$

①, ②

❽ $48 \div (2 \times 6) = \square \div \square$
$= \square$

①, ②

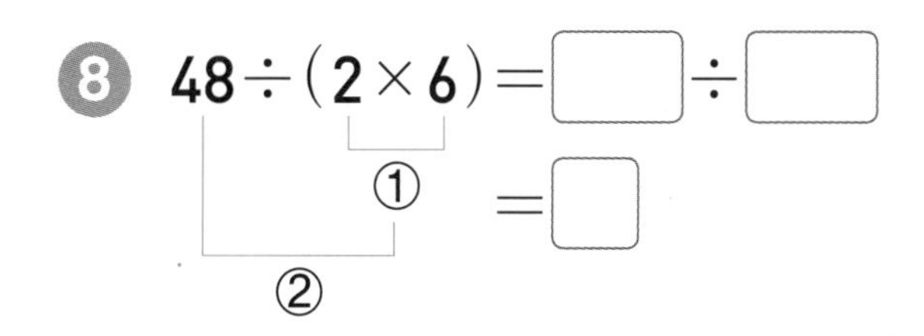

❾ $60 \div (4 \times 3) = \square \div \square$
$= \square$

①, ②

❿ $70 \div (7 \times 5) = \square \div \square$
$= \square$

①, ②

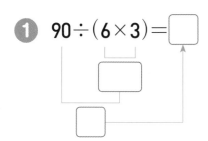

1주 2일

2일 기초 집중 연습

○ 안에 계산 결과를 써넣으세요.

1-1 $6 \times 14 \div 3$ — ○

1-2 $92 \div 4 \times 3$ — ○

1-3 $96 \div (16 \times 3)$ — ○

1-4 $72 \div (2 \times 9)$ — ○

보기 와 같이 계산 순서를 나타내고 계산해 보세요.

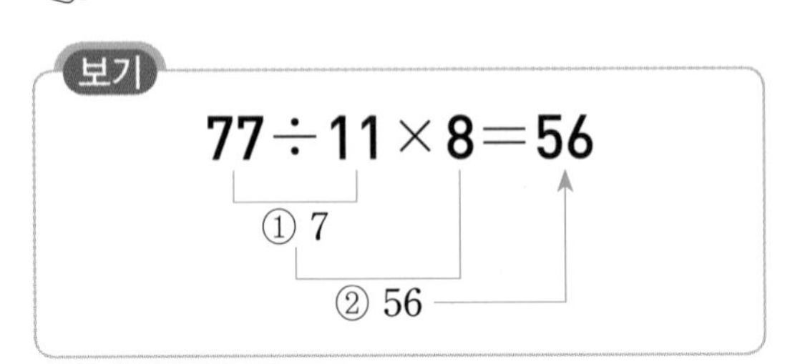

2-1 $72 \div (6 \times 3)$

2-2 $96 \div (8 \times 2)$

2-3 $18 \times 4 \div 3$

2-4 $65 \div 5 \times 7$

2-5 $112 \div (4 \times 4)$

제한 시간 10분

생활 속 계산

얼마인지 계산해 보세요.

3-1

사탕 2개의 가격 ⇨ ?

$2400 \div 3 \times 2 =$ ☐(원)

3-2

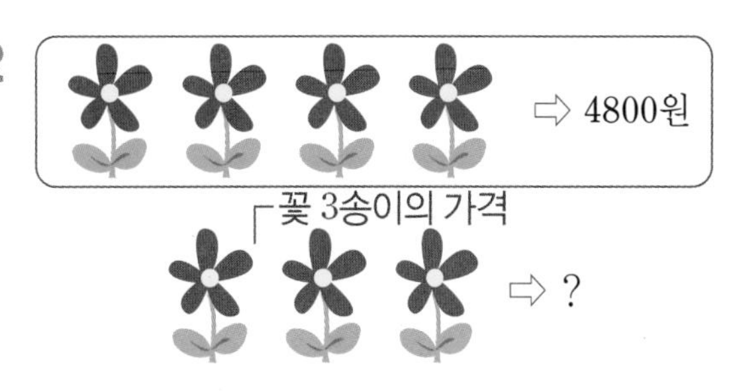

$4800 \div 4 \times 3 =$ ☐(원)

3-3

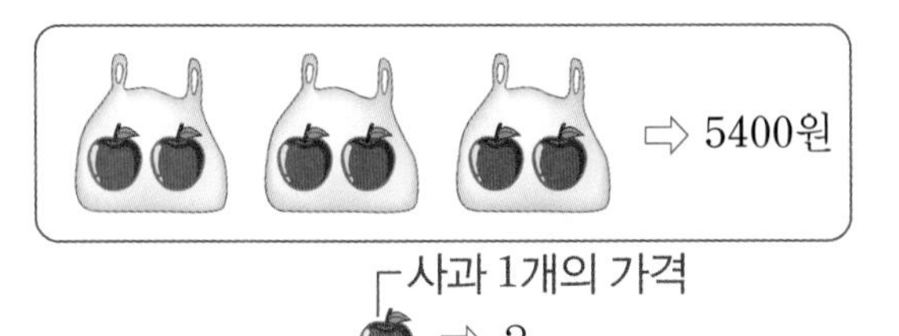

$5400 \div (2 \times 3) =$ ☐(원)

3-4

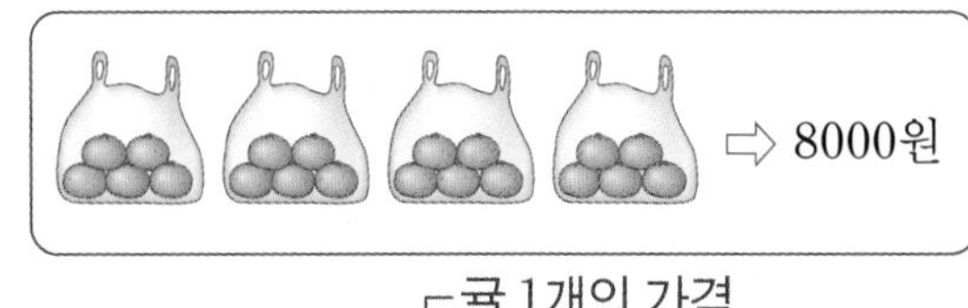

귤 1개의 가격 ⇨ ?

$8000 \div (5 \times 4) =$ ☐(원)

문장 읽고 계산식 세우기

4-1 54를 9로 나눈 몫에 7을 곱한 수는?

식 ☐ ÷ ☐ × ☐ = ☐

4-2 72를 4와 6의 곱으로 나눈 몫은?

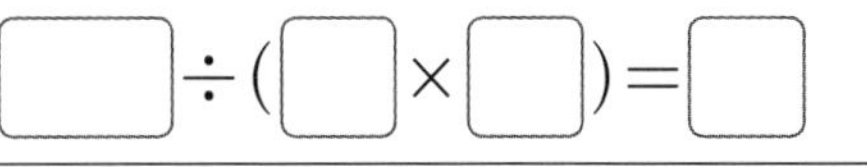

3일 덧셈, 뺄셈, 곱셈이 섞여 있는 식 ①

토핑을 어떻게 올려야 하지?
치즈부터 올리면 되지 않을까?
피자치즈

선생님이 알려줄게요!

먼저 덧셈, 뺄셈, 곱셈이 섞여 있는 식을 알아봅시다.
그냥 알려주시는 게 아니었어요?

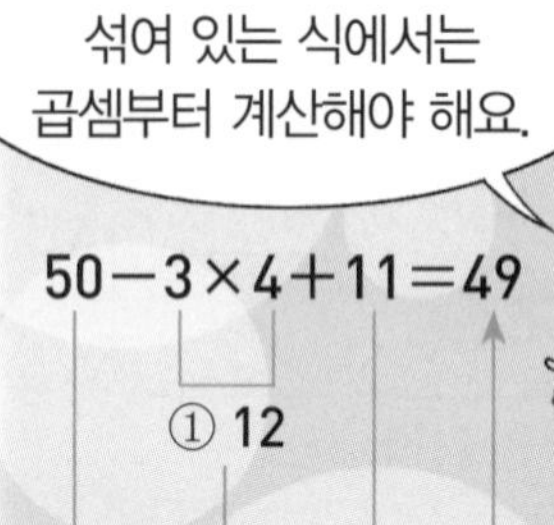

덧셈, 뺄셈, 곱셈이 섞여 있는 식에서는 곱셈부터 계산해야 해요.
50−3×4+11=49
① 12
② 38
③ 49

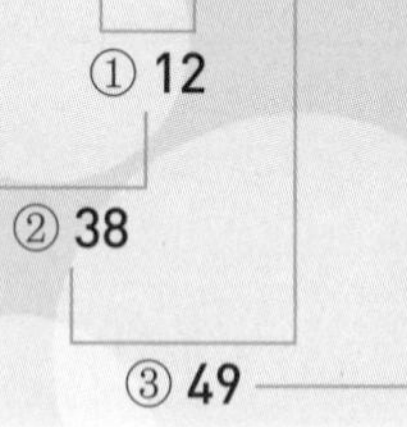

그 다음은요?
그런 다음 앞에서부터 차례로 계산하면 돼.

맞아요. 피자도 토마토 소스를 먼저 바르고 토핑을 차례로 올려서…….

이렇게 피자치즈로 마무리를 하면 돼요.

똑똑한 하루 계산법

• ( )가 없고 덧셈, 뺄셈, 곱셈이 섞여 있는 식

예 50−3×4+11의 계산

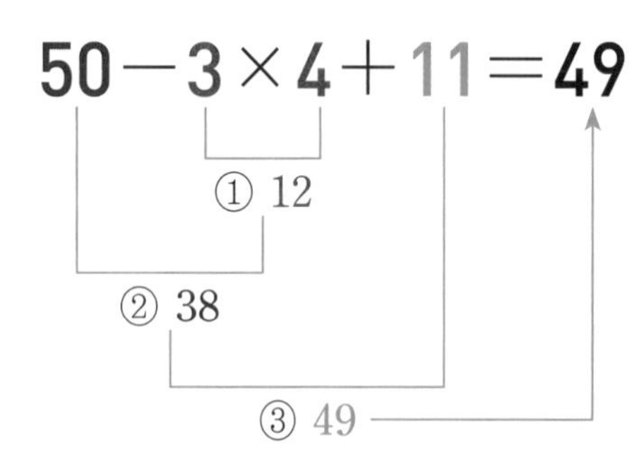

덧셈, 뺄셈, 곱셈이 섞여 있는 식에서는 곱셈을 먼저 계산합니다.

OX 퀴즈

계산이 바르면 ○에, 틀리면 ×에 ○표 하세요.

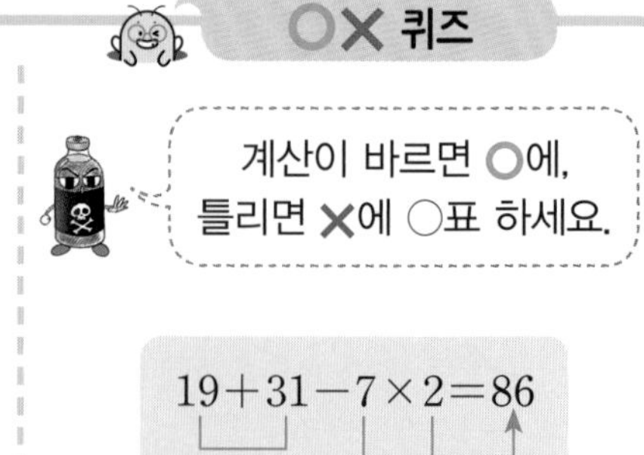

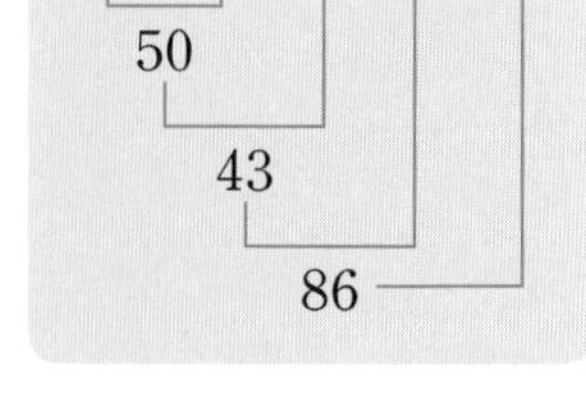

○ ×

▶정답 및 풀이 3쪽

제한 시간 5분

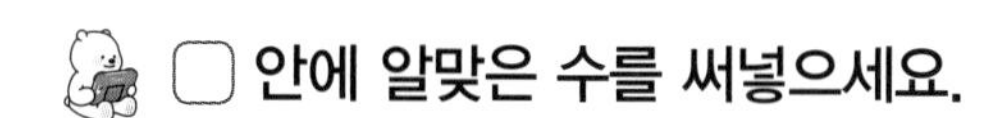

□ 안에 알맞은 수를 써넣으세요.

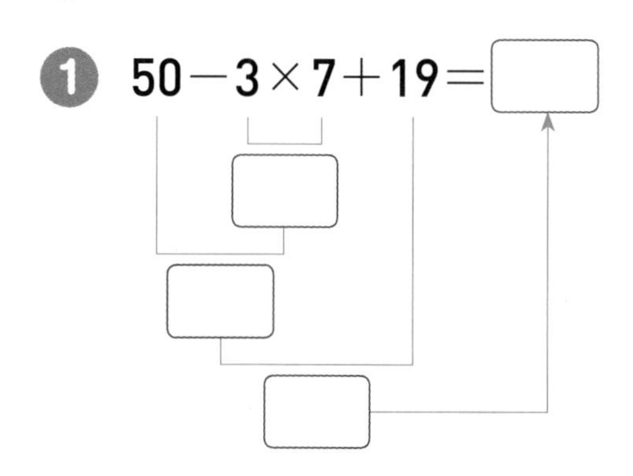

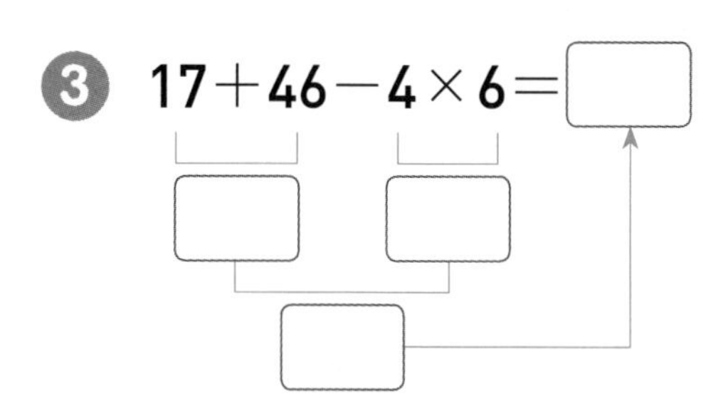

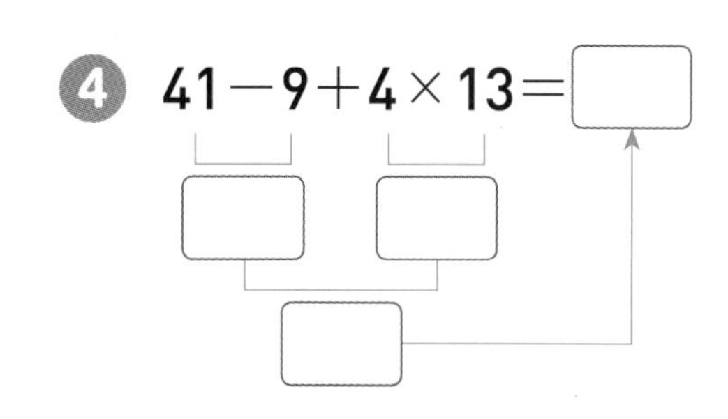

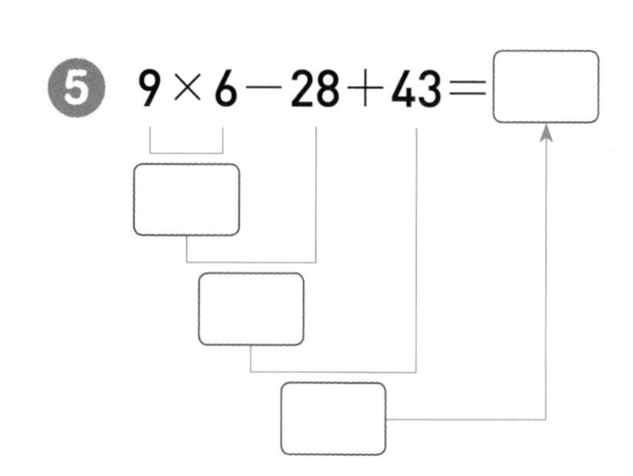

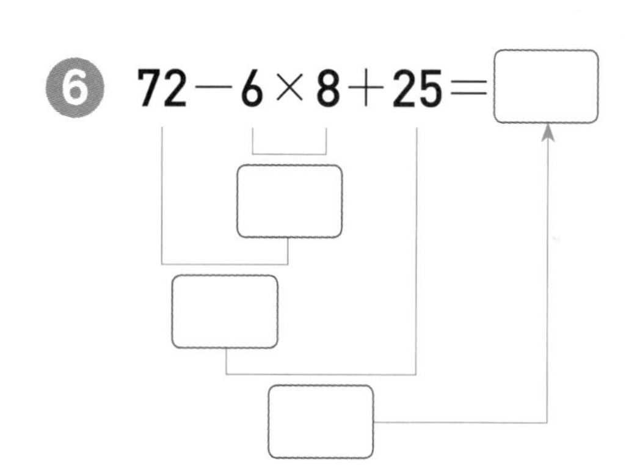

1. $50-3\times7+19=\square$
2. $81-18+9\times4=\square$
3. $17+46-4\times6=\square$
4. $41-9+4\times13=\square$
5. $9\times6-28+43=\square$
6. $72-6\times8+25=\square$

계산 순서대로 □ 안에 알맞은 수를 써넣으세요.

7. $35+56-9\times5=35+\square-\square$ ①, ②, ③
$=\square-\square$
$=\square$

8. $18\times5-72+34=\square-\square+34$ ①, ②, ③
$=\square+\square$
$=\square$

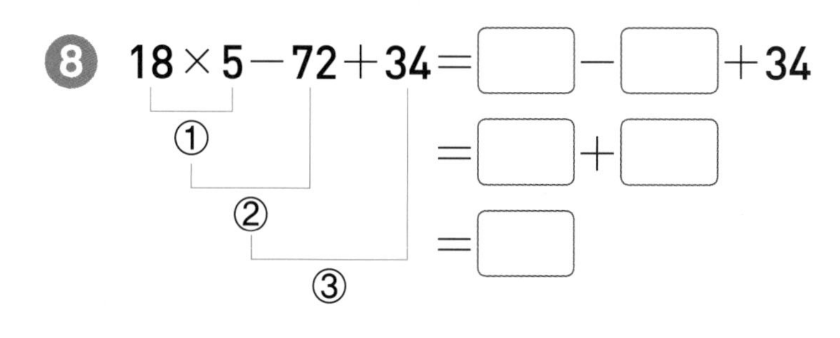

곱셈을 먼저 계산하고
앞에서부터 차례로
계산해요.

덧셈, 뺄셈, 곱셈이 섞여 있는 식 ②

그럼 이제 토마토 소스를 발라 볼까?
얼마나 바르면 되는지 알아?

한 통을 다 붓는 건가?
잠깐! 그걸 다 넣으려고?

그렇게 넣으면 먹을 때 토마토 소스가 줄줄 흐를 걸?
그럼?

이 문제를 맞히면 알려줄게.
너까지 왜 이러니…….
50－3×(4＋11)

어디부터 계산해야 할 지 모르겠어…….
50－3×(4＋11)＝5
① 15
② 45
③ 5
( )가 있으면 항상 ( ) 안을 먼저 계산하면 돼.

우리 그냥 다 부어서 먹을래.
시작부터 망했다…….
콸 콸

똑똑한 하루 계산법

- **( )가 있고 덧셈, 뺄셈, 곱셈이 섞여 있는 식**

  예 $50-3\times(4+11)$의 계산

$$50-3\times(4+11)=5$$

① 15

② 45

③ 5

( )가 있는 식에서는 ( ) 안을 먼저 계산합니다.

OX 퀴즈

계산이 바르면 ○에, 틀리면 ×에 ○표 하세요.

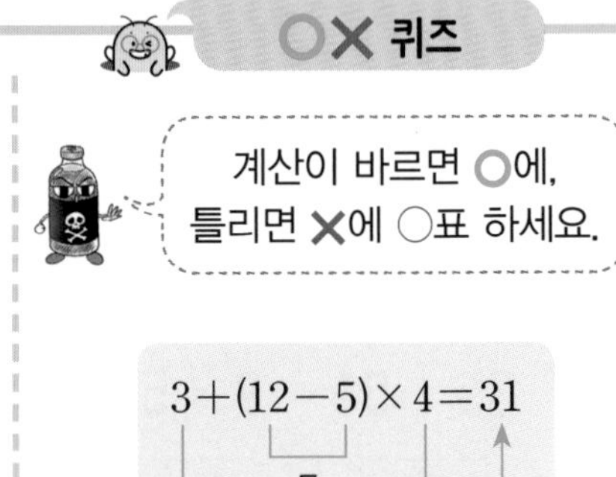

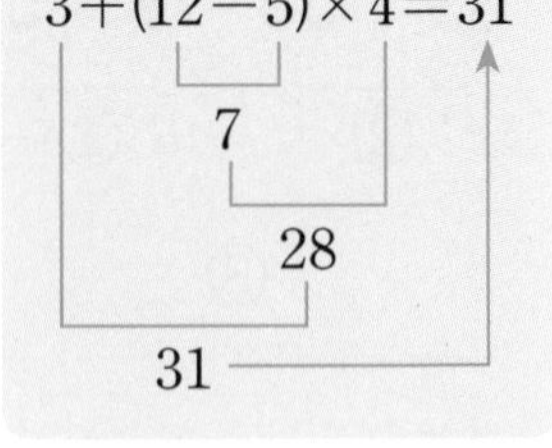

똑똑한 계산 연습

▶정답 및 풀이 3쪽

제한 시간 5분

□ 안에 알맞은 수를 써넣으세요.

❶ $2\times(7+29)-16=\square$

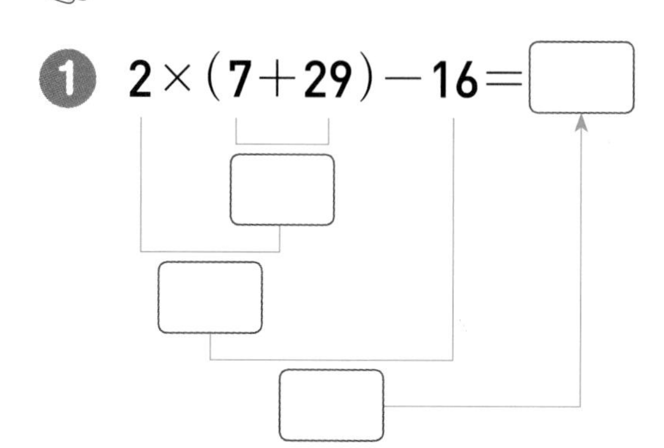

❷ $15+(21-7)\times3=\square$

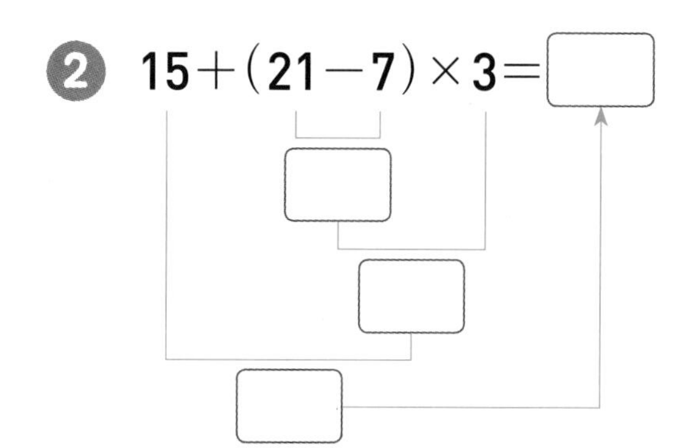

❸ $(8+19)\times3-54=\square$

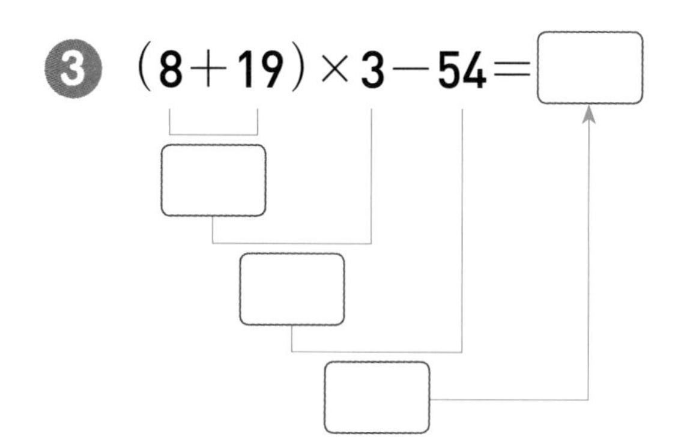

❹ $91-4\times(9+4)=\square$

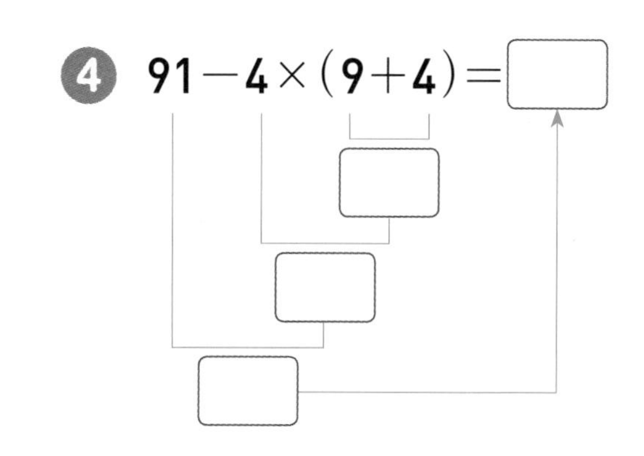

❺ $4\times24-(43+28)=\square$

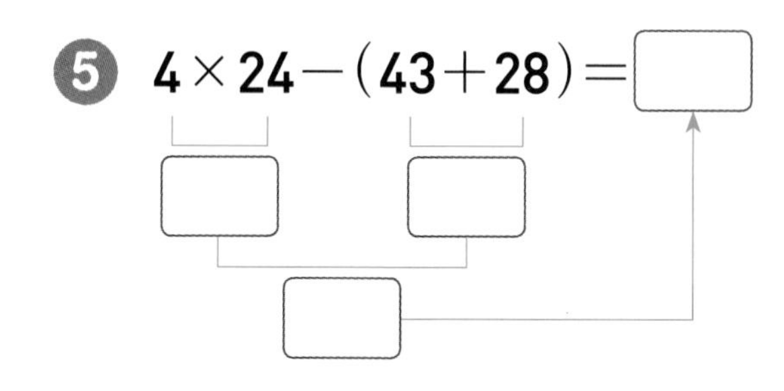

❻ $18\times4-(27+6)=\square$

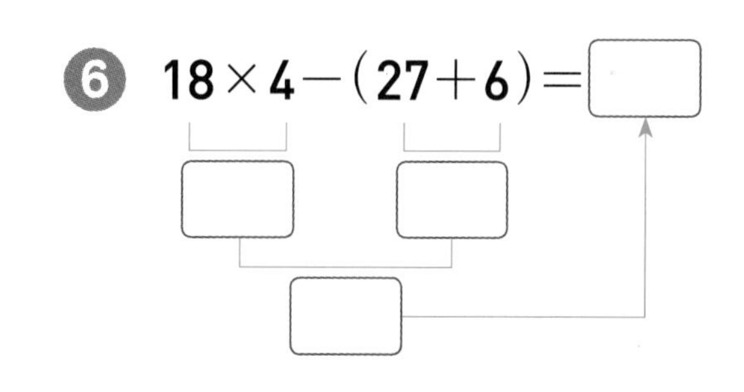

계산 순서대로 □ 안에 알맞은 수를 써넣으세요.

❼ $(5+9)\times6-68=\square\times6-\square$

$=\square-\square$

$=\square$

① ② ③

가장 먼저 ( ) 안을 계산하고
나머지 식 중 곱셈을
계산해요.

❽ $2\times(31-16+23)=\square\times(\square+23)$

$=\square\times\square$

$=\square$

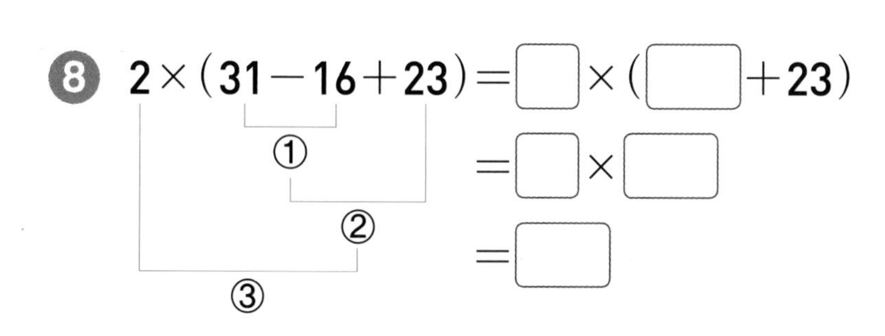

① ② ③

기초 집중 연습

 ◯ 안에 계산 결과를 써넣으세요.

1-1 $51-24+2\times36$ ─ ◯

1-2 $95-13\times6+47$ ─ ◯

1-3 $19+2\times(73-55)$ ─ ◯

1-4 $33+(60-3\times14)$ ─ ◯

보기 와 같이 계산 순서를 나타내고 계산해 보세요.

보기

$16+5\times(23-7)=96$

① 16

② 80

③ 96

2-1 $54+28-4\times19$

2-2 $27\times3-(18+36)$

2-3 $80-(43+7\times4)$

제한 시간 10분

생활 속 계산

거스름돈은 얼마인지 계산해 보세요.

3-1

영수증

물품	가격(원)	수량(개)
볼펜	800	2
지우개	900	1

받은 돈: 3000원
거스름돈:

$3000-800\times2-900$
$=\square$(원)

3-2

영수증

물품	가격(원)	수량(개)
팥빵	1200	3
크림빵	1300	2

받은 돈: 7000원
거스름돈:

$7000-(1200\times3+1300\times2)$
$=\square$(원)

문장 읽고 계산식 세우기

4-1 16에 9와 3의 곱을 더하고 7을 뺀 수는?

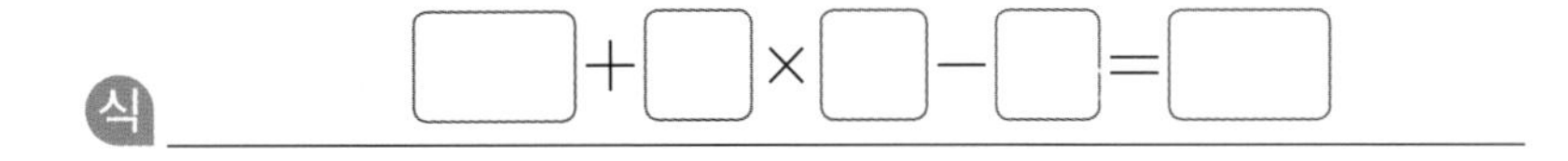
식 $\square+\square\times\square-\square=\square$

4-2 82와 57의 차를 3배 한 값에 18을 더한 수는?

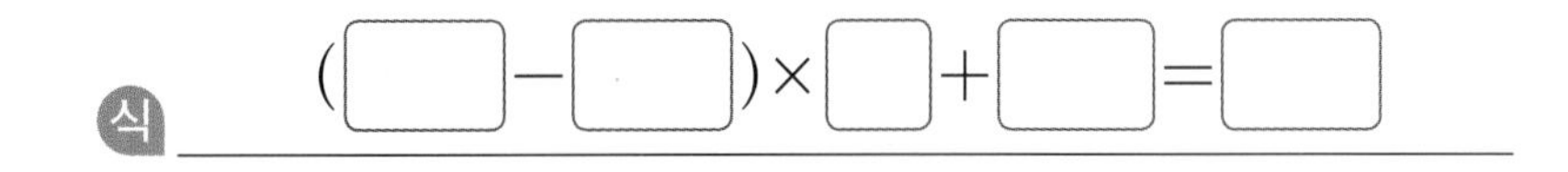
식 $(\square-\square)\times\square+\square=\square$

덧셈, 뺄셈, 나눗셈이 섞여 있는 식 ①

똑똑한 하루 계산법

• ( )가 없고 덧셈, 뺄셈, 나눗셈이 섞여 있는 식

예 $24-20\div2+3$의 계산

$$24-20\div2+3=17$$

① 10

② 14

③ 17

덧셈, 뺄셈, 나눗셈이 섞여 있는 식에서는 나눗셈을 먼저 계산합니다.

OX 퀴즈

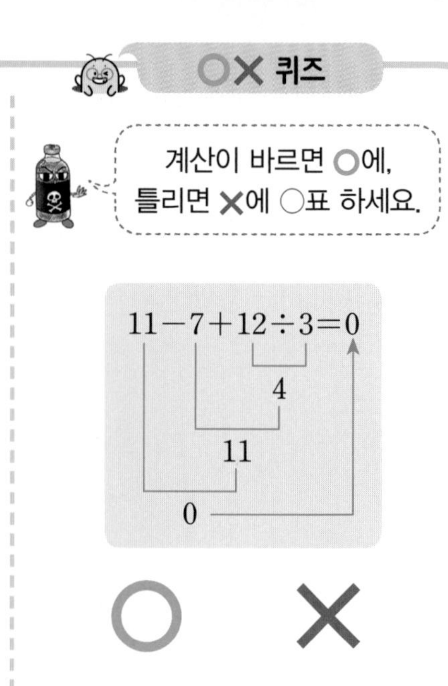

계산이 바르면 ○에, 틀리면 ✕에 ○표 하세요.
11－7＋12÷3＝0
4
11
0
○ ✕

정답 ✕에 ○표

똑똑한 계산 연습

▶정답 및 풀이 4쪽

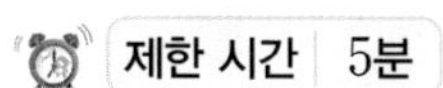
제한 시간 5분

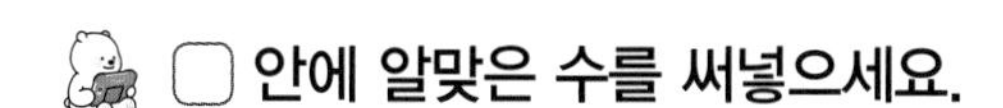
□ 안에 알맞은 수를 써넣으세요.

1. $93-84\div6+2=\square$

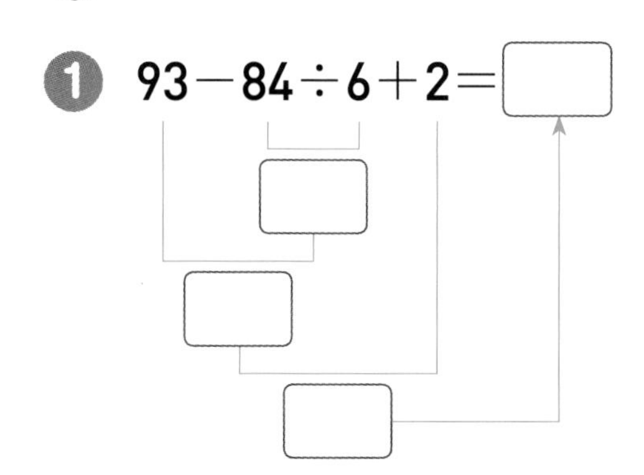

2. $58\div2-17+39=\square$

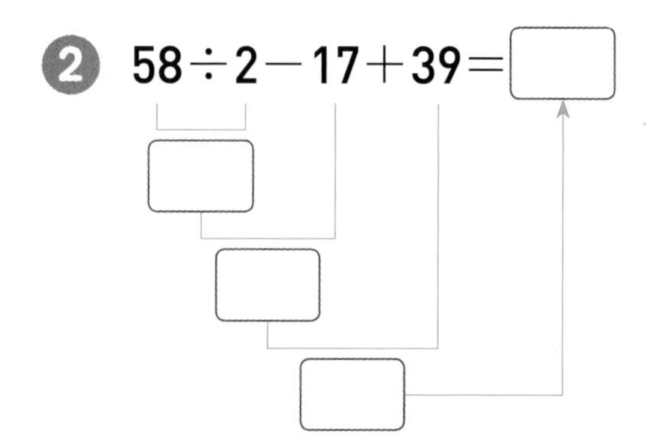

3. $64\div4+77-58=\square$

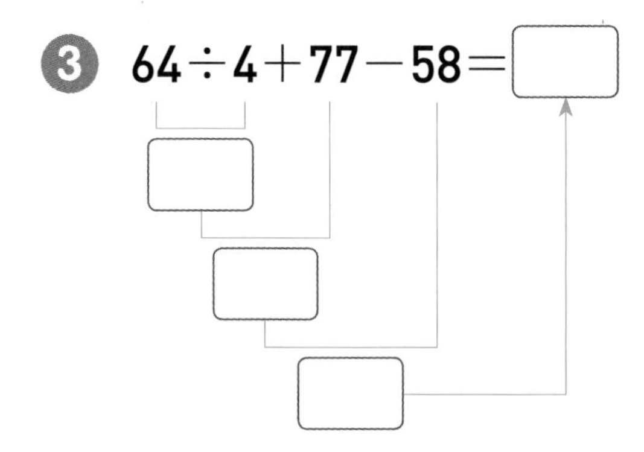

4. $45+57\div3-26=\square$

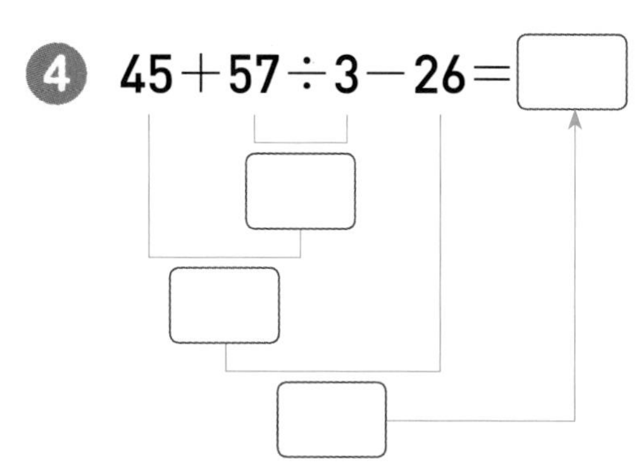

5. $71-56\div4+8=\square$

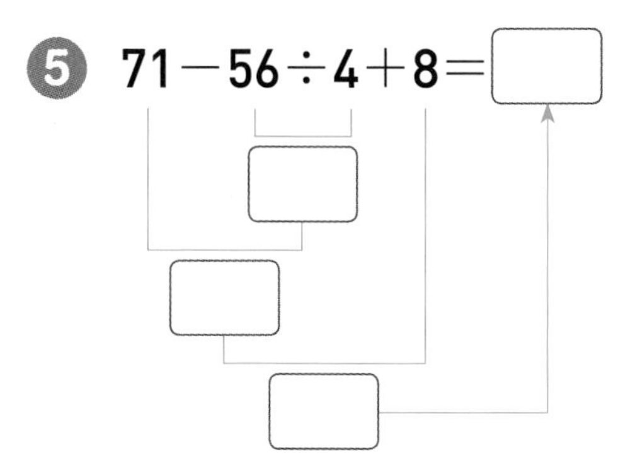

6. $80-47+96\div16=\square$

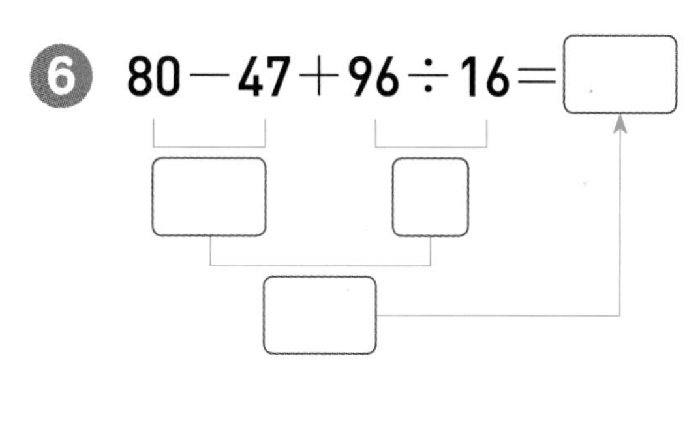

계산 순서대로 □ 안에 알맞은 수를 써넣으세요.

7. $19+61-94\div2=19+\square-\square$

②　①　③

$=\square-\square$

$=\square$

8. $20-42\div7+35=\square-\square+35$

①　②　③

$=\square+\square$

$=\square$

나눗셈을 먼저 계산하고
앞에서부터 차례로
계산해요.

1주 4일

4일 덧셈, 뺄셈, 나눗셈이 섞여 있는 식 ②

똑똑한 하루 계산법

• ( )가 있고 덧셈, 뺄셈, 나눗셈이 섞여 있는 식

예 $24-20\div(2+3)$의 계산

$$24-20\div(2+3)=20$$

① 5

② 4

③ 20

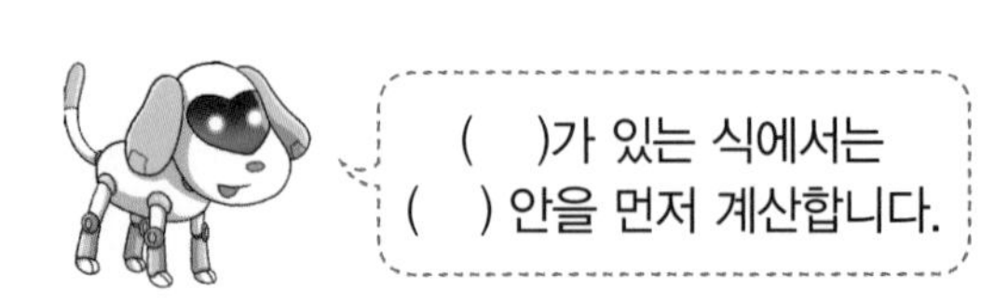

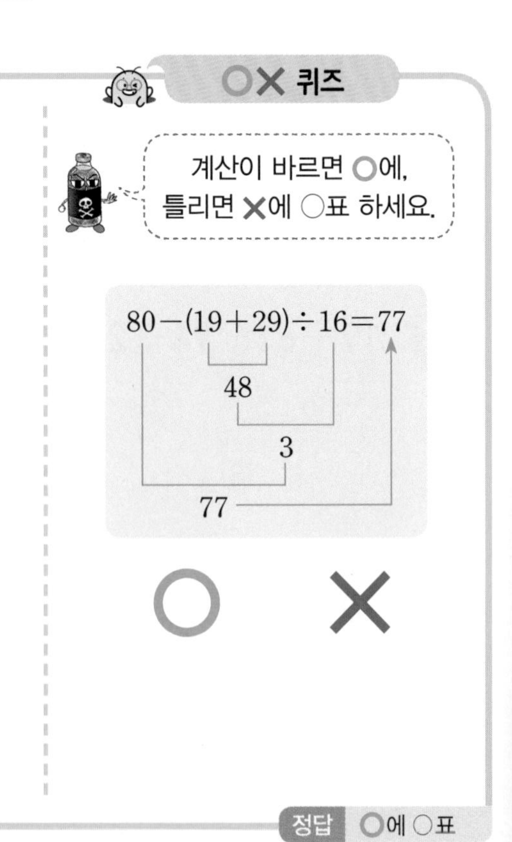

OX 퀴즈
계산이 바르면 ○에, 틀리면 ✕에 ○표 하세요.
80－(19＋29)÷16＝77
48
3
77
○ ✕

정답 ○에 ○표

▶ 정답 및 풀이 4쪽

제한 시간 5분

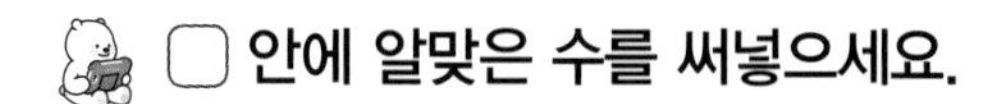

□ 안에 알맞은 수를 써넣으세요.

1 $41-(9+19)\div7=\square$

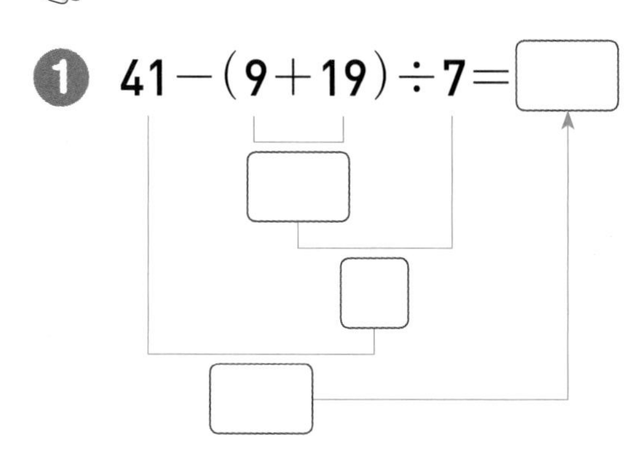

2 $78\div(8+5)-4=\square$

3 $75\div(17+8)-1=\square$

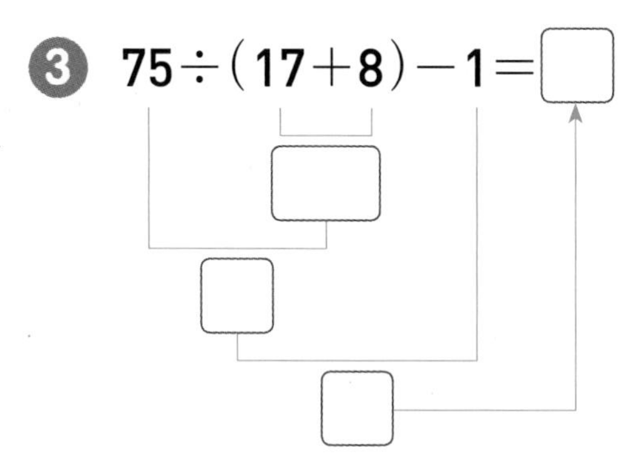

4 $52+(31-13)\div2=\square$

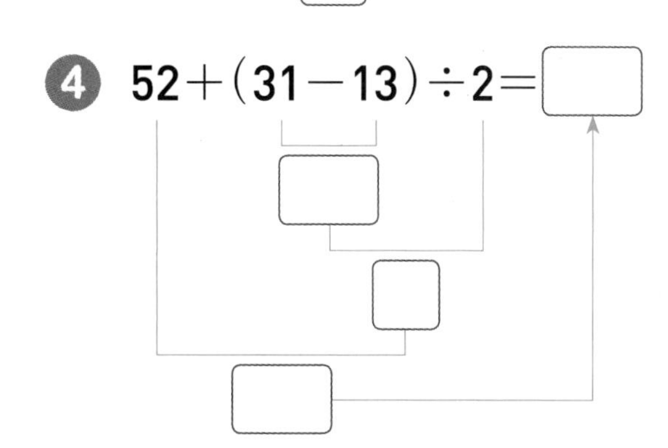

5 $39+96\div(52-44)=\square$

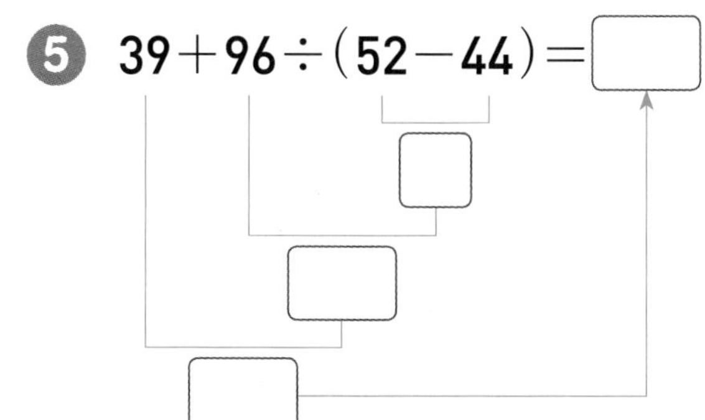

6 $71-(66+19)\div5=\square$

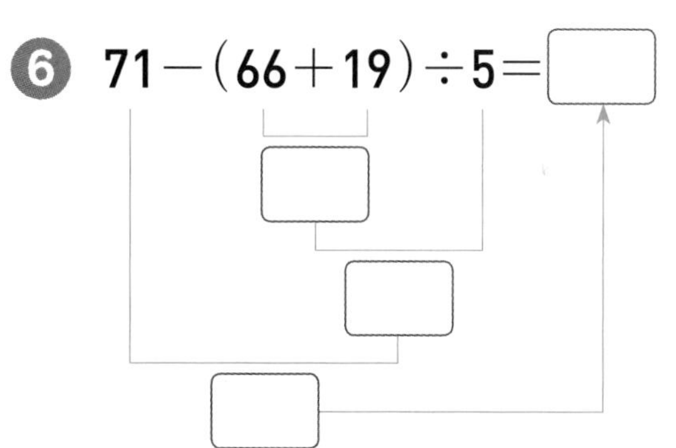

계산 순서대로 □ 안에 알맞은 수를 써넣으세요.

7 $90\div(3+7)-2=90\div\square-\square$

① ② ③

$=\square-\square$

$=\square$

8 $(91-4)\div3+26=\square\div\square+26$

① ② ③

$=\square+\square$

$=\square$

복잡해 보이지만
( ) 안을 먼저 계산하면
어렵지 않아요.

기초 집중 연습

 ◯ 안에 계산 결과를 써넣으세요.

1-1 $53+17-36\div12$ ◯

1-2 $31-76\div4+37$ ◯

1-3 $(95-67)\div4+28$ ◯

1-4 $87\div(19+42-58)$ ◯

 보기 와 같이 계산 순서를 나타내고 계산해 보세요.

보기

$29+31-56\div4=46$

② 60 ① 14

③ 46

2-1 $96\div(34-26)+59$

2-2 $62-78\div6+15$

2-3 $74-(28+51\div3)$

▶정답 및 풀이 4쪽

제한 시간 10분

생활 속 계산

각 물건의 무게를 보고 계산해 보세요.

3-1

물건	수량(개)	무게(g)
필통	1	70
가위	2	80
지우개	1	10

(필통 1개의 무게)
−(가위 1개의 무게)
+(지우개 1개의 무게)
$=70-80\div2+10=\square$ (g)

3-2

물건	수량(개)	무게(g)
야구공	2	290
축구공	1	400
골프공	3	135

(축구공 1개의 무게)
−((야구공 1개의 무게)
+(골프공 1개의 무게))
$=400-(290\div2+135\div3)$
$=\square$ (g)

1주 4일

문장 읽고 계산식 세우기

4-1 84를 12로 나눈 몫에 35를 더하고 24를 뺀 수는?

식 $\square\div\square+\square-\square=\square$

4-2 91과 38의 차에 28을 더한 값을 9로 나눈 몫은?

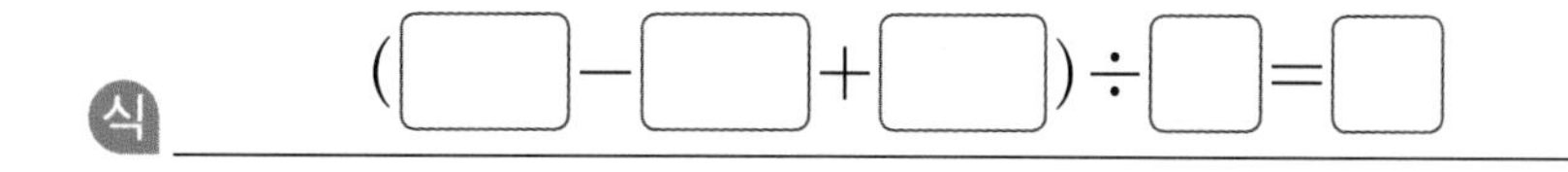
식 $(\square-\square+\square)\div\square=\square$

덧셈, 뺄셈, 곱셈, 나눗셈이 섞여 있는 식 ①

똑똑한 하루 계산법

• (　　)가 없고 덧셈, 뺄셈, 곱셈, 나눗셈이 섞여 있는 식

예 $30 \div 2 + 4 \times 5 - 7$의 계산

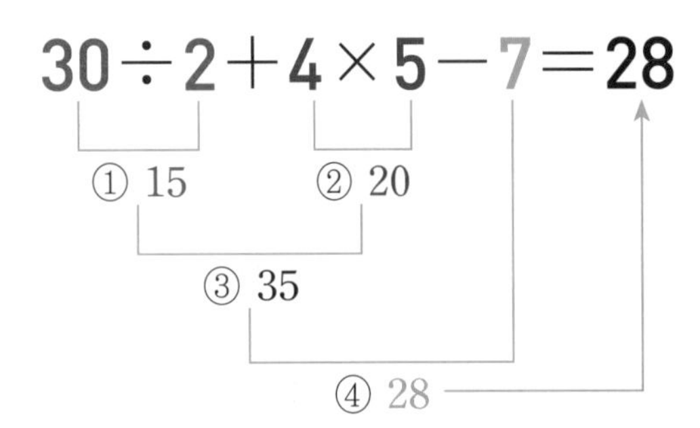

덧셈, 뺄셈, 곱셈, 나눗셈이 섞여 있는
식에서는 곱셈과 나눗셈을 먼저 계산합니다.

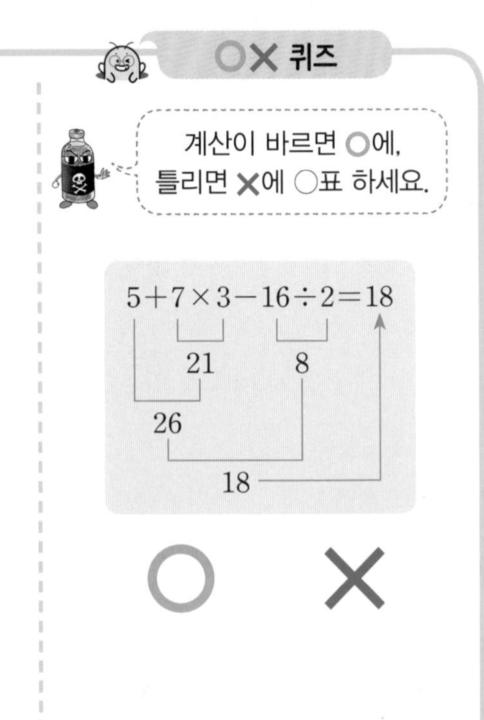

정답 ○에 ○표

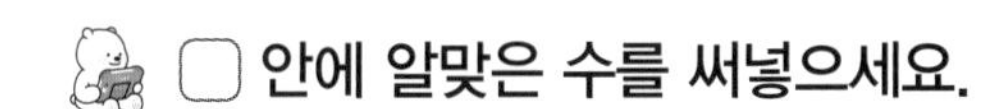

똑똑한 계산 연습

▶정답 및 풀이 5쪽

제한 시간 5분

□ 안에 알맞은 수를 써넣으세요.

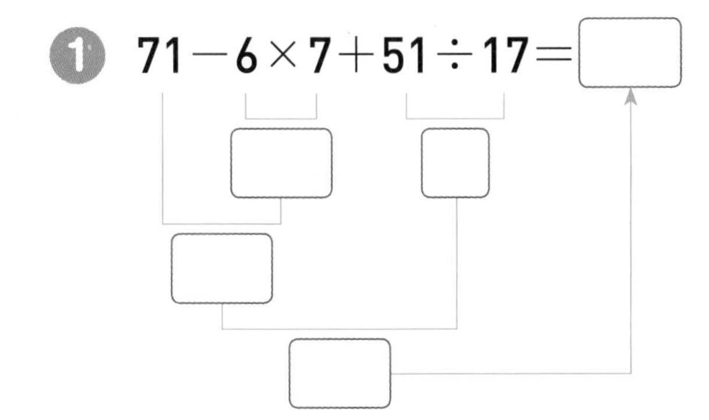

❶ $71-6\times7+51\div17=\square$

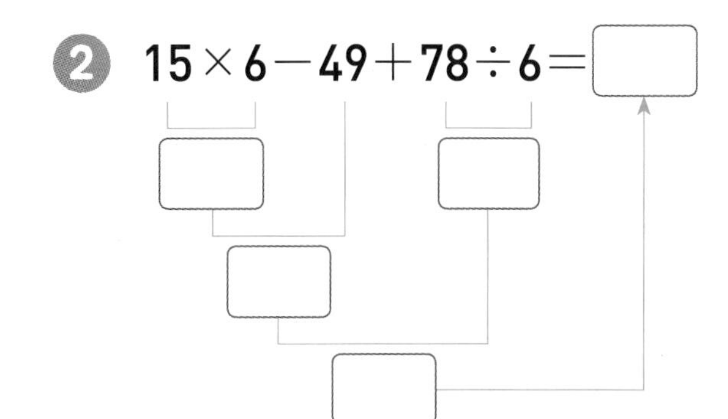

❷ $15\times6-49+78\div6=\square$

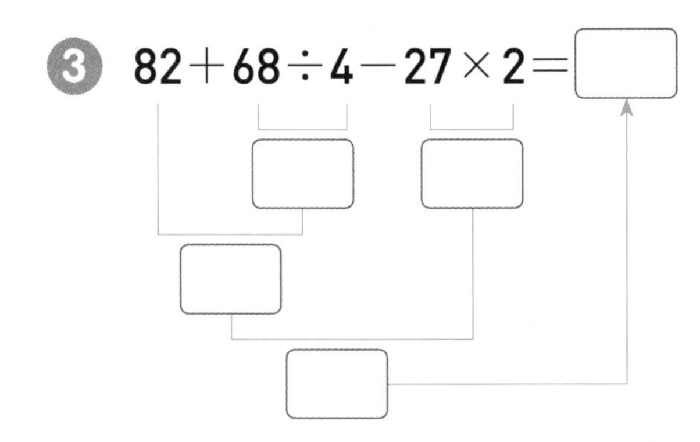

❸ $82+68\div4-27\times2=\square$

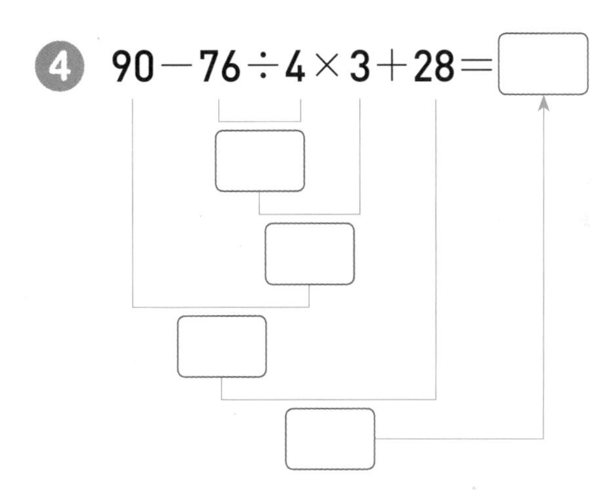

❹ $90-76\div4\times3+28=\square$

계산 순서대로 □ 안에 알맞은 수를 써넣으세요.

❺ $54\div3+16\times2-27=\square+\square\times\square-27$

$=\square+\square-27$

$=\square-\square$

$=\square$

(① $54\div3$, ② 16×2, ③ ①+②, ④ ③-27)

❻ $20-80\div5+8\times8=20-\square+\square\times\square$

$=20-\square+\square$

$=\square+\square$

$=\square$

(① $80\div5$, ② 8×8, ③ $20-$①, ④ ③+②)

1주 5일

덧셈, 뺄셈, 곱셈, 나눗셈이 섞여 있는 식 ②

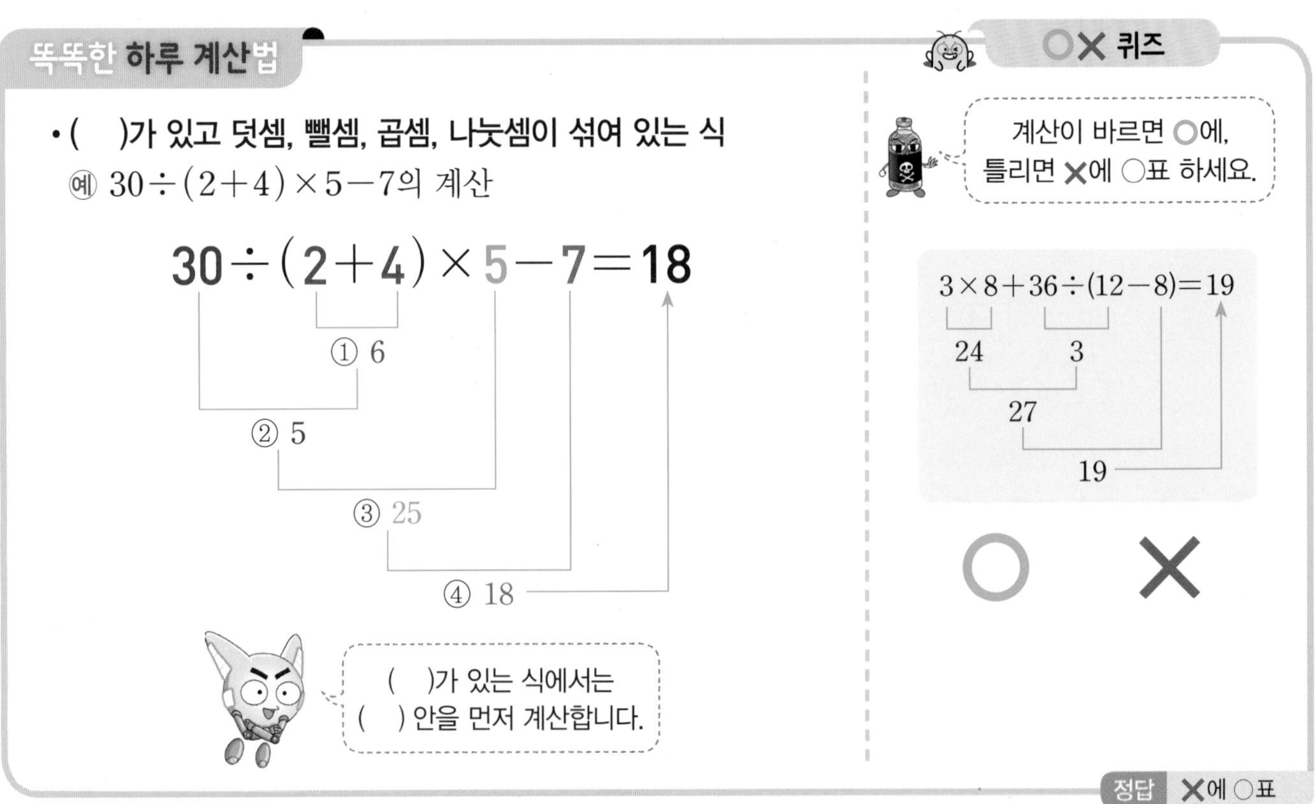

똑똑한 하루 계산법

• ( )가 있고 덧셈, 뺄셈, 곱셈, 나눗셈이 섞여 있는 식

예 $30\div(2+4)\times5-7$의 계산

$$30\div(2+4)\times5-7=18$$

① 6

② 5

③ 25

④ 18

( )가 있는 식에서는 ( ) 안을 먼저 계산합니다.

OX 퀴즈

계산이 바르면 ○에, 틀리면 ×에 ○표 하세요.

$$3\times8+36\div(12-8)=19$$

24, 3

27

19

○ ×

정답 ×에 ○표

▶정답 및 풀이 5쪽

제한 시간 5분

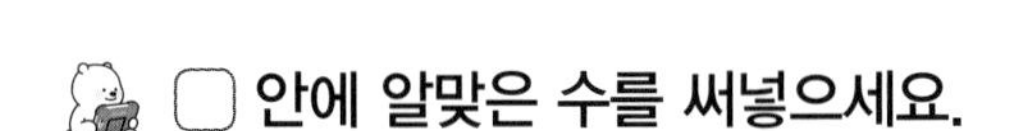

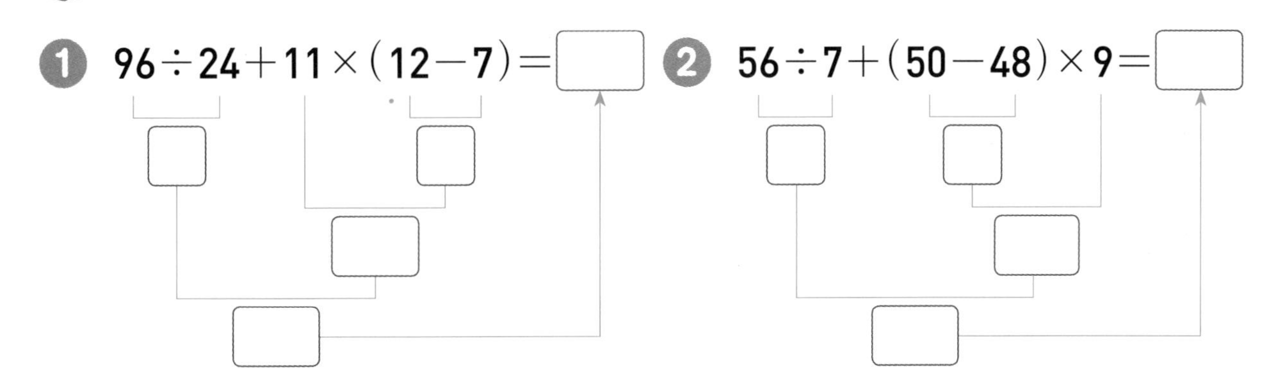

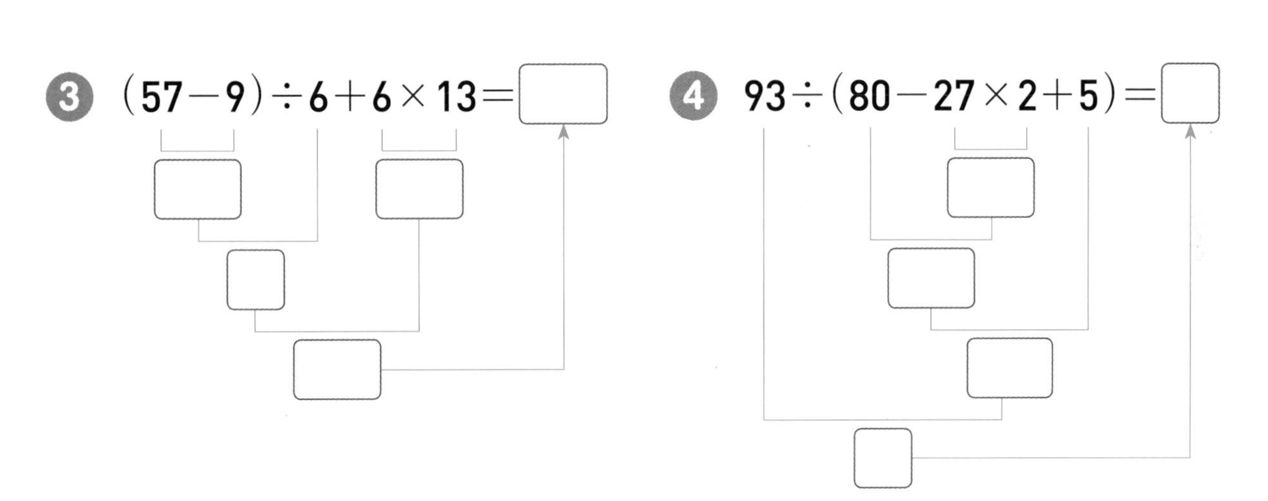

계산 순서대로 ▢ 안에 알맞은 수를 써넣으세요.

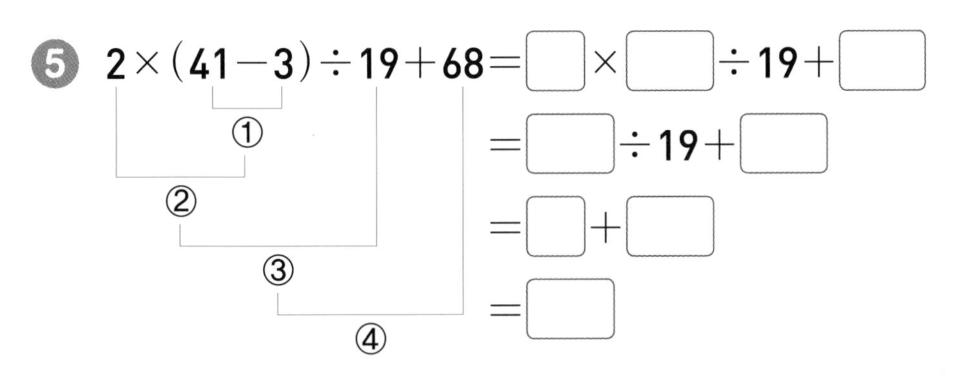

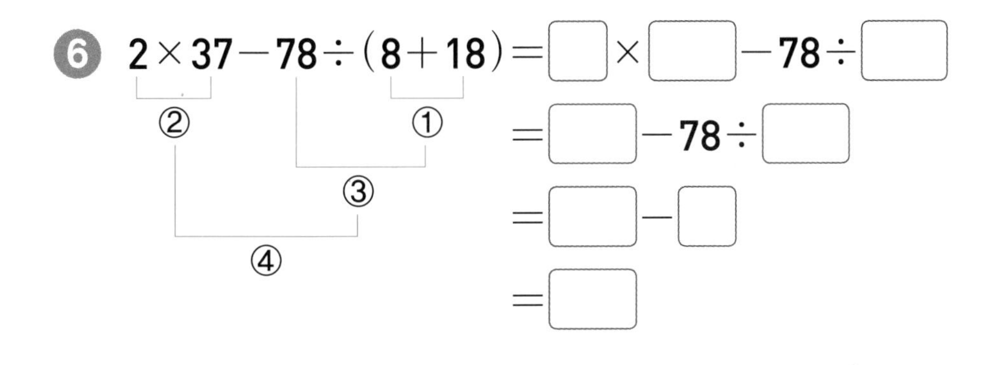

기초 집중 연습

◯ 안에 계산 결과를 써넣으세요.

1-1 $78+64\div4-5\times15$ ◯

1-2 $91-80\div5\times4+26$ ◯

1-3 $2\times(62-26)\div9+58$ ◯

1-4 $42-(18+2\times37)\div4$ ◯

보기 와 같이 계산 순서를 나타내고 계산해 보세요.

보기

$73-60\div5\times4+18=43$

① 12
② 48
③ 25
④ 43

2-1 $7\times13-26+87\div3$

2-2 $96\div(41-33)+15\times4$

2-3 $78\div(25-3\times6+6)$

제한 시간 10분

생활 속 계산

각 물건을 담은 바구니 1개만의 무게는 몇 g인지 구하세요.

3-1

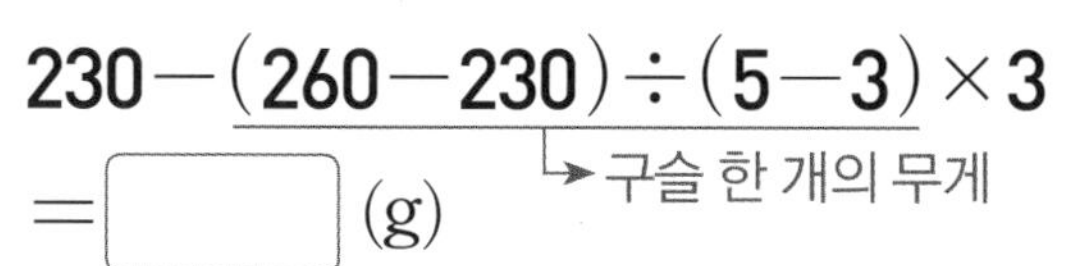

3-2

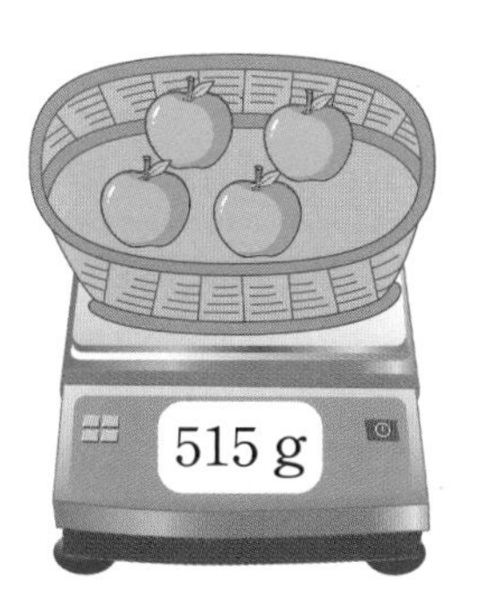

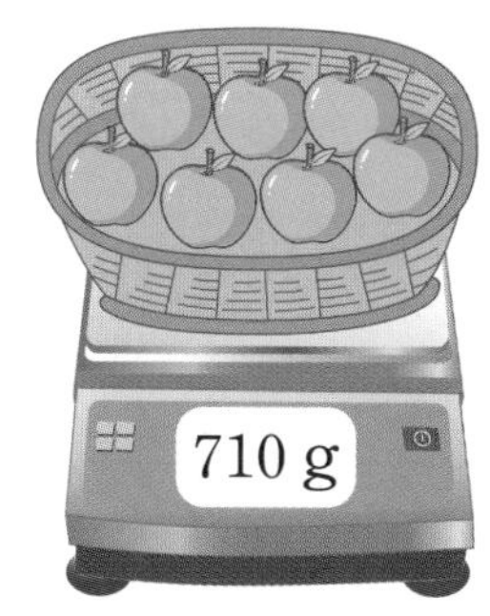

$515-(710-515)\div(7-4)\times 4$

$=\square$ (g)

└→ 사과 한 개의 무게

1주 5일

문장 읽고 계산식 세우기

4-1 32를 4로 나눈 몫과 3을 7배 한 값의 합에서 11을 뺀 수는?

식 $\square\div\square+\square\times\square-\square=\square$

4-2 71과 55의 차를 4배 한 수와 81을 3으로 나눈 몫의 합은?

식 $(\square-\square)\times\square+\square\div\square=\square$

누구나 100점 맞는 TEST

❶ $73-46+28$

❷ $80-(16+37)$

❸ $84\div3\times2$

❹ $96\div(4\times6)$

❺ $92-5\times13+24$

▶정답 및 풀이 6쪽

제한 시간 15분

맞은 개수 / 10개

❻ $101-(16+15)\times3$

❼ $61-45+76\div4$

❽ $70-(36+59)\div5$

❾ $78\div3+55-4\times4$

❿ $62-(20\div4\times7+18)$

제한 시간 안에 정확하게 모두 풀었다면 여러분은 진정한 **계산왕**!

1주 평가

특강 창의·융합·코딩

날씬해지러 달나라로 가자!

세 사람이 모두 달에서 몸무게를 잰다면 원호와 시아의 몸무게의 합은 선생님의 몸무게보다 몇 kg 더 무거운지 하나의 식으로 나타내어 구하세요.

▲ 선생님 ▲ 원호 ▲ 시아

	선생님	원호	시아
달에서 잰 몸무게(kg)	$54 \div \square = \square$	$36 \div \square = \square$	$30 \div \square = \square$

식 $(36 \div \square + 30 \div \square) - 54 \div \square = \square$

답 ________ kg

▶정답 및 풀이 7쪽

카프리카 수를 만들어 보자!

유리, 진태, 성규 중 카프리카 수를 가지고 있는 사람을 찾아 쓰세요.

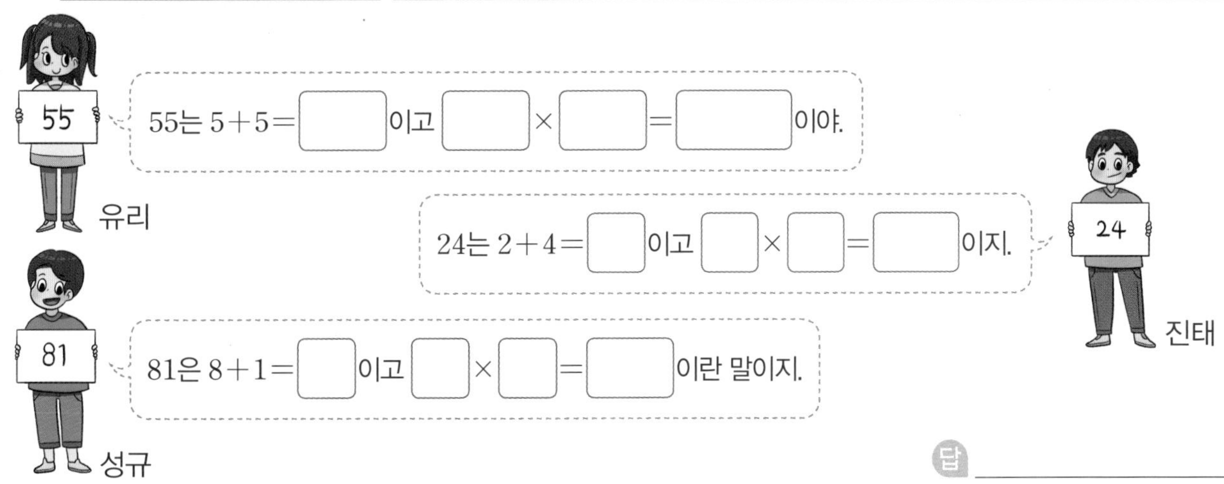

55
유리
55는 5+5=☐이고 ☐×☐=☐이야.
24
진태
24는 2+4=☐이고 ☐×☐=☐이지.
81
성규
81은 8+1=☐이고 ☐×☐=☐이란 말이지.

답 ____________

특강 창의·융합·코딩

영탁이의 용돈 기입장입니다. 4월 11일에 남은 돈은 얼마인지 하나의 식으로 나타내어 구하세요.

덧셈과 뺄셈이 섞여 있는 식으로 나타낼 수 있어요.

영탁

날짜	들어온 돈	나간 돈	남은 돈
4월 1일			2600원
4월 6일	6700원		
4월 9일		4500원	
4월 11일		1900원	

식 ______________________

답 __________ 원

창의 4

한 판에 30개인 달걀 3판을 정우, 민하에게 똑같이 나누어 주려고 합니다. 한 사람에게 몇 개씩 나누어 주면 되는지 하나의 식으로 나타내어 구하세요.

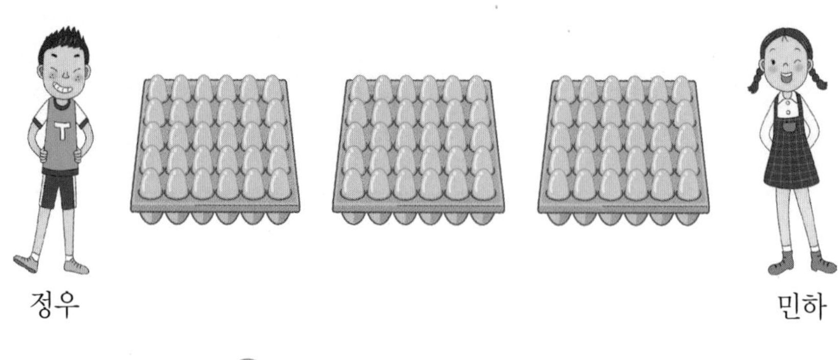

정우 민하

식 ______________________

답 __________ 개

▶정답 및 풀이 7쪽

융합 5 성냥개비로 삼각형을 만들고 있습니다. 삼각형을 20개 만들려면 성냥개비는 모두 몇 개 필요한지 하나의 식으로 나타내어 구하세요.

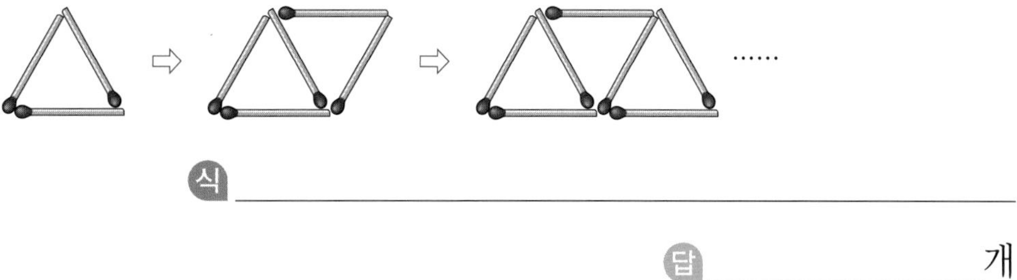

식 ______________________

답 ____________ 개

창의 6 보기 와 같은 방법으로 4개의 수에 +, −, ×, ÷, (　) 등을 이용하여 혼합 계산식을 완성해 보세요.

보기

$(4+4)\div(4+4)=1$	$4\times4\div(4+4)=2$
$(4\times4-4)\div4=3$	$4\times(4-4)+4=4$
$(4\times4+4)\div4=5$	$(4+4)\div4+4=6$
$4-4\div4+4=7$	$4\times4-4-4=8$

보기 와 같은 게임을 '포포즈(four fours) 게임'이라고 합니다.

$6 \quad 6 \quad 6 \quad 6=4$

창의·융합·코딩

보기 의 순서도를 보고 순서도에서 처리되어 나오는 값을 빈 곳에 써넣으세요.

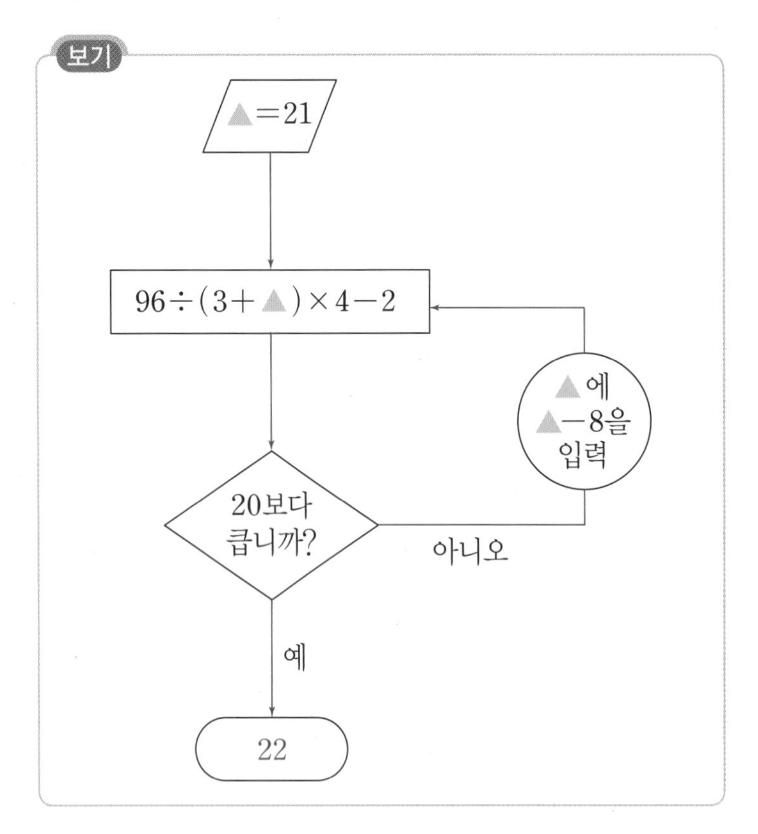

▲=21일 때
96÷(3+21)×4−2=14
이므로 20보다 작습니다.

▲=13일 때
96÷(3+13)×4−2=22
이므로 20보다 큽니다.

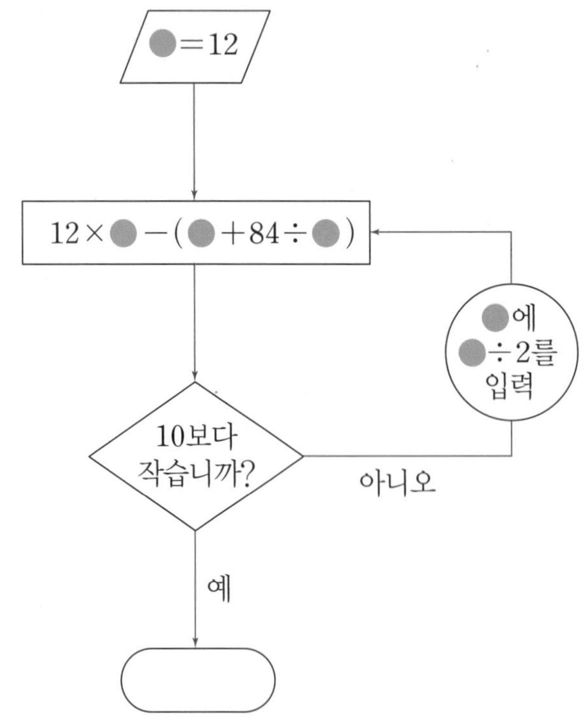

▶정답 및 풀이 7쪽

㉠★㉡=(㉠+5)×㉡÷2−7과 같이 약속합니다. 보기 와 같이 연산 규칙 로봇에 ㉠과 ㉡을 입력하여 출력한 값을 구하세요.

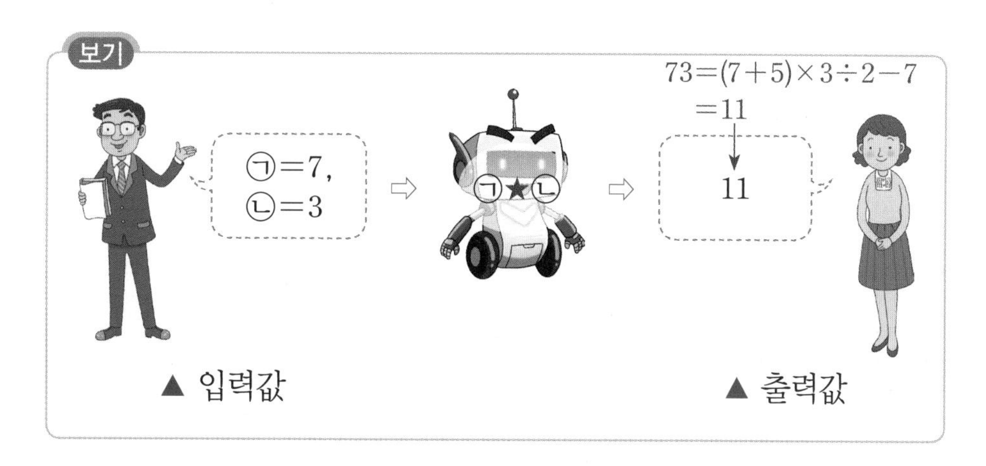

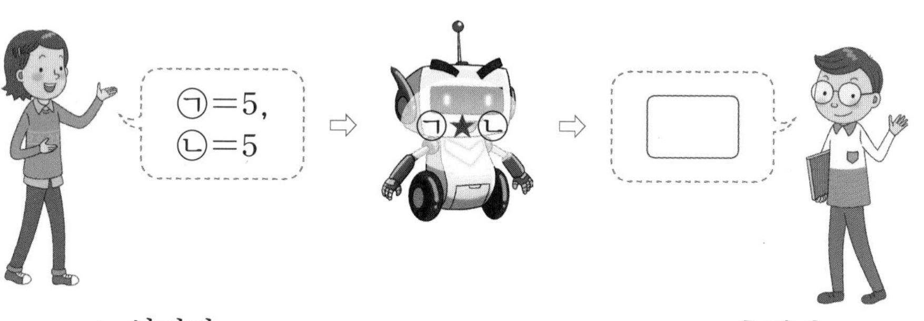

▲ 입력값　　　　▲ 출력값

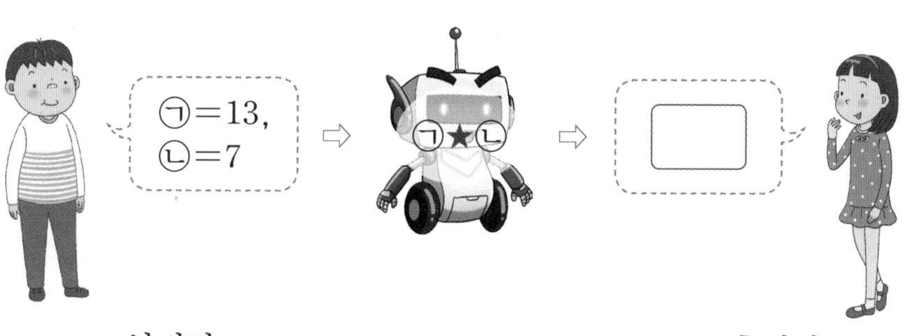

▲ 입력값　　　　▲ 출력값

1주 특강

약수와 배수

와~캠핑하기 좋은 날씨야.

너희는 뭘 그렇게 많이 가져 왔니?
이것 저것 좀 챙겨왔지.

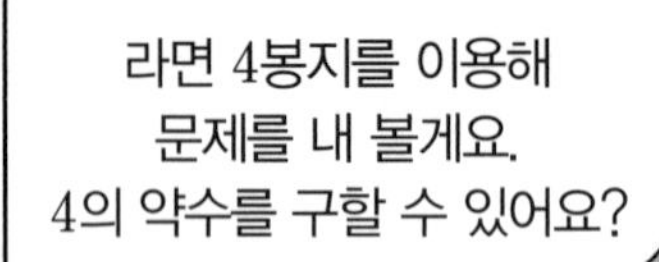

나는 귤 12개랑, 초콜릿 8개.
나는 빵 8개랑 라면 4봉지.

하룻밤 자고 돌아올 건데 짐이 그렇게나 많아?
다 같이 나눠 먹을 건데 뭐!

라면 4봉지를 이용해 문제를 내 볼게요. 4의 약수를 구할 수 있어요?
뜬금없이 4의 약수요?

약수란 어떤 수를 나누어떨어지게 하는 수를 말해요.

$4\div1=4$
$4\div2=2$
$4\div3=1\cdots1$
$4\div4=1$

4의 약수는 1, 2, 4예요.

나눗셈을 이용해서 초콜릿 수인 8의 약수를 찾아보면……

$\underline{8\div1=8}$ / $\underline{8\div2=4}$
$8\div3=2\cdots2$ / $\underline{8\div4=2}$
$8\div5=1\cdots3$ / $8\div6=1\cdots2$
$8\div7=1\cdots1$ / $\underline{8\div8=1}$

8의 약수는 1, 2, 4, 8인 거죠.

4는 8의 약수이니까 초콜릿 8개를 4명이 똑같이 나누어 먹을 수 있죠!

8의 약수: 1, 2, 4, 8

이제부터 산 중턱에 있는 캠핑장까지 걸어서 이동해야 해요.

이번에 배울 내용을 알아볼까요? 1

1일 약수 알아보기, 배수 알아보기
2일 공약수와 최대공약수
3일 최대공약수를 구하는 방법
4일 공배수와 최소공배수
5일 최소공배수를 구하는 방법

$3\times1=3$
$3\times2=6$
$3\times3=9$
⋮

이번에 배울 내용을 알아볼까요? 

4-1 (세 자리 수)×(두 자리 수)

고기 한 덩이가 234 g이라면
고기 24덩이는 몇 g일까?
맛있게 구워 먹으면
되는 거야!
2 3 4
× 2 4 ← 20+4
9 3 6 ← 234×4
4 6 8 0 ← 234×20
5 6 1 6

234×24는 234×4와 234×20을 더한 값이에요.

$234\times20=4680$에서 계산상 편리함을 위해 일의 자리 0의 표시를 생략할 수 있어요.

계산해 보세요.

1-1

		8	2	7
	×		4	0

1-2

		3	3	6
	×		8	0

1-3

	2	7	8
×		1	5

1-4

		8	6	3
	×		4	6

4-1 (세 자리 수)÷(두 자리 수)

팝콘 632 g을 18명이 똑같이 나눠 먹으려면 한 사람이 몇 g씩 먹게 될까?
한 사람이 35 g씩 먹게 되고 2 g이 남네.
35 ← 30+5
18)632
540 ← 18×30
92 ← 632−540
90 ← 18×5
2 ← 92−90

세 자리 수의 왼쪽 두 자리 수가 나누는 수보다 크면 몫은 두 자리 수가 돼요.

나머지는 나누는 수보다 작아야 해요.

계산해 보세요.

2-1 $89\overline{)712}$

2-2 $34\overline{)245}$

2-3 $53\overline{)848}$

2-4 $28\overline{)697}$

1 일

약수 알아보기

이건 고기와 조개를
구워 먹는
그림이네요?
맞아요.

조개 8개를 이웃에게
똑같이 나눠주렴.

조개 8개를 남거나
부족하지 않게 나누어
주어야 해요.
조개가 남거나
부족하지 않으려면
어떻게 해야 할까?

8의 약수를
구하면 돼.
8의 약수는
어떻게 구하지?

8을 나누어떨어지게 하는
수를 8의 약수라고 해요.
8의 약수는 1, 2, 4, 8
이에요.

8÷①=8
8÷②=4
8÷④=2
8÷⑧=1
8의 약수: 1, 2, 4, 8

1곳, 2곳, 4곳, 8곳에
똑같이 나누어 줄 수
있어요.
조개 8개는
우리가 똑같이
나누어 먹는 거죠?

똑똑한 하루 계산법

- **약수 알아보기**

약수: 어떤 수를 나누어떨어지게 하는 수

㉎ 8의 약수 구하기

8÷1=8	8÷2=4	8÷3=2⋯2
8÷4=2	8÷5=1⋯3	8÷6=1⋯2
8÷7=1⋯1	8÷8=1	

8을 나누어떨어지게 하는 수를 **8의 약수**라고 합니다.

⇨ 8의 약수: 1, 2, 4, 8

1은 모든 수의 약수예요.

○✕ 퀴즈

설명이 옳으면 ○에, 틀리면 ✕에 ○표 하세요.

4를 나누어떨어지게 하는 수를 4의 약수라고 합니다.

정답 ○에 ○표

똑똑한 계산 연습

▶ 정답 및 풀이 8쪽

제한 시간 5분

▢ 안에 알맞은 수를 써넣고 약수를 모두 구하세요.

1

$6 \div 1 = 6$　　$6 \div 2 = 3$

$6 \div \square = 2$　　$6 \div \square = 1$

6의 약수: ____________

2

$15 \div 1 = 15$　　$15 \div 3 = 5$

$15 \div \square = 3$　　$15 \div \square = 1$

15의 약수: ____________

3

$20 \div \square = 20$　　$20 \div \square = 10$

$20 \div \square = 5$　　$20 \div \square = 4$

$20 \div \square = 2$　　$20 \div \square = 1$

20의 약수: ____________

4

$45 \div \square = 45$　　$45 \div \square = 15$

$45 \div \square = 9$　　$45 \div \square = 5$

$45 \div \square = 3$　　$45 \div \square = 1$

45의 약수: ____________

5

$32 \div \square = 32$　　$32 \div \square = 16$

$32 \div \square = 8$　　$32 \div \square = 4$

$32 \div \square = 2$　　$32 \div \square = 1$

32의 약수: ____________

6

$63 \div \square = 63$　　$63 \div \square = 21$

$63 \div \square = 9$　　$63 \div \square = 7$

$63 \div \square = 3$　　$63 \div \square = 1$

63의 약수: ____________

1일 배수 알아보기

그릴에 넣을
장작이 필요해요.

저기 직접 장작을 패는
곳도 있던데 해 볼래요?
네!!

장작을 두 쪽으로 나누면
조각이 2의 배수로
나오겠구나!
쩌억

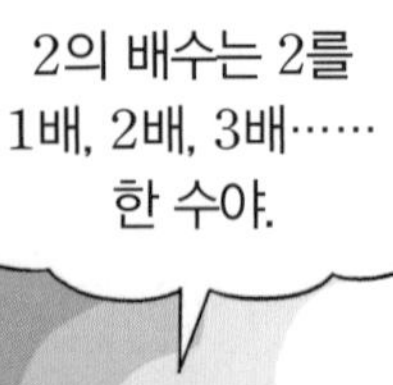

2의 배수는 2를
1배, 2배, 3배……
한 수야.

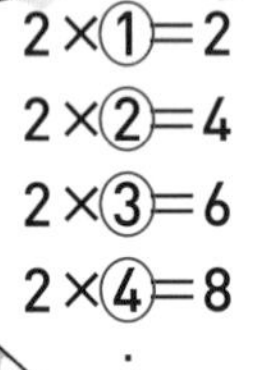

오호~ 공부 좀
했네!
2×①=2
2×②=4
2×③=6
2×④=8
⋮
2의 배수: 2, 4, 6, 8…

빡

2의 배수는 커녕
장작을 패지도 못했네.
낑~

똑똑한 하루 계산법

• **배수 알아보기**

배수: 어떤 수를 1배, 2배, 3배…… 한 수

㉠ 2의 배수 구하기

2를 1배 한 수	2×1=2
2를 2배 한 수	2×2=4
2를 3배 한 수	2×3=6
2를 4배 한 수	2×4=8
⋮	⋮

곱을 이용하여 약수와
배수의 관계를 알 수 있습니다.

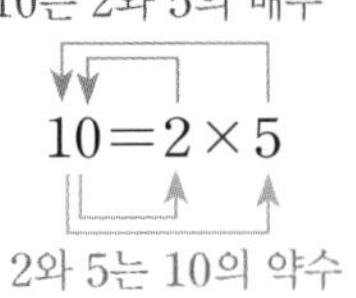

10은 2와 5의 배수
10=2×5
2와 5는 10의 약수

2를 1배, 2배, 3배…… 한 수를
2의 배수라고 합니다.

⇨ 2의 배수: 2, 4, 6, 8……

○× 퀴즈

설명이 옳으면 ○에,
틀리면 ×에 ○표 하세요.

3의 배수는 3을 1배, 2배, 3배……
한 수입니다.

정답 ○에 ○표

똑똑한 계산 연습

▶정답 및 풀이 8쪽

제한 시간 5분

☐ 안에 알맞은 수를 써넣고, 배수를 가장 작은 수부터 4개 구하세요.

1

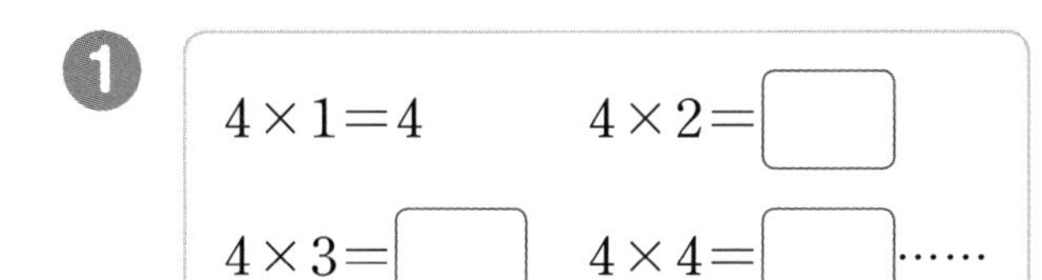

4의 배수: ______________

2

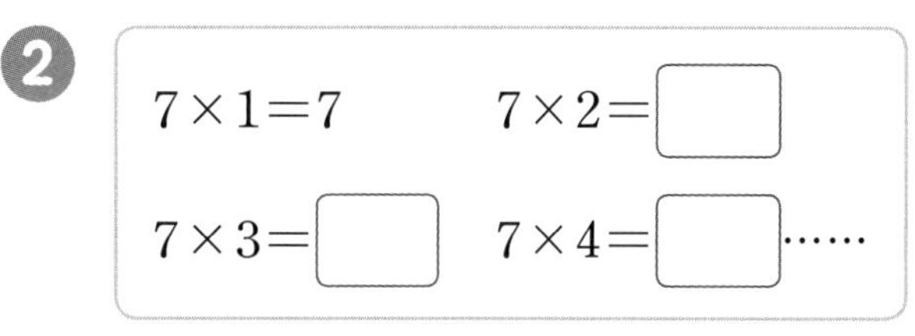

7의 배수: ______________

3

$8\times1=$ ☐ $8\times2=$ ☐

$8\times3=$ ☐ $8\times4=$ ☐……

8의 배수: ______________

4

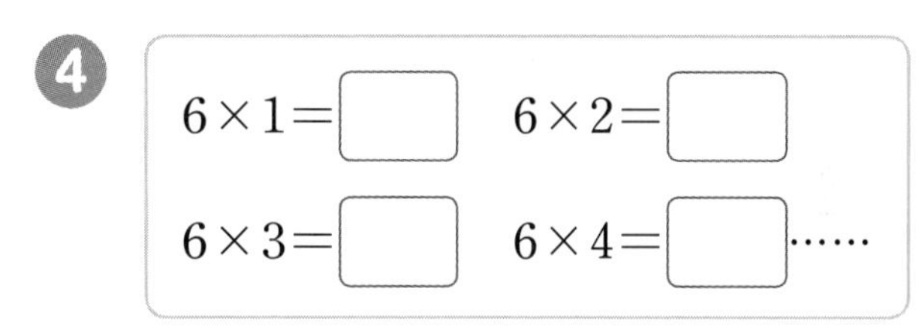

6의 배수: ______________

5

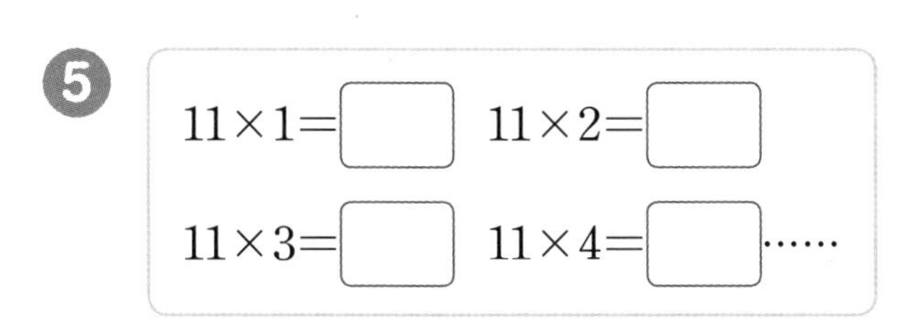

11의 배수: ______________

6

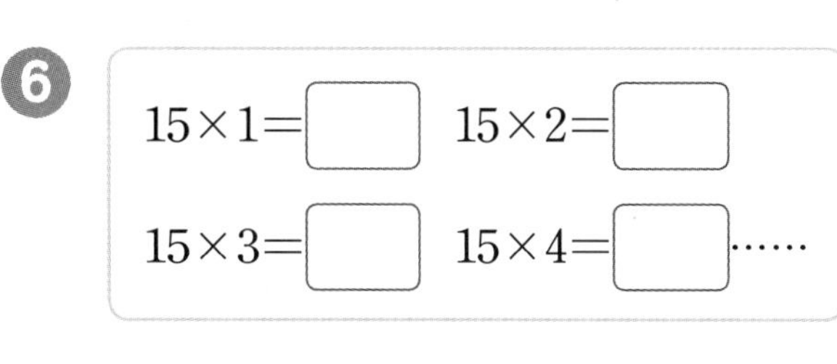

15의 배수: ______________

7

$13\times1=$ ☐ $13\times2=$ ☐

$13\times3=$ ☐ $13\times4=$ ☐……

13의 배수: ______________

8

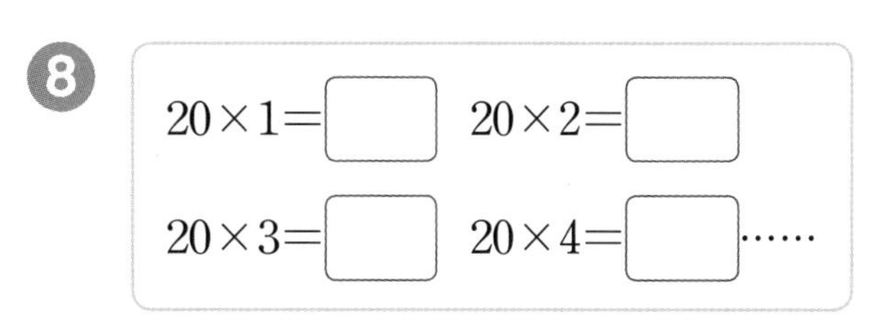

20의 배수: ______________

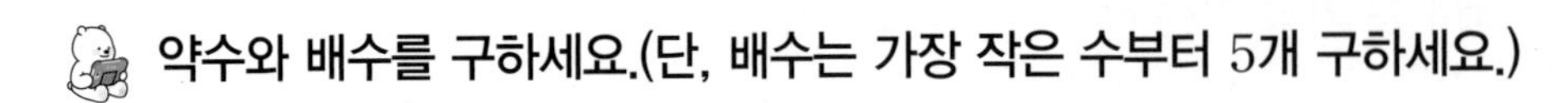

기초 집중 연습

약수와 배수를 구하세요.(단, 배수는 가장 작은 수부터 5개 구하세요.)

1-1 25의 약수

1-2 40의 약수

1-3 5의 배수

1-4 9의 배수

두 수가 서로 약수와 배수의 관계인 것에 ○표, 아닌 것에 ×표 하세요.

2-1 6 56 □

2-2 7 22 □

2-3 13 52 □

2-4 72 18 □

2-5 51 11 □

2-6 90 15 □

▶정답 및 풀이 8쪽

제한 시간 10분

생활 속 문제

과일 가게에 있는 과일을 각각 남김없이 똑같이 봉지에 담으려고 합니다. 과일을 나누어 담을 수 있는 봉지의 수에 모두 ○표 하세요.

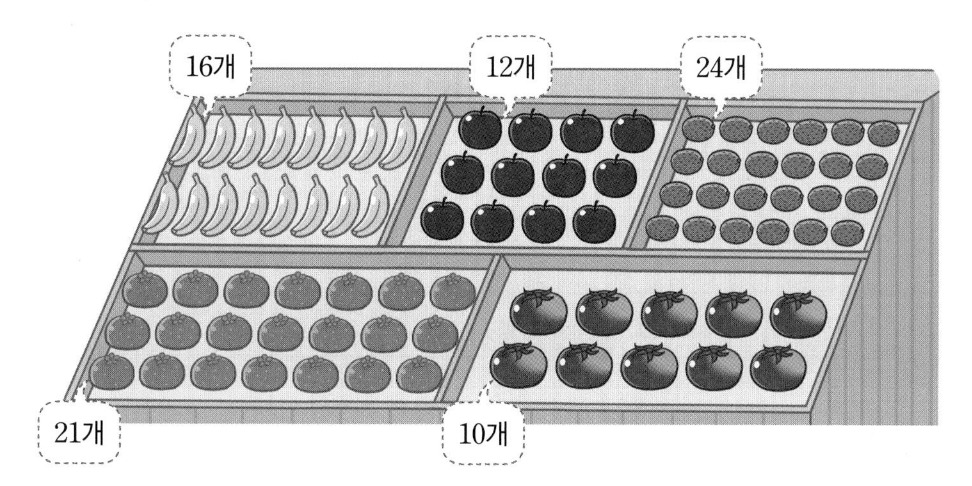

3-1

2개	3개	4개
6개	8개	16개

3-2

2개	3개	5개
6개	8개	12개

3-3

3개	4개	5개
8개	10개	15개

3-4

2개	3개	4개
7개	9개	12개

문장 읽고 문제 해결하기

4-1 18의 약수의 개수는?

답 ________ 개

4-2 56의 약수의 개수는?

답 ________ 개

4-3 81의 약수의 개수는?

답 ________ 개

4-4 36의 약수의 개수는?

답 ________ 개

공약수와 최대공약수 ①

똑똑한 하루 계산법

- **공약수와 최대공약수**
  (1) **공약수**: 두 수의 공통된 약수
  (2) **최대공약수**: 두 수의 공약수 중에서 가장 큰 수

  예 8과 12의 공약수와 최대공약수 구하기

  8의 약수: **1**, **2**, **4**, 8
  12의 약수: **1**, **2**, 3, **4**, 6, 12

  ⇨ 8과 12의 공약수: 1, 2, 4
  8과 12의 최대공약수: 4

공약수 중에서 가장 작은 수는 1이에요.

○✕ 퀴즈

설명이 옳으면 ○에, 틀리면 ✕에 ○표 하세요.

두 수의 공약수 중에서 가장 큰 수는 1입니다.

 ○  ✕

정답 ✕에 ○표

똑똑한 계산 연습

▶정답 및 풀이 9쪽

제한 시간 5분

▢ 안에 알맞은 수를 써넣으세요.

1

27의 약수: 1, 3, 9, 27
45의 약수: 1, 3, 5, 9, 15, 45

27과 45의 공약수: ▢, ▢, ▢

27과 45의 최대공약수: ▢

2

10의 약수: 1, 2, 5, 10
16의 약수: 1, 2, 4, 8, 16

10과 16의 공약수: ▢, ▢

10과 16의 최대공약수: ▢

3

20의 약수: 1, 2, 4, 5, 10, 20
24의 약수: 1, 2, 3, 4, 6, 8, 12, 24

20과 24의 공약수: ▢, ▢, ▢

20과 24의 최대공약수: ▢

4

18의 약수: 1, 2, 3, 6, 9, 18
27의 약수: 1, 3, 9, 27

18과 27의 공약수: ▢, ▢, ▢

18과 27의 최대공약수: ▢

5

12의 약수: 1, 2, 3, 4, 6, 12
18의 약수: 1, 2, 3, 6, 9, 18

12와 18의 공약수:
▢, ▢, ▢, ▢

12와 18의 최대공약수: ▢

6

20의 약수: 1, 2, 4, 5, 10, 20
30의 약수: 1, 2, 3, 5, 6, 10, 15, 30

20과 30의 공약수:
▢, ▢, ▢, ▢

20과 30의 최대공약수: ▢

7

21의 약수: 1, 3, 7, 21
35의 약수: 1, 5, 7, 35

21과 35의 공약수: ▢, ▢

21과 35의 최대공약수: ▢

8

39의 약수: 1, 3, 13, 39
20의 약수: 1, 2, 4, 5, 10, 20

39와 20의 공약수: ▢

39와 20의 최대공약수: ▢

공약수와 최대공약수 ②

8과 12의 공약수 1, 2, 4 중에서 가장 큰 수인 4를 8과 12의 최대공약수라고 해요.
8과 12의 공약수:
1, 2, ④
공약수 중 가장 큰 수!

근데 여기서 엄청 재밌는 사실이 있어요.
뭔데요?

8과 12의 최대공약수인 4의 약수를 한 번 구해 보겠어요?
<4의 약수?>
1, 2, 4
4의 약수는 1, 2, 4예요.

와~ 정말 신기해요!
아아… 선생님 고기가 타요!
치이익

이런, 수학 공부에 빠져서 그만…….
고기 더 가져 올게요~.

똑똑한 하루 계산법

- **공약수와 최대공약수의 관계**

  ㉮ 8과 12의 공약수와 최대공약수의 관계

  - 8과 12의 공약수: 1, 2, 4
  - 8과 12의 최대공약수: 4
  - 4의 약수: 1, 2, 4

  (4: 8과 12의 최대공약수) → 같습니다.

  ⇨ 8과 12의 공약수는 8과 12의 최대공약수인 4의 약수와 같습니다.

공약수 중에서 가장 큰 수가 최대공약수예요.

두 수의 공약수는 두 수의 최대공약수의 약수와 같아요.

OX 퀴즈

설명이 옳으면 ○에, 틀리면 ✕에 ○표 하세요.

최대공약수가 5인 두 수의 공약수는 5의 약수와 같습니다.

정답 ○에 ○표

똑똑한 계산 연습

▶정답 및 풀이 9쪽

제한 시간 5분

▢ 안에 알맞은 수를 써넣으세요.

1
- 24와 32의 공약수: 1, 2, 4, 8
- 24와 32의 최대공약수: ▢
- 24와 32의 최대공약수의 약수: ▢, ▢, ▢, ▢

⇨ 24와 32의 공약수는 24와 32의 최대공약수인 ▢의 약수와 같습니다.

2
- 18과 30의 공약수: 1, 2, 3, 6
- 18과 30의 최대공약수: ▢
- 18과 30의 최대공약수의 약수: ▢, ▢, ▢, ▢

⇨ 18과 30의 공약수는 18과 30의 최대공약수인 ▢의 약수와 같습니다.

3
- 20과 50의 공약수: 1, 2, 5, 10
- 20과 50의 최대공약수: ▢
- 20과 50의 최대공약수의 약수: ▢, ▢, ▢, ▢

⇨ 20과 50의 공약수는 20과 50의 최대공약수인 ▢의 약수와 같습니다.

4
- 24와 60의 공약수: 1, 2, 3, 4, 6, 12
- 24와 60의 최대공약수: ▢
- 24와 60의 최대공약수의 약수: ▢, ▢, ▢, ▢, ▢, ▢

⇨ 24와 60의 공약수는 24와 60의 최대공약수인 ▢의 약수와 같습니다.

5
- 27과 45의 공약수: 1, 3, 9
- 27과 45의 최대공약수: ▢
- 27과 45의 최대공약수의 약수: ▢, ▢, ▢

⇨ 27과 45의 공약수는 27과 45의 최대공약수인 ▢의 약수와 같습니다.

6
- 36과 54의 공약수: 1, 2, 3, 6, 9, 18
- 36과 54의 최대공약수: ▢
- 36과 54의 최대공약수의 약수: ▢, ▢, ▢, ▢, ▢, ▢

⇨ 36과 54의 공약수는 36과 54의 최대공약수인 ▢의 약수와 같습니다.

2일

기초 집중 연습

두 수의 약수를 각각 구하고, 공약수와 최대공약수를 구하세요.

1-1 (10, 15)

- 10의 약수: ______
- 15의 약수: ______

⇨ 공약수: ______
최대공약수: ______

1-2 (14, 21)

- 14의 약수: ______
- 21의 약수: ______

⇨ 공약수: ______
최대공약수: ______

두 수의 공약수와 최대공약수를 구하세요.

2-1

두 수	(16, 30)
공약수	
최대공약수	

2-2

두 수	(25, 50)
공약수	
최대공약수	

2-3

두 수	(63, 27)
공약수	
최대공약수	

2-4

두 수	(64, 56)
공약수	
최대공약수	

생활 속 문제

 **같은 색깔의 공깃돌에 적힌 수들의 공약수와 최대공약수를 구하세요.**

3-1

공약수: ______________________

최대공약수: ______________________

3-2

공약수: ______________________

최대공약수: ______________________

3-3

공약수: ______________________

최대공약수: ______________________

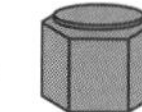

3-4

공약수: ______________________

최대공약수: ______________________

문장 읽고 문제 해결하기

4-1 최대공약수가 8인 두 수의 공약수는?

답 ______________________

4-2 최대공약수가 14인 두 수의 공약수는?

답 ______________________

4-3 최대공약수가 20인 두 수의 공약수는?

답 ______________________

4-4 최대공약수가 17인 두 수의 공약수는?

답 ______________________

최대공약수를 구하는 방법 ①

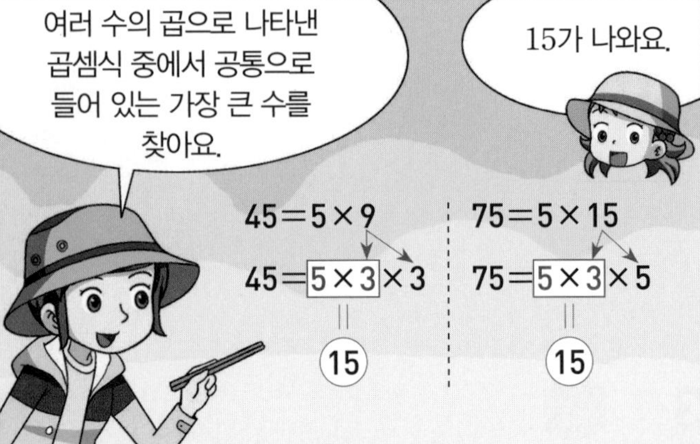

똑똑한 하루 계산법

• **여러 수의 곱으로 나타낸 곱셈식을 이용하여 최대공약수 구하기**

예 45와 75의 최대공약수 구하기

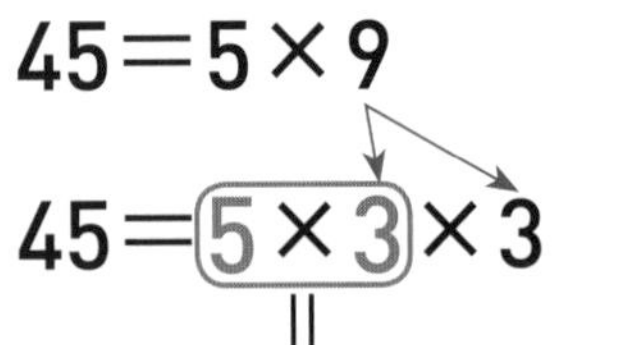

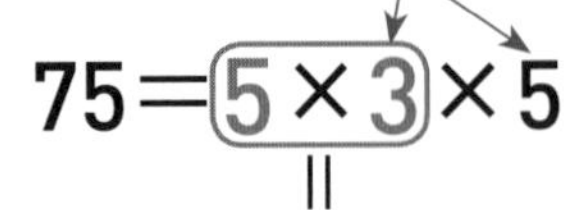

$45=5\times9$ $\qquad$ $75=5\times15$

$45=(5\times3)\times3$ $\qquad$ $75=(5\times3)\times5$

15 ⇨ **45와 75의 최대공약수** ⇦ 15

참고

두 수의 곱으로 나타냈을 때 공통으로 들어 있는 가장 큰 수를 찾아 최대공약수를 구할 수도 있습니다.

$45=3\times$⑮ $\qquad$ $75=5\times$⑮

⇩ ⇩

45와 75의 최대공약수

 OX 퀴즈

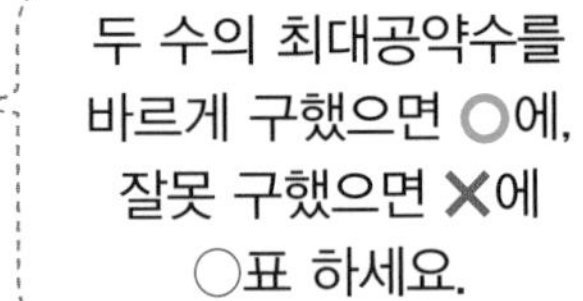

두 수의 최대공약수를 바르게 구했으면 ○에, 잘못 구했으면 ✕에 ○표 하세요.

$10=2\times5$

$20=2\times2\times5$

⇨ 10과 20의 최대공약수: $2\times2\times5=20$

정답 ✕에 ○표

똑똑한 계산 연습

▶정답 및 풀이 9쪽

제한 시간 5분

두 수를 가장 작은 수들의 곱으로 나타내어 두 수의 최대공약수를 구하세요.

1

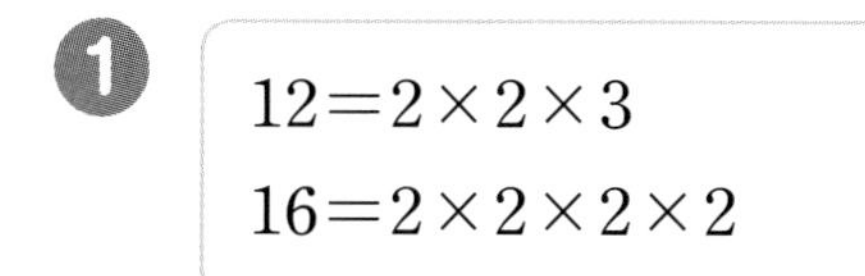

$12=2\times2\times3$

$16=2\times2\times2\times2$

⇨ 12와 16의 최대공약수:

$2\times\square=\square$

2

$28=2\times2\times7$

$42=2\times3\times7$

⇨ 28과 42의 최대공약수:

$\square\times\square=\square$

3

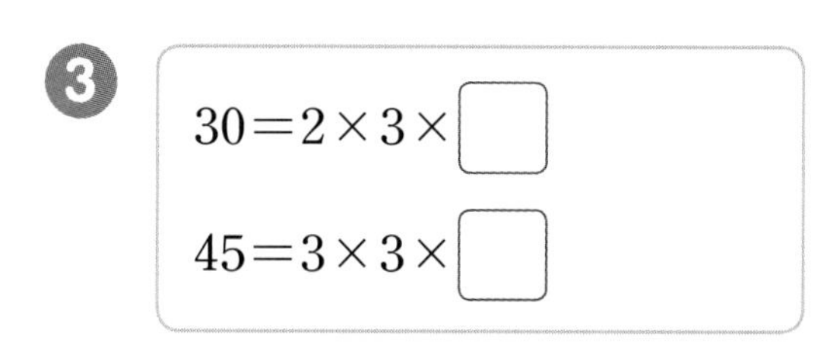

$30=2\times3\times\square$

$45=3\times3\times\square$

⇨ 30과 45의 최대공약수:

$\square\times\square=\square$

4

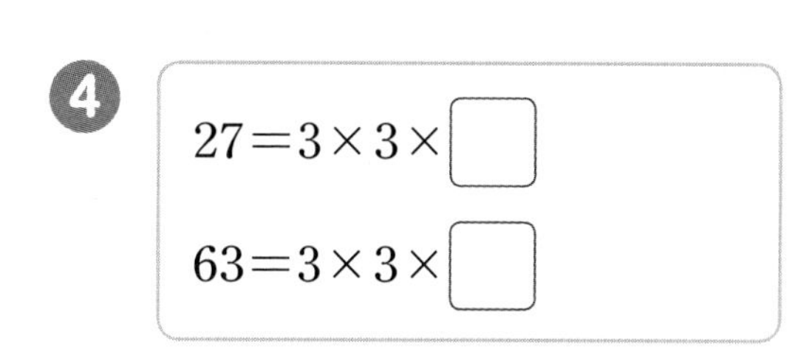

$27=3\times3\times\square$

$63=3\times3\times\square$

⇨ 27과 63의 최대공약수:

$\square\times\square=\square$

5

$40=2\times2\times\square\times\square$

$50=2\times\square\times\square$

⇨ 40과 50의 최대공약수:

$\square\times\square=\square$

6

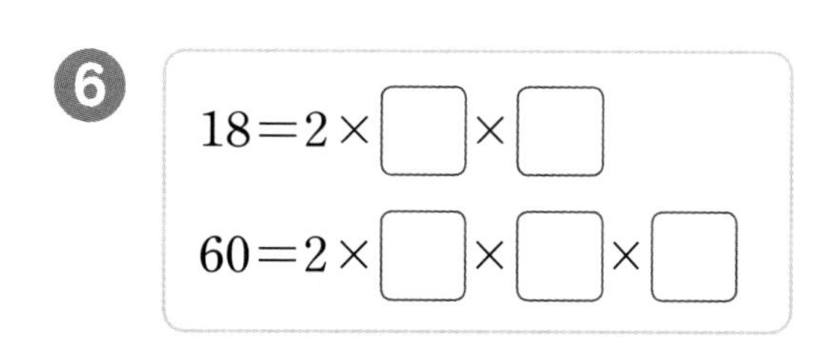

$18=2\times\square\times\square$

$60=2\times\square\times\square\times\square$

⇨ 18과 60의 최대공약수:

$\square\times\square=\square$

7

$24=2\times2\times\square\times\square$

$16=2\times2\times\square\times\square$

⇨ 24와 16의 최대공약수:

$\square\times\square\times\square=\square$

8

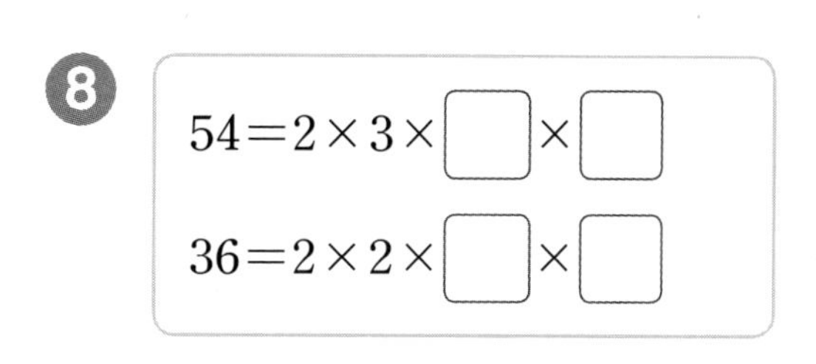

$54=2\times3\times\square\times\square$

$36=2\times2\times\square\times\square$

⇨ 54와 36의 최대공약수:

$\square\times\square\times\square=\square$

최대공약수를 구하는 방법 ②

똑똑한 하루 계산법

- **두 수의 공통인 약수를 이용하여 최대공약수 구하기**

㉮ 20과 30의 최대공약수 구하기

20과 30의 공약수 → 2) 20 30

10과 15의 공약수 → 5) 10 15

2 3 → 1 이외의 공약수가 없을 때까지 나눕니다.

$2 \times 5 = 10$ ⇨ **20과 30의 최대공약수**

참고

두 수를 공통으로 나눌 수 있는 수 중에서 가장 큰 수를 찾아 최대공약수를 구할 수도 있습니다.

20과 30의 공약수 중 가장 큰 수 → 10) 20 30

2 3

20과 30의 최대공약수

OX 퀴즈

최대공약수를 바르게 구했으면 ○에, 잘못 구했으면 ✕에 ○표 하세요.

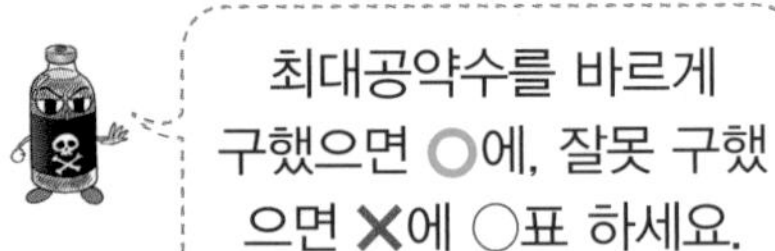

정답 ○에 ○표

 두 수의 공약수로 나누어 보면서 최대공약수를 구하세요.

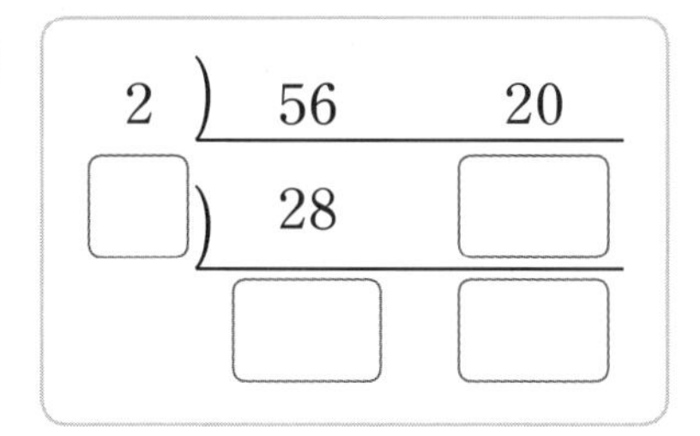

⇨ 56과 20의 최대공약수:

□×□=□

2

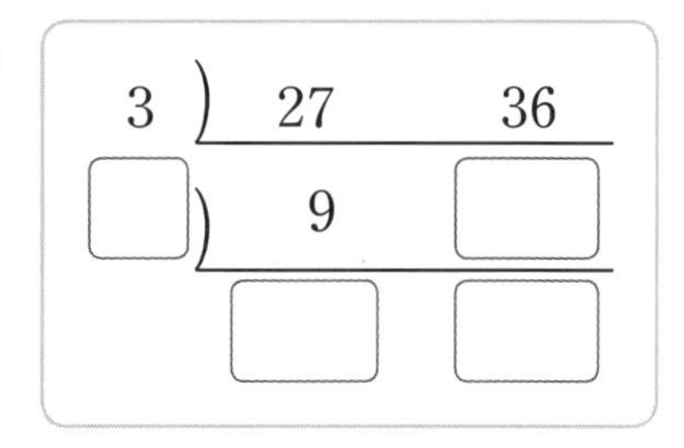

⇨ 27과 36의 최대공약수:

□×□=□

3

) 56 42

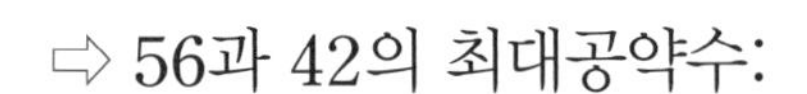
⇨ 56과 42의 최대공약수:

4

) 36 45

⇨ 36과 45의 최대공약수:

5

) 24 32

⇨ 24와 32의 최대공약수:

6

) 48 60

⇨ 48과 60의 최대공약수:

3일 기초 집중 연습

보기 와 같은 방법으로 두 수의 최대공약수를 구하세요.

보기

(12, 16)

$12=2\times2\times3$

$16=2\times2\times2\times2$

⇨ 최대공약수: $2\times2=4$

1-1 (28, 24)

28= ______

24= ______

⇨ 최대공약수: ______

1-2 (30, 48)

30= ______

48= ______

⇨ 최대공약수: ______

1-3 (56, 70)

56= ______

70= ______

⇨ 최대공약수: ______

두 수의 최대공약수를 구하세요.

2-1 (16, 36) □

2-2 (40, 56) □

2-3 (32, 80) □

2-4 (81, 27) □

제한 시간 10분

생활 속 문제

학용품 두 종류를 2명과 같거나 많은 학생에게 남김없이 똑같이 나누어 주려고 합니다. 두 학용품 수의 최대공약수를 구하세요.

3-1 ...... □

3-2 ...... □

3-3 ...... □

3-4 ...... □

문장 읽고 문제 해결하기

4-1 32와 56의 최대공약수는?

답 ________

4-2 60과 40의 최대공약수는?

답 ________

4-3 49와 70의 최대공약수는?

답 ________

4-4 60과 84의 최대공약수는?

답 ________

공배수와 최소공배수 ①

2의 배수와 3의 배수로 나올
때마다 안녕! 하고 소리를 낸다.

안녕!

우리 둘이 동시에 게임을
시작하면 몇 번째에 동시에 두더지가
안녕을 할까?

2의 배수: 2, 4, ⑥, 8, 10, ⑫……
3의 배수: 3, ⑥, 9, ⑫……
2와 3의 공배수: 6, 12, 18……
2와 3의 최소공배수: 6

2와 3의 공배수를 알면 돼!
6, 12, 18……번째에 동시에
소리를 낼 거야!

똑똑한 하루 계산법

- **공배수와 최소공배수**
  (1) **공배수**: 두 수의 공통된 배수
  (2) **최소공배수**: 두 수의 공배수 중에서 가장 작은 수
  예 2와 3의 공배수와 최소공배수 구하기
  2의 배수: **2, 4, 6, 8, 10, 12, 14, 16, 18**……
  3의 배수: **3, 6, 9, 12, 15, 18**……
  ⇨ 2와 3의 공배수: **6, 12, 18**……
  2와 3의 최소공배수: **6**

공배수는 셀 수 없이 많아요.

○✕ 퀴즈

설명이 옳으면 ○에,
틀리면 ✕에 ○표 하세요.

2와 3의 공배수 중에서
가장 큰 수는 6입니다.

정답 ✕에 ○표

똑똑한 계산 연습

제한 시간 5분

□ 안에 알맞은 수를 써넣으세요.

1

3의 배수: 3, 6, 9, 12, 15, 18……
6의 배수: 6, 12, 18, 24, 30……

3과 6의 공배수: □, □……

3과 6의 최소공배수: □

2

5의 배수: 5, 10, 15, 20, 25, 30……
10의 배수: 10, 20, 30, 40, 50……

5와 10의 공배수: □, □……

5와 10의 최소공배수: □

3

4의 배수: 4, 8, 12, 16, 20……
6의 배수: 6, 12, 18, 24, 30……

4와 6의 공배수: □, □……

4와 6의 최소공배수: □

4

2의 배수: 2, 4, 6, 8, 10, 12……
8의 배수: 8, 16, 24, 32, 40……

2와 8의 공배수: □, □……

2와 8의 최소공배수: □

5

9의 배수: 9, 18, 27, 36, 45……
12의 배수: 12, 24, 36, 48, 60……

9와 12의 공배수: □, □……

9와 12의 최소공배수: □

6

15의 배수: 15, 30, 45, 60, 75……
9의 배수: 9, 18, 27, 36, 45……

15와 9의 공배수: □, □……

15와 9의 최소공배수: □

7

6의 배수: 6, 12, 18, 24, 30……
10의 배수: 10, 20, 30, 40, 50……

6과 10의 공배수: □, □……

6과 10의 최소공배수: □

8

10의 배수: 10, 20, 30, 40, 50……
15의 배수: 15, 30, 45, 60, 75……

10과 15의 공배수: □, □……

10과 15의 최소공배수: □

공배수와 최소공배수 ②

공배수와 최소공배수를 아니까 언제 동시에 "안녕!" 할지도 알고 너무 재밌네!
2의 배수
3의 배수
안녕!

근데 두 수의 공배수를 구하려면 배수를 늘어놓고 하나씩 비교해 봐야 해요?

4의 배수: 4, 8, 12, 16……
6의 배수: 6, 12, 18, 24……

그렇게 하지 않아도 돼요.

똑똑한 하루 계산법

- **공배수와 최소공배수의 관계**

  예 4와 6의 공배수와 최소공배수의 관계
  - 4와 6의 공배수: 12, 24, 36……
  - 4와 6의 최소공배수: 12
  - 12의 배수: 12, 24, 36……

  (세 줄 모두) 같습니다.

  (12: 4와 6의 최소공배수)

  ⇨ 4와 6의 공배수는 4와 6의 최소공배수인 12의 배수와 같습니다.

공배수 중에서 가장 작은 수가 최소공배수예요.

두 수의 공배수는 두 수의 최소공배수의 배수와 같아요.

OX 퀴즈

설명이 옳으면 ○에, 틀리면 ✕에 ○표 하세요.

최소공배수가 6인 두 수의 공배수는 6의 배수와 같습니다.

정답 ○에 ○표

똑똑한 계산 연습

제한 시간 5분

☐ 안에 알맞은 수를 써넣으세요.

1
- 4와 5의 공배수: 20, 40, 60……
- 4와 5의 최소공배수: ☐
- 4와 5의 최소공배수의 배수:

☐, ☐, ☐……

⇨ 4와 5의 공배수는 4와 5의 최소공배수인 ☐의 배수와 같습니다.

2
- 6과 15의 공배수: 30, 60, 90……
- 6과 15의 최소공배수: ☐
- 6과 15의 최소공배수의 배수:

☐, ☐, ☐……

⇨ 6과 15의 공배수는 6과 15의 최소공배수인 ☐의 배수와 같습니다.

3
- 3과 7의 공배수: 21, 42, 63……
- 3과 7의 최소공배수: ☐
- 3과 7의 최소공배수의 배수:

☐, ☐, ☐……

⇨ 3과 7의 공배수는 3과 7의 최소공배수인 ☐의 배수와 같습니다.

4
- 8과 12의 공배수: 24, 48, 72……
- 8과 12의 최소공배수: ☐
- 8과 12의 최소공배수의 배수:

☐, ☐, ☐……

⇨ 8과 12의 공배수는 8과 12의 최소공배수인 ☐의 배수와 같습니다.

5
- 2와 9의 공배수: 18, 36, 54……
- 2와 9의 최소공배수: ☐
- 2와 9의 최소공배수의 배수:

☐, ☐, ☐……

⇨ 2와 9의 공배수는 2와 9의 최소공배수인 ☐의 배수와 같습니다.

6
- 4와 10의 공배수: 20, 40, 60……
- 4와 10의 최소공배수: ☐
- 4와 10의 최소공배수의 배수:

☐, ☐, ☐……

⇨ 4와 10의 공배수는 4와 10의 최소공배수인 ☐의 배수와 같습니다.

기초 집중 연습

두 수의 배수를 가장 작은 수부터 각각 5개 쓰고, 공배수와 최소공배수를 구하세요.

1-1 (10, 8)

- 10의 배수: ____________
- 8의 배수: ____________

⇨ 공배수: ____________
최소공배수: ____________

1-2 (9, 12)

- 9의 배수: ____________
- 12의 배수: ____________

⇨ 공배수: ____________
최소공배수: ____________

두 수의 공배수를 가장 작은 수부터 3개 쓰고, 최소공배수를 구하세요.

2-1

두 수	(6, 8)
공배수	
최소공배수	

2-2

두 수	(15, 30)
공배수	
최소공배수	

2-3

두 수	(14, 21)
공배수	
최소공배수	

2-4

두 수	(12, 18)
공배수	
최소공배수	

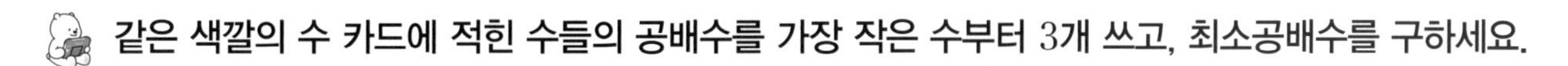

제한 시간 10분

생활 속 문제

같은 색깔의 수 카드에 적힌 수들의 공배수를 가장 작은 수부터 3개 쓰고, 최소공배수를 구하세요.

4	6	8	9
16	15	20	14

3-1

공배수: ______________

최소공배수: ______________

3-2

공배수: ______________

최소공배수: ______________

3-3

공배수: ______________

최소공배수: ______________

3-4

공배수: ______________

최소공배수: ______________

문장 읽고 문제 해결하기

공배수를 가장 작은 수부터 3개 구하세요.

4-1 최소공배수가 10인 두 수의 공배수는?

답 ______________

4-2 최소공배수가 15인 두 수의 공배수는?

답 ______________

4-3 최소공배수가 25인 두 수의 공배수는?

답 ______________

4-4 최소공배수가 30인 두 수의 공배수는?

답 ______________

최소공배수를 구하는 방법 ①

선생님, 최소공배수도 여러 수의 곱으로 나타낸 곱셈식으로 구할 수 있는 거예요?
물론이에요.

여러 수의 곱으로 나타낸 곱셈식 중에서 공통인 수와 남은 수를 곱하면 최소공배수를 구할 수 있어요.
12=3×4
12=3×2×2
20=4×5
20=2×2×5
최소공배수: 3×2×2×5=60

12와 20의 최소공배수는 60이군요!
맞아요!

그런데 어디서 타는 냄새가 나는 것 같은데…….
음… 아주 가까운 곳에서 나는 냄새야.
킁킁

으악! 내 옷이 타고 있잖아!
화륵

똑똑한 하루 계산법

- **여러 수의 곱으로 나타낸 곱셈식을 이용하여 최소공배수 구하기**

예 12와 20의 최소공배수 구하기

$12=3\times4$　　　　$20=4\times5$

$12=3\times(2\times2)$　　　　$20=(2\times2)\times5$

$3\times2\times2\times5=60$ ⇨ 12와 20의 최소공배수

참고

두 수의 곱으로 나타냈을 때 공통으로 들어 있는 가장 큰 수와 나머지 수의 곱으로 최소공배수를 구할 수도 있습니다.

$12=3\times④$　　　　$20=④\times5$

$3\times4\times5=60$ ⇨ 12와 20의 최소공배수

○× 퀴즈

두 수의 최소공배수를 바르게 구했으면 ○에, 잘못 구했으면 ×에 ○표 하세요.

$14=2\times7$

$28=2\times2\times7$

⇨ 14와 28의 최소공배수:

$2\times2\times2\times7\times7=392$

정답 ×에 ○표

똑똑한 계산 연습

제한 시간 5분

두 수를 가장 작은 수들의 곱으로 나타내어 두 수의 최소공배수를 구하세요.

1

$22=2\times11$
$33=3\times11$

⇨ 22와 33의 최소공배수:
$11\times\square\times\square=\square$

2

$14=2\times7$
$10=2\times5$

⇨ 14와 10의 최소공배수:
$\square\times\square\times\square=\square$

3

$15=3\times\square$
$21=3\times\square$

⇨ 15와 21의 최소공배수:
$3\times\square\times\square=\square$

4

$27=3\times3\times\square$
$63=3\times3\times\square$

⇨ 27과 63의 최소공배수:
$3\times\square\times\square\times\square=\square$

5

$20=2\times\square\times\square$
$30=2\times\square\times\square$

⇨ 20과 30의 최소공배수:
$2\times\square\times\square\times\square=\square$

6

$18=2\times\square\times\square$
$45=3\times\square\times\square$

⇨ 18과 45의 최소공배수:
$3\times\square\times\square\times\square=\square$

7

$42=2\times\square\times\square$
$12=2\times\square\times\square$

⇨ 42와 12의 최소공배수:
$\square\times\square\times\square\times\square=\square$

8

$21=3\times\square$
$28=2\times\square\times\square$

⇨ 21과 28의 최소공배수:
$\square\times\square\times\square\times\square=\square$

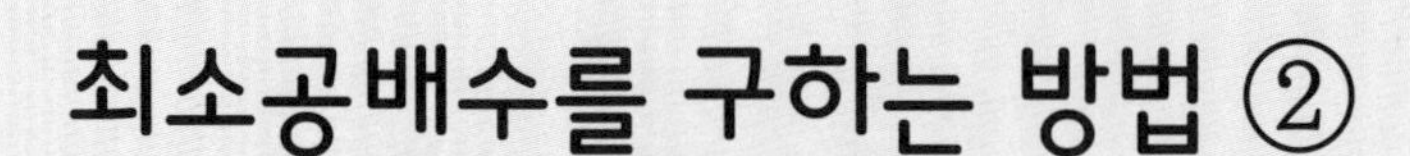

최소공배수를 구하는 방법 ②

똑똑한 하루 계산법

• **두 수의 공통인 약수를 이용하여 최소공배수 구하기**

예 30과 40의 최소공배수 구하기

30과 40의 공약수 → 2) 30 40

15와 20의 공약수 → 5) 15 20

3 4 → 1 이외의 공약수가 없을 때까지 나눕니다.

$2 \times 5 \times 3 \times 4 = 120$ ⇨ **30과 40의 최소공배수**

참고

두 수를 공통으로 나눌 수 있는 수 중에서 가장 큰 수인 최대공약수로 나누어 최소공배수를 구할 수도 있습니다.

30과 40의 최대공약수 → 10) 30 40

3 4

$10 \times 3 \times 4 = 120$ ⇨ **30과 40의 최소공배수**

최소공배수를 바르게 구했으면 ○에, 잘못 구했으면 ✕에 ○표 하세요.

2) 30 10

5) 15 5

3 1

30과 10의 최소공배수: $2 \times 5 = 10$

정답 ✕에 ○표

똑똑한 계산 연습

▶정답 및 풀이 11쪽

제한 시간 5분

두 수의 공약수로 나누어 보면서 최소공배수를 구하세요.

1

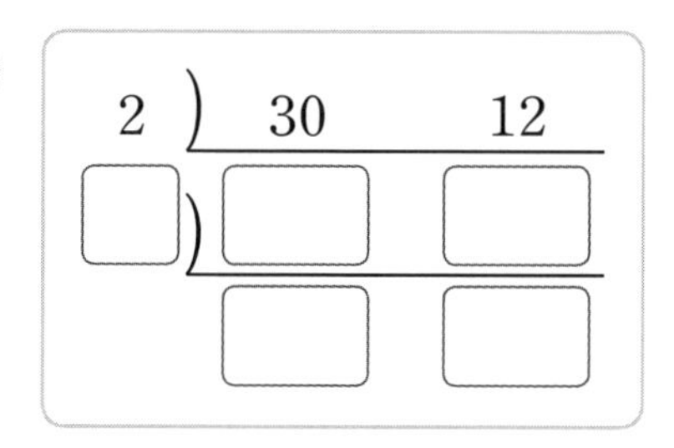

⇨ 30과 12의 최소공배수:

$2 \times \square \times \square \times \square = \square$

2

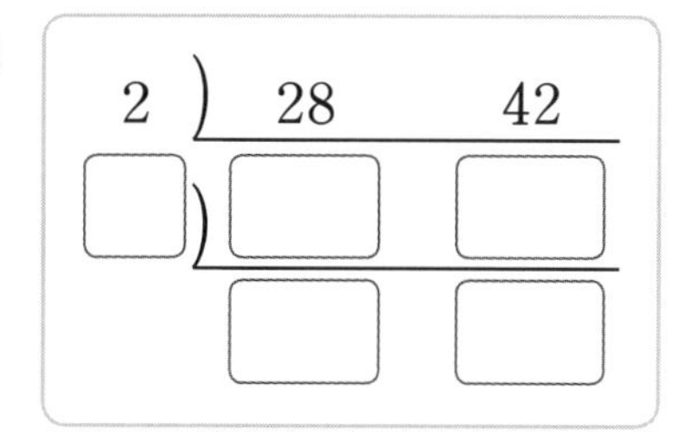

⇨ 28과 42의 최소공배수:

$2 \times \square \times \square \times \square = \square$

3

) 27 36

⇨ 27과 36의 최소공배수:

4

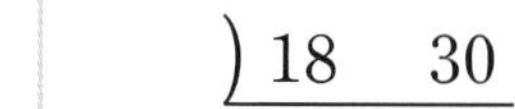

⇨ 18과 30의 최소공배수:

5

) 60 36

⇨ 60과 36의 최소공배수:

6

) 27 81

⇨ 27과 81의 최소공배수:

2주 5일

5일 기초 집중 연습

보기 와 같은 방법으로 두 수의 최소공배수를 구하세요.

보기

(12, 16)

$12=2\times2\times3$
$16=2\times2\times2\times2$
⇨ 최소공배수:
$2\times2\times3\times2\times2=48$

1-1 (28, 20)

28= ______

20= ______

⇨ 최소공배수: ______

1-2 (8, 18)

8= ______

18= ______

⇨ 최소공배수: ______

1-3 (30, 45)

30= ______

45= ______

⇨ 최소공배수: ______

두 수의 최소공배수를 구하세요.

2-1 (20, 36) ☐

2-2 (30, 54) ☐

2-3 (25, 40) ☐

2-4 (44, 66) ☐

제한 시간 10분

생활 속 문제

다음은 친구들이 수영장에 가는 날입니다. 오늘 친구들이 함께 수영장에 갔다면 바로 다음번에 두 친구가 함께 수영장에 가는 날은 오늘부터 며칠 후인지 구하세요.

3-1 민호: 8일마다, 아라: 6일마다

☐일 후

3-2 영탁: 6일마다, 민하: 10일마다

☐일 후

문장 읽고 문제 해결하기

4-1 10과 25의 최소공배수는?

답 ______________

4-2 30과 24의 최소공배수는?

답 ______________

4-3 40과 24의 최소공배수는?

답 ______________

4-4 30과 70의 최소공배수는?

답 ______________

2주 평가 누구나 100점 맞는 TEST

1 □ 안에 알맞은 수를 써넣고, 10의 약수를 구하세요.

$10 \div 1 = 10$　　$10 \div \square = 5$

$10 \div \square = 2$　　$10 \div \square = 1$

10의 약수: ______________

2 □ 안에 알맞은 수를 써넣고, 8의 배수를 가장 작은 수부터 4개 구하세요.

$8 \times 1 = \square$　　$8 \times 2 = \square$

$8 \times 3 = \square$　　$8 \times 4 = \square$ ……

8의 배수: ______________

3 약수를 구하세요.

(1) 49의 약수

(　　　　　　　　　　)

(2) 64의 약수

(　　　　　　　　　　)

4 배수를 가장 작은 수부터 5개 구하세요.

(1) 7의 배수

(　　　　　　　　　　)

(2) 13의 배수

(　　　　　　　　　　)

5 여러 수의 곱으로 나타낸 곱셈식을 이용하여 두 수의 최대공약수를 구하세요.

(75, 50)

$75 = \square \times \square \times \square$

$50 = 2 \times \square \times \square$

⇨ 75와 50의 최대공약수:

$\square \times \square = \square$

6 여러 수의 곱으로 나타낸 곱셈식을 이용하여 두 수의 최소공배수를 구하세요.

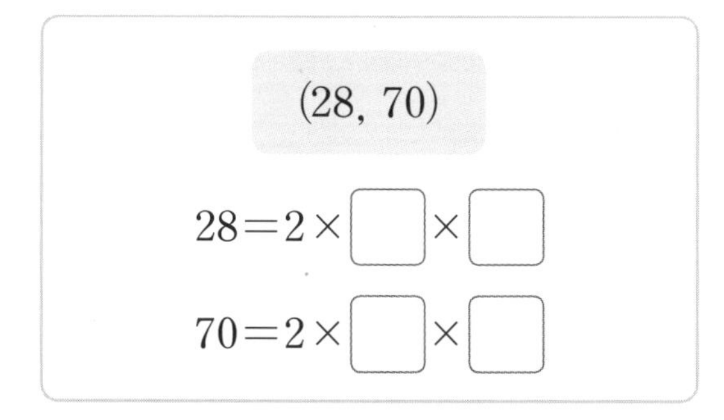

⇨ 28과 70의 최소공배수:

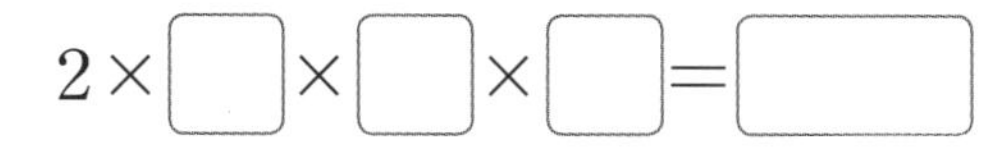

7 두 수가 서로 약수와 배수의 관계인 것에 ○표, 아닌 것에 ×표 하세요.

(1) | 4 | 46 | (   )

(2) | 96 | 12 | (   )

8 두 수의 공약수로 나누어 보면서 최대공약수를 구하세요.

) 32 40

⇨ 32와 40의 최대공약수:

□×□×□=□

9 두 수의 공약수로 나누어 보면서 최소공배수를 구하세요.

) 28 42

⇨ 28과 42의 최소공배수:

□×□×□×□=□

10 두 수의 최대공약수와 최소공배수를 구하세요.

두 수	(30, 45)
최대공약수	
최소공배수	

제한 시간 안에 정확하게 모두 풀었다면 여러분은 진정한 **계산왕**!

청소 당번은 몇 번?

○는 교실 청소, △는 복도 청소입니다. 사물함의 번호로 청소 당번을 정해 보세요.

위 사물함에서 3의 배수에 ○표 해 보세요.

위 사물함에서 7의 배수에 △표 해 보세요.

2가지 청소 당번에 모두 해당하는 번호는 몇 번일까요?

 답 __________ 번

▶ 정답 및 풀이 13쪽

최대공약수를 구하라!

약수와 공약수를 알맞게 써넣고, 최대공약수를 구하세요.

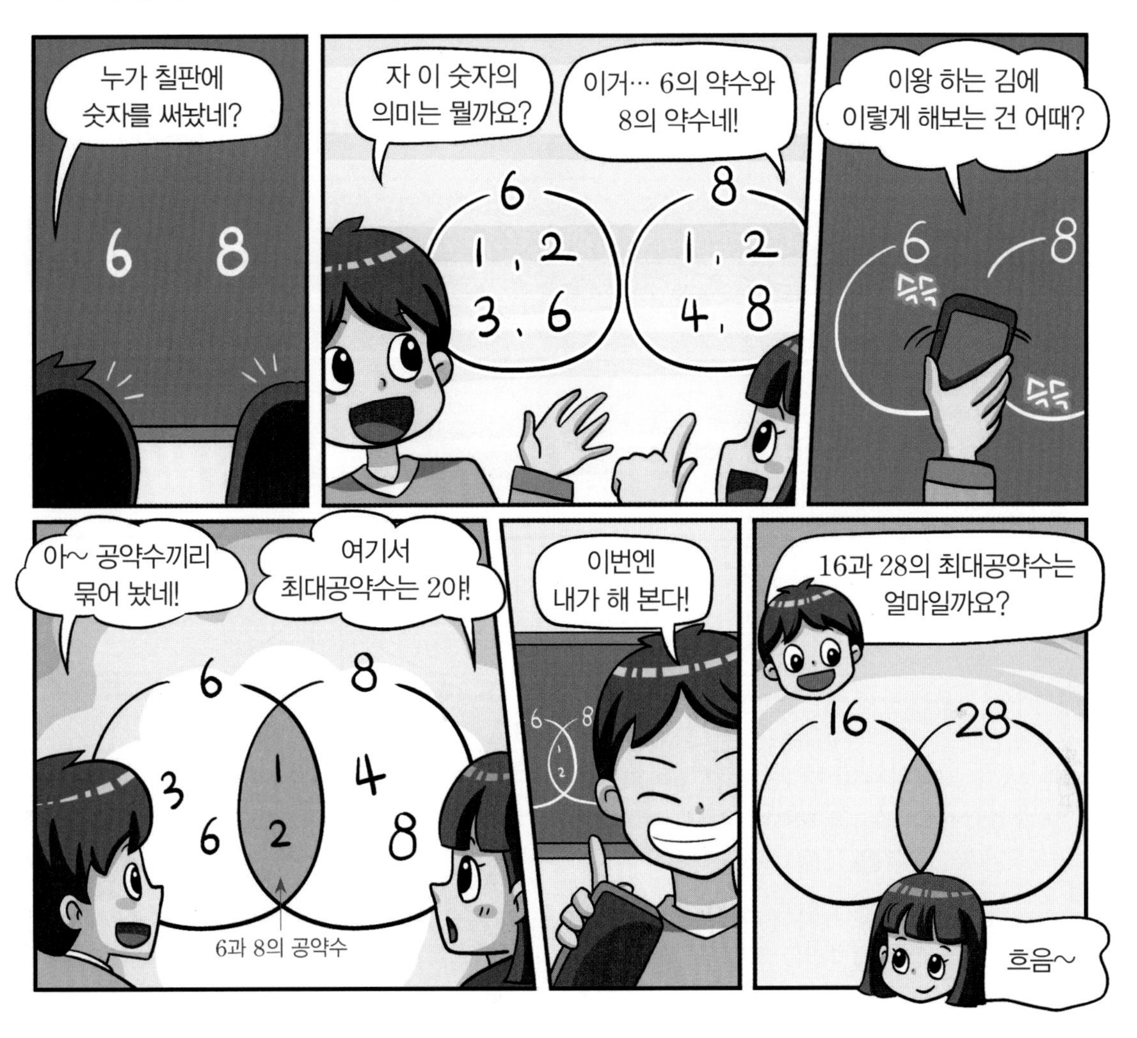

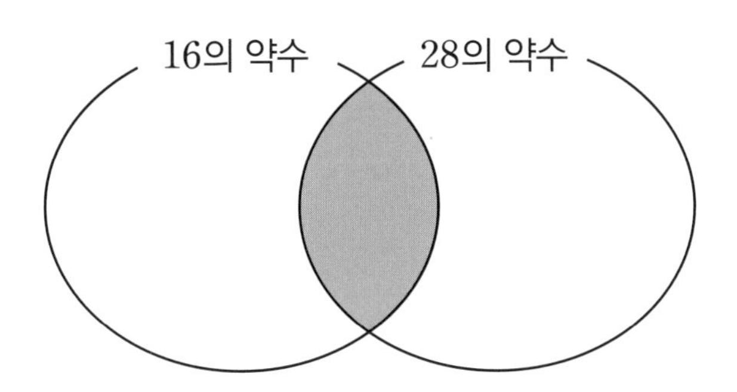

16과 28의 최대공약수: ☐

색칠해진 부분에 두 수의 공약수를 씁니다.

2주 특강

도둑의 이름을 맞혀라!

 명탐정과 함께 주어진 사건 단서를 가지고 도둑의 이름을 알아맞혀 보세요.

사건 단서 ❶, ❷, ❸의 두 수의 최대공약수에 해당하는 글자를 표에서 찾아 차례로 쓰면 도둑의 이름을 알 수 있어요.

❶ (60, 45)
❷ (40, 50)
❸ (36, 27)

❶ ☐ ❷ ☐ ❸ ☐

16	기	4	사	10	길
9	동	15	고	8	이
12	홍	6	식	3	영

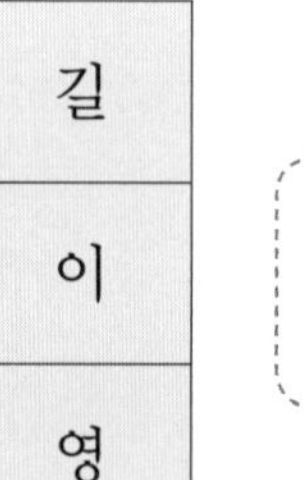

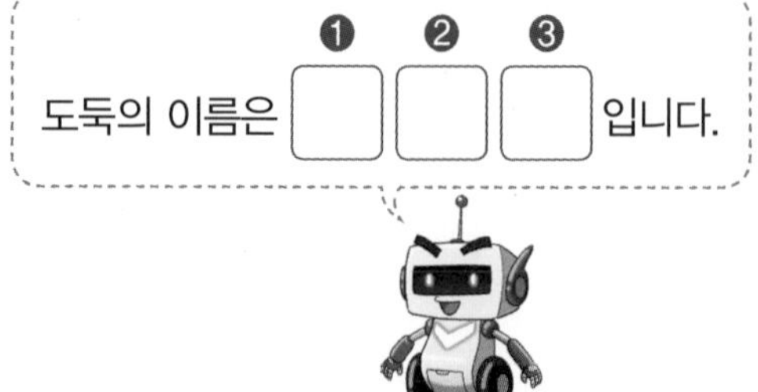

도둑의 이름은 ❶☐ ❷☐ ❸☐ 입니다.

▶ 정답 및 풀이 13쪽

2장의 수 카드의 최대공약수를 사다리를 타고 내려가서 도착한 곳에 써넣으세요.

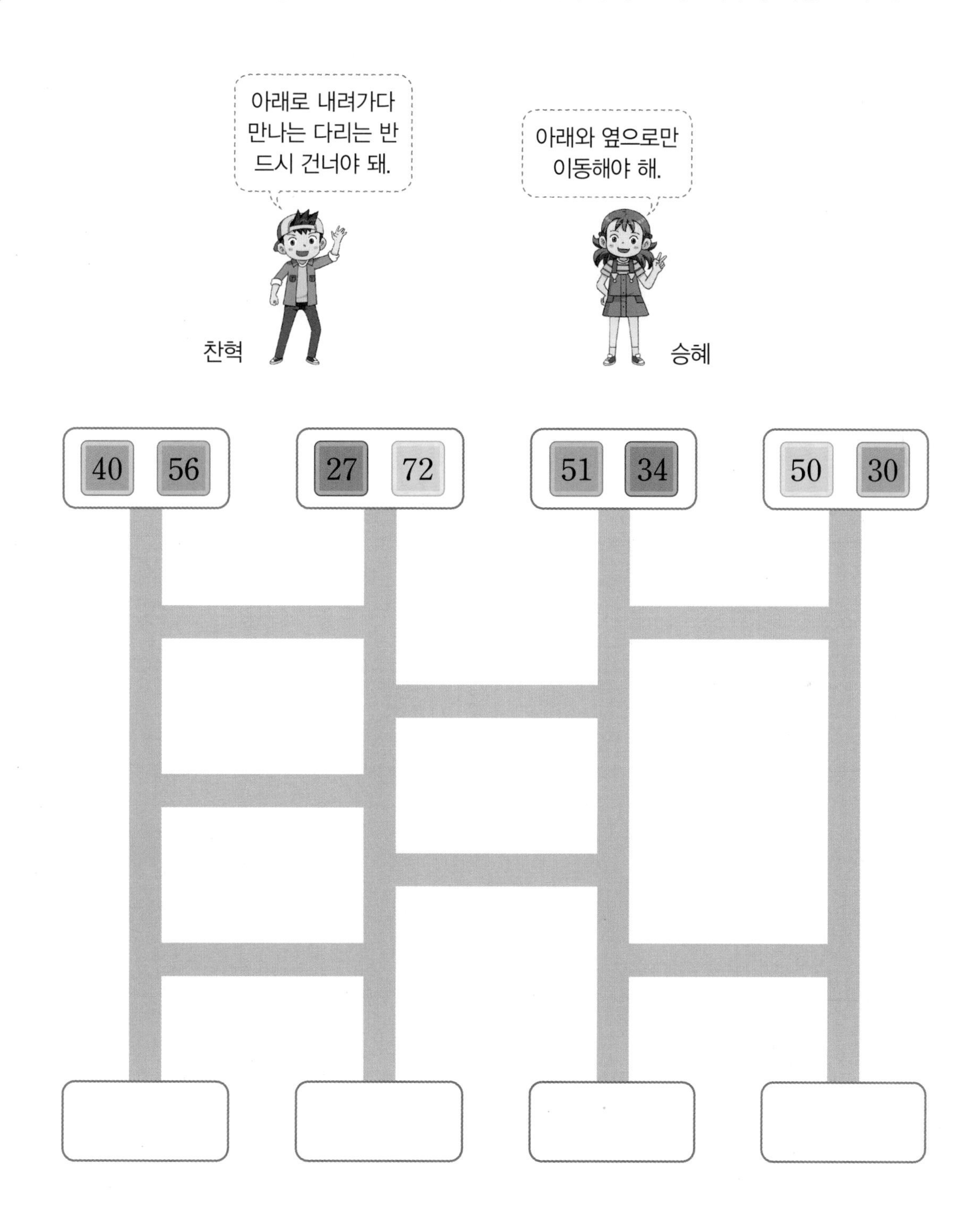

특강 창의·융합·코딩

블록 명령에 따라 로봇이 움직입니다. 로봇의 도착한 곳의 수의 약수의 개수를 구하세요.

보기

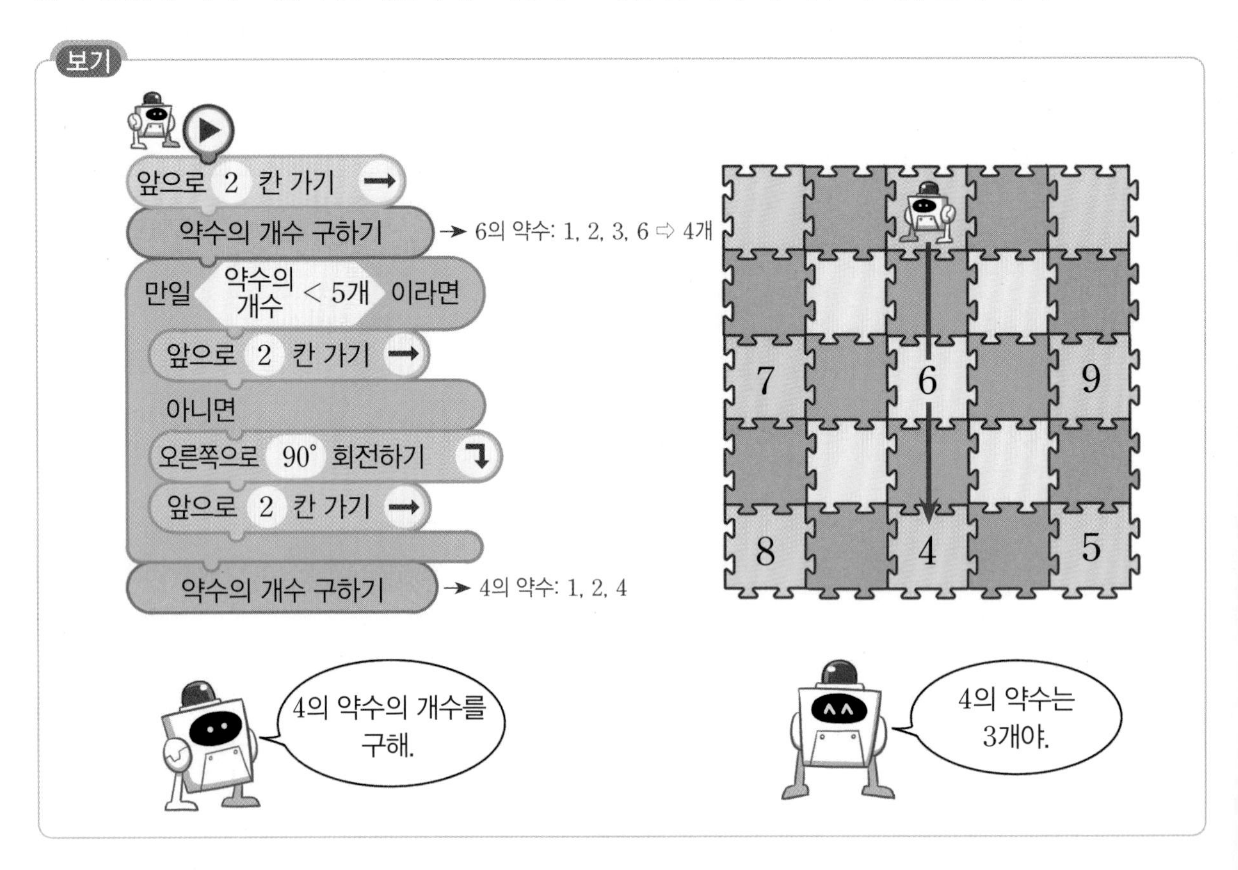

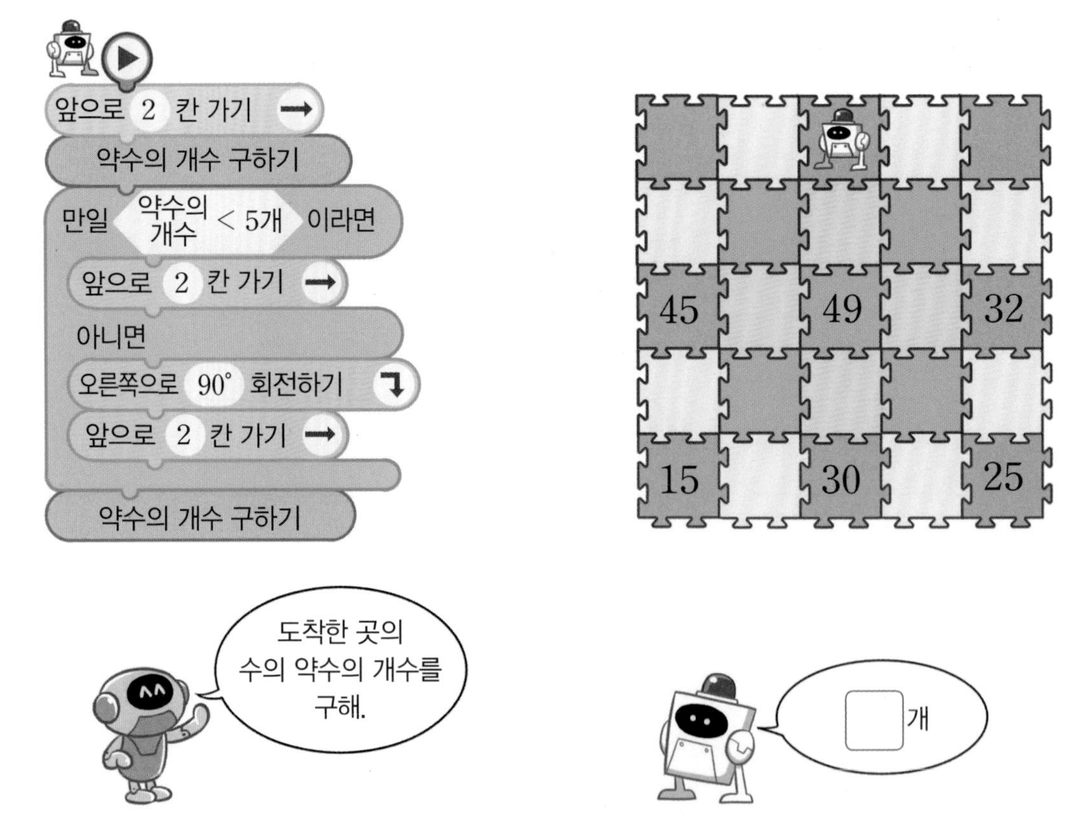

▶정답 및 풀이 13쪽

융합 6 보기 와 같이 주어진 직사각형 모양의 천을 겹치지 않게 이어 붙여서 정사각형 모양의 조각보를 만들려고 합니다. 가로와 세로의 최소공배수를 이용하여 만들 수 있는 조각보의 한 변의 길이를 가장 작은 수부터 2개 쓰세요.

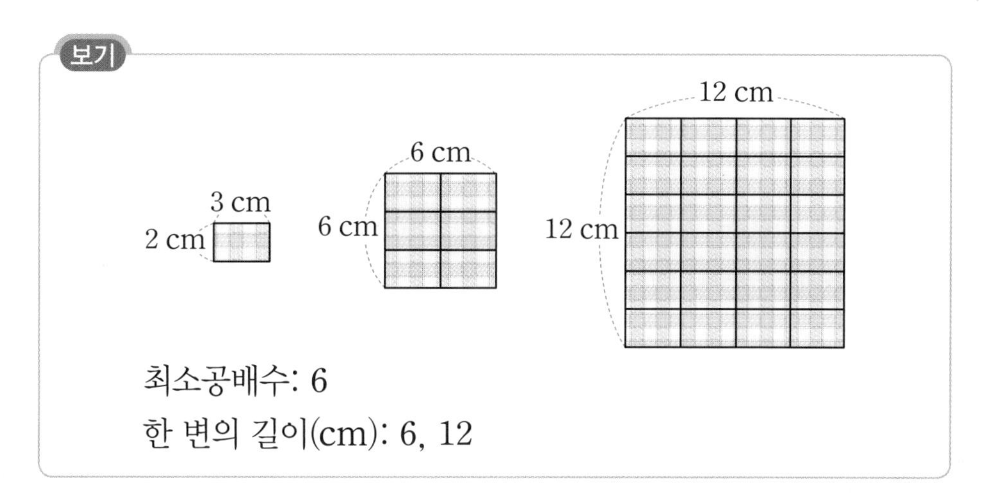

(1) 12 cm, 8 cm

최소공배수: ☐

한 변의 길이(cm): ☐, ☐

(2) 20 cm, 16 cm

최소공배수: ☐

한 변의 길이(cm): ☐, ☐

(3) 21 cm, 28 cm

최소공배수: ☐

한 변의 길이(cm): ☐, ☐

(4)

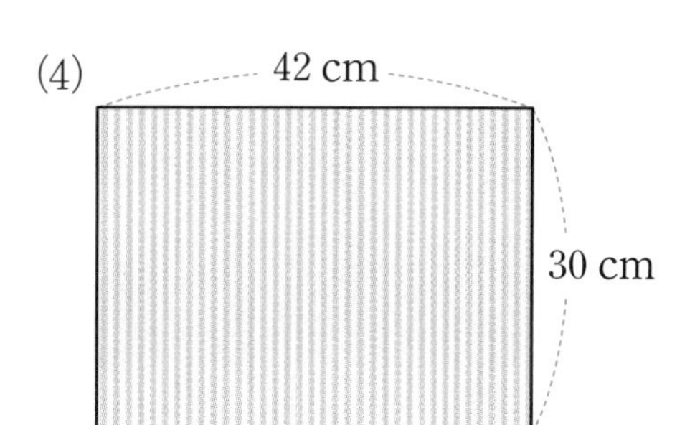

최소공배수: ☐

한 변의 길이(cm): ☐, ☐

3주 약분과 통분

생일 축하합니다~.
CAFE

사랑하는… 승혜의…
생일 축하합니다…….
노래 듣는 나도
기분 별로야.

우린 친구 아니랄까 봐
똑같이 선물로
케이크를 준비하냐.
그러니까 말이야!
역시 우리는
베프지.

하나는 초콜릿 케이크,
하나는 치즈 케이크야!
둘 다 내가
좋아하는 케이크야.
고마워!

각자 사 온 사람이
케이크를 잘라 봐!

자, 나는
4등분으로
잘랐어.
나는 8등분으로
잘랐어.

한 조각의 크기가
초콜릿 케이크가
치즈 케이크보다 크네!

초콜릿 케이크와
같은 양을 먹으려면
치즈 케이크를 몇 조각
더 먹어야 할까?
와구
와구

케이크처럼 동그랗게
그려서 알아볼까요?

이번에 배울 내용을 알아볼까요? 1

- 1일 크기가 같은 분수 알아보기
- 2일 분수를 간단하게 나타내기
- 3일 분모가 같은 분수로 나타내기
- 4일 분수의 크기 비교하기
- 5일 분수와 소수의 크기 비교하기

이번에 배울 내용을 알아볼까요? ②

3-1 분수와 소수의 크기 비교하기

분모가 같은 분수의 크기 비교는 분자가 클수록 더 큰 수예요.

소수의 크기 비교는 자연수 부분의 크기가 클수록 크고, 자연수 부분이 같으면 소수 부분의 크기를 비교해요.

두 수의 크기를 비교하여 ○ 안에 >, <를 알맞게 써넣으세요.

1-1 $\frac{2}{4}$ ○ $\frac{3}{4}$

1-2 $\frac{7}{8}$ ○ $\frac{6}{8}$

1-3 $\frac{3}{5}$ ○ $\frac{1}{5}$

1-4 $\frac{4}{9}$ ○ $\frac{8}{9}$

1-5 0.6 ○ 0.5

1-6 1.2 ○ 1.8

5-1 최대공약수와 최소공배수 구하기

8과 12의 최대공약수는 빨간색으로 표시한 수만 전부 곱하면 되고~.
최소공배수는 파란색으로 표시한 수를 다 곱하면 돼요.
2×2
2) 8 12
2) 4 6
2 3
2×2×2×3

최대공약수는 공약수 중에서 가장 큰 수이고~.

최소공배수는 공배수 중에서 가장 작은 수예요.

두 수의 최대공약수와 최소공배수를 각각 구하세요.

2-1) 24 42

최대공약수: ☐

최소공배수: ☐

2-2) 27 36

최대공약수: ☐

최소공배수: ☐

2-3) 30 50

최대공약수: ☐

최소공배수: ☐

2-4) 42 63

최대공약수: ☐

최소공배수: ☐

크기가 같은 분수 알아보기 ①

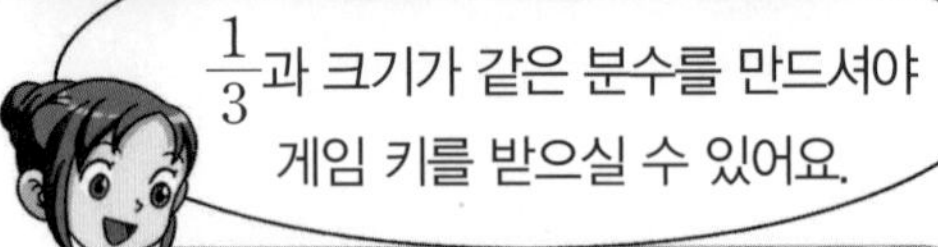

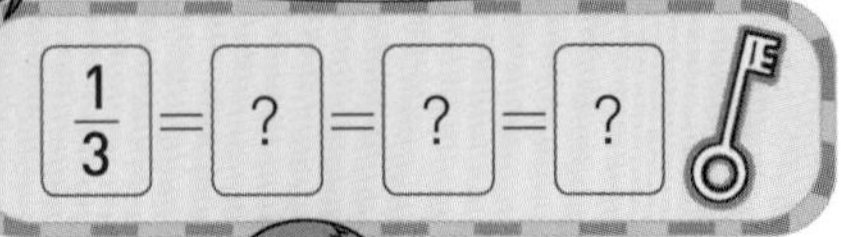

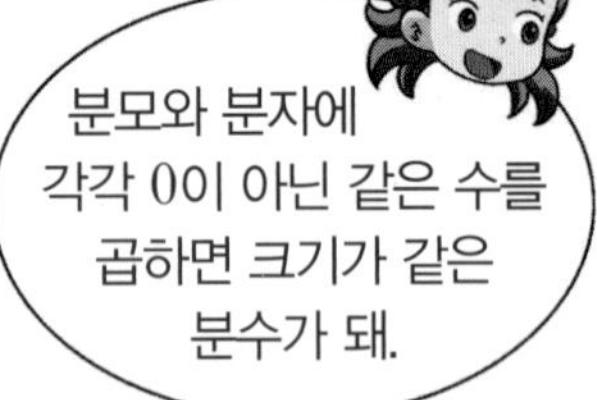

$\frac{1}{3}=\frac{2}{6}=\frac{3}{9}=\frac{4}{12}$

똑똑한 하루 계산법

• **곱셈을 이용하여 크기가 같은 분수 만들기**

분모와 분자에 각각 **0이 아닌 같은 수를 곱하면** 크기가 같은 분수가 됩니다.

예 $\frac{1}{3}$과 크기가 같은 분수 만들기

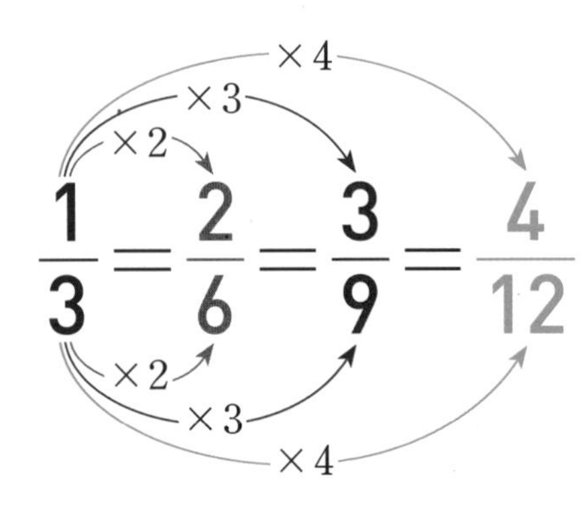

OX 퀴즈

크기가 같은 분수를 바르게 만든 것은 ○표, 틀리게 만든 것은 ×표 하세요.

$\frac{2}{3}=\frac{2\times2}{3\times2}$ ❶ 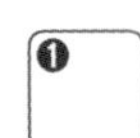

$\frac{2}{3}=\frac{2\times0}{3\times0}$ ❷ 

정답 ❶ ○ ❷ ×

제한 시간 5분

크기가 같은 분수가 되도록 □ 안에 알맞은 수를 써넣으세요.

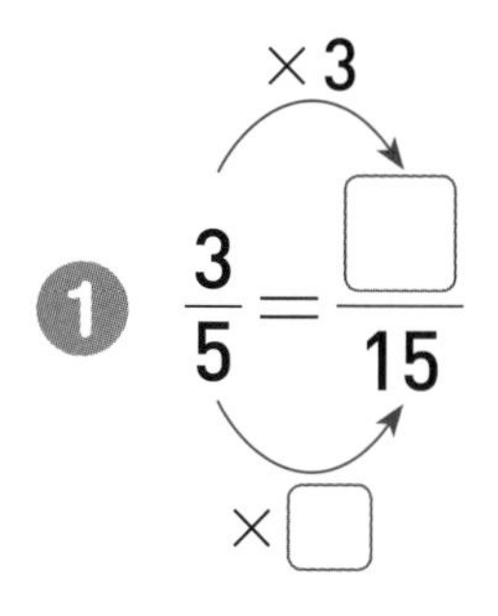

❶ $\frac{3}{5}=\frac{\square}{15}$ (분자: ×3, 분모: ×□)

❷ $\frac{5}{6}=\frac{10}{\square}$ (분자: ×□, 분모: ×2)

❸ $\frac{4}{9}=\frac{\square}{45}$ (분자: ×5, 분모: ×□)

❹ $\frac{4}{15}=\frac{24}{\square}$ (분자: ×□, 분모: ×6)

❺ $\frac{4}{7}=\frac{\square}{21}$

❻ $\frac{3}{8}=\frac{15}{\square}$

❼ $\frac{2}{9}=\frac{\square}{36}$

❽ $\frac{7}{10}=\frac{14}{\square}$

❾ $\frac{3}{4}=\frac{\square}{24}$

❿ $\frac{2}{7}=\frac{8}{\square}$

⓫ $\frac{5}{8}=\frac{\square}{24}$

⓬ $\frac{5}{11}=\frac{25}{\square}$

분모와 분자에 각각
0이 아닌 같은 수를
곱해야 합니다.

1일 크기가 같은 분수 알아보기 ②

다시 도전 하시겠습니까?
할게요!
너희는 그냥 가만히 있어.

이번엔 16/24과 크기가 같은 분수를 만들면 게임 키를 받으실 수 있어요.
16/24 = ? = ? = ?

헉! 이번엔 곱셈을 이용하기엔 수가 크네요.
꼭 곱셈을 이용한 방법만 있는 게 아니죠.

아! 분모와 분자를 각각 0이 아닌 같은 수로 나누면 되겠네요!
16/24 = 8/12 = 4/6 = 2/3
정답!

역시! 우리가 똑똑한 조수 하나는 잘 뒀어.
가끔 저렇게 머리를 잘 쓴단 말이야.
쓰담 쓰담

똑똑한 하루 계산법

• **나눗셈을 이용하여 크기가 같은 분수 만들기**

> 분모와 분자를 각각 **0이 아닌 같은 수로 나누면** 크기가 같은 분수가 됩니다.

예 $\frac{16}{24}$과 크기가 같은 분수 만들기

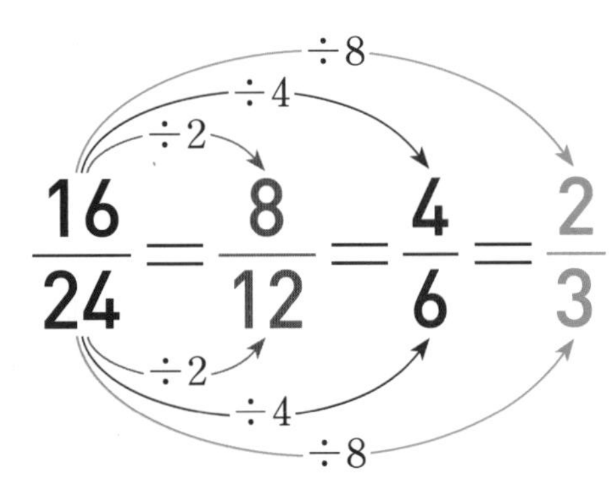

OX 퀴즈

크기가 같은 분수를 바르게 만든 것은 ○표, 틀리게 만든 것은 ×표 하세요.

$\frac{6}{12}=\frac{6\div3}{12\div4}$ ❶ ☐

$\frac{6}{12}=\frac{6\div2}{12\div2}$ ❷ ☐

정답 ❶ × ❷ ○

똑똑한 계산 연습

제한 시간 5분

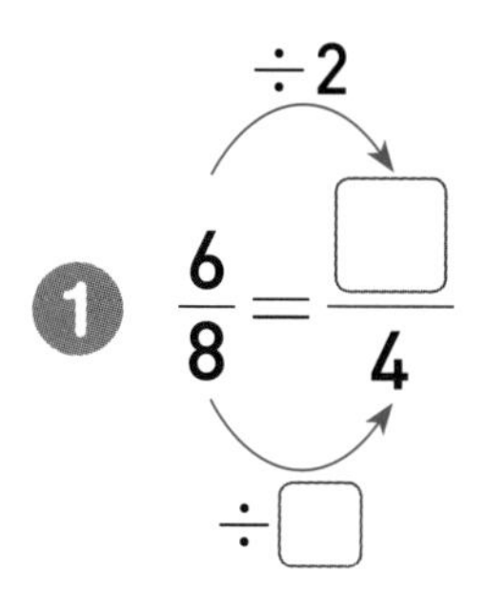

크기가 같은 분수가 되도록 □ 안에 알맞은 수를 써넣으세요.

❶ $\frac{6}{8} = \frac{\square}{4}$ (분자: $\div 2$, 분모: $\div \square$)

❷ $\frac{6}{9} = \frac{2}{\square}$ (분자: $\div \square$, 분모: $\div 3$)

❸ $\frac{5}{10} = \frac{\square}{2}$ (분자: $\div 5$, 분모: $\div \square$)

❹ $\frac{16}{20} = \frac{4}{\square}$ (분자: $\div \square$, 분모: $\div 4$)

❺ $\frac{12}{18} = \frac{\square}{3}$

❻ $\frac{24}{30} = \frac{8}{\square}$

❼ $\frac{6}{14} = \frac{\square}{7}$

❽ $\frac{8}{16} = \frac{1}{\square}$

❾ $\frac{21}{28} = \frac{\square}{4}$

❿ $\frac{15}{45} = \frac{3}{\square}$

⓫ $\frac{40}{48} = \frac{\square}{6}$

⓬ $\frac{35}{77} = \frac{5}{\square}$

분모와 분자를 각각 0이 아닌 같은 수로 나누어야 합니다.

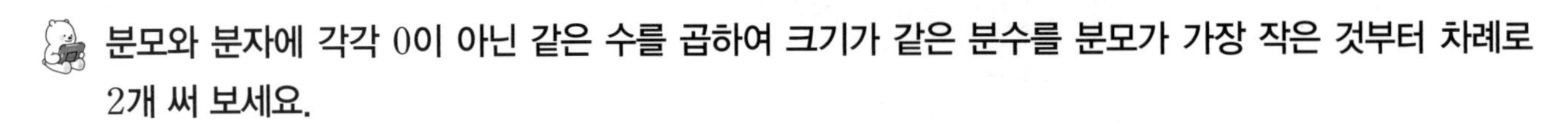

기초 집중 연습

분모와 분자에 각각 0이 아닌 같은 수를 곱하여 크기가 같은 분수를 분모가 가장 작은 것부터 차례로 2개 써 보세요.

1-1 $\frac{2}{3}$ ⇨ ______________

1-2 $\frac{3}{4}$ ⇨ ______________

1-3 $\frac{4}{5}$ ⇨ ______________

1-4 $\frac{6}{7}$ ⇨ ______________

분모와 분자를 각각 0이 아닌 같은 수로 나누어 크기가 같은 분수를 분모가 가장 큰 것부터 차례로 2개 써 보세요.

2-1 $\frac{16}{20}$ ⇨ ______________

2-2 $\frac{12}{24}$ ⇨ ______________

2-3 $\frac{32}{40}$ ⇨ ______________

2-4 $\frac{30}{36}$ ⇨ ______________

제한 시간 10분

생활 속 계산

크기가 같은 두 피자를 각각 똑같이 나누었습니다. 지수와 같은 양을 먹으려면 승기는 피자를 몇 조각 먹어야 하는지 구하세요.

3-1

지수

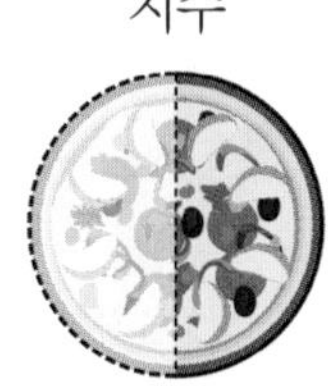

승기

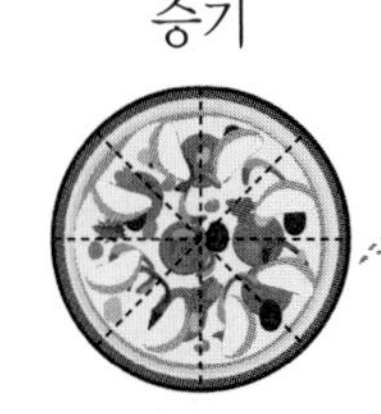

8조각으로 나눔

먹은 양: 전체의 $\frac{1}{2}$ ☐조각

3-2

지수

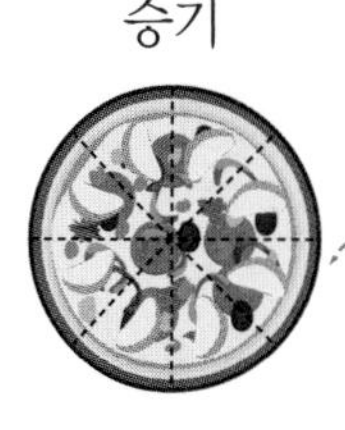

승기

8조각으로 나눔

먹은 양: 전체의 $\frac{1}{4}$ ☐조각

3-3

지수

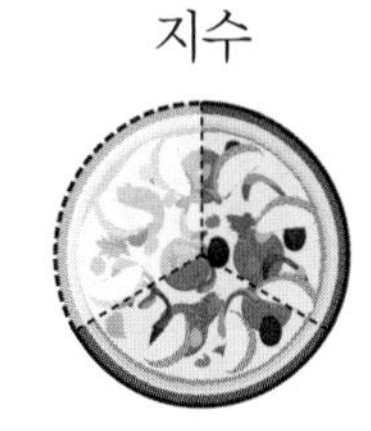

승기

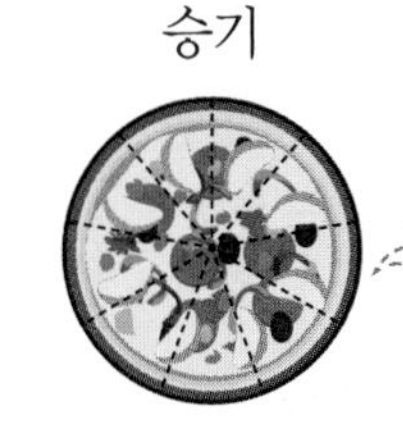

9조각으로 나눔

먹은 양: 전체의 $\frac{1}{3}$ ☐조각

3-4

지수

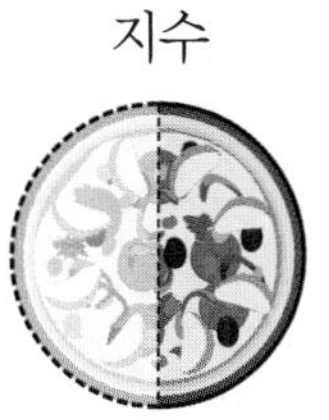

승기

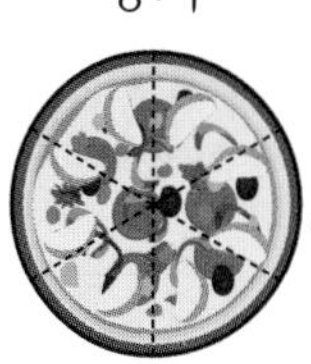

6조각으로 나눔

먹은 양: 전체의 $\frac{1}{2}$ ☐조각

문장 읽고 문제 해결하기

4-1

$\frac{2}{5}$와 크기가 같은 분수 중 분모가 10인 분수는?

$$\frac{2}{5}=\frac{\square}{10}$$

4-2

$\frac{15}{30}$와 크기가 같은 분수 중 분모가 10인 분수는?

$$\frac{15}{30}=\frac{\square}{10}$$

3주 1일

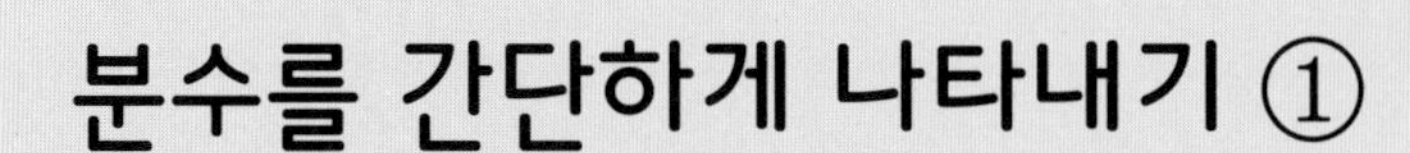

분수를 간단하게 나타내기 ①

이렇게 돼요!

$$\frac{4}{12}=\frac{4\div2}{12\div2}=\frac{2}{6}$$

$$\frac{4}{12}=\frac{4\div4}{12\div4}=\frac{1}{3}$$

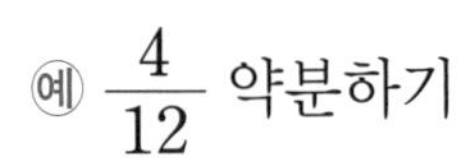

• **약분 알아보기**

> 약분한다: 분모와 분자를 공약수로 나누어 간단한 분수로 만드는 것

예 $\frac{4}{12}$ 약분하기

① 2로 나누어 약분하기

$$\frac{4}{12}=\frac{4\div2}{12\div2}=\frac{2}{6}$$

$$\frac{\overset{2}{\cancel{4}}}{\underset{6}{\cancel{12}}}=\frac{2}{6}$$

② 4로 나누어 약분하기

$$\frac{4}{12}=\frac{4\div4}{12\div4}=\frac{1}{3}$$

$$\frac{\overset{1}{\cancel{4}}}{\underset{3}{\cancel{12}}}=\frac{1}{3}$$

OX 퀴즈

$\frac{8}{10}$을 약분한 분수는 ○표, 아닌 것은 ×표 하세요.

$\frac{3}{5}$ ❶ ☐

$\frac{4}{5}$ ❷ ☐

정답 ❶ × ❷ ○

똑똑한 계산 연습

▶정답 및 풀이 15쪽

제한 시간 5분

약분해 보세요.

❶ $\frac{3}{9}=\frac{3\div 3}{9\div \square}=\frac{\square}{\square}$

❷ $\frac{10}{15}=\frac{10\div \square}{15\div 5}=\frac{\square}{\square}$

❸ $\frac{12}{20}=\frac{12\div 2}{20\div \square}=\frac{\square}{\square}$

❹ $\frac{6}{10}=\frac{6\div \square}{10\div 2}=\frac{\square}{\square}$

❺ $\frac{12}{36}=\frac{12\div 6}{36\div \square}=\frac{\square}{\square}$

❻ $\frac{8}{24}=\frac{8\div \square}{24\div 8}=\frac{\square}{\square}$

❼ $\frac{25}{30}=\frac{25\div 5}{30\div \square}=\frac{\square}{\square}$

❽ $\frac{30}{42}=\frac{30\div \square}{42\div 6}=\frac{\square}{\square}$

❾ $\frac{40}{50}=\frac{40\div 10}{50\div \square}=\frac{\square}{\square}$

❿ $\frac{49}{63}=\frac{49\div \square}{63\div 7}=\frac{\square}{\square}$

분수를 간단하게 나타내기 ②

똑똑한 하루 계산법

• **기약분수 알아보기**

기약분수: 분모와 분자의 공약수가 1뿐인 분수

예 $\frac{12}{18}$를 기약분수로 나타내기

방법 1 분모와 분자를 공약수로 계속 나누기

$$\frac{\overset{6}{\cancel{12}}}{\underset{9}{\cancel{18}}}=\frac{\overset{2}{\cancel{6}}}{\underset{3}{\cancel{9}}}=\frac{2}{3}$$

방법 2 분모와 분자를 최대공약수로 나누기

$$\frac{\overset{2}{\cancel{12}}}{\underset{3}{\cancel{18}}}=\frac{2}{3}$$

분모와 분자를 최대공약수 6으로 각각 나누면 바로 기약분수가 돼요.

OX 퀴즈

기약분수인 것은 ○표, 아닌 것은 ×표 하세요.

$\frac{2}{4}$ ❶ ☐

$\frac{3}{5}$ ❷ ☐

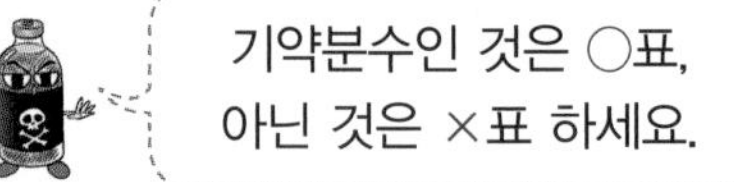

정답 ❶ × ❷ ○

똑똑한 계산 연습

▶정답 및 풀이 15쪽

제한 시간 5분

분모와 분자의 최대공약수를 구하여 기약분수로 나타내어 보세요.

❶ $\frac{10}{20}$

20과 10의 최대공약수: $\square$

⇨ $\frac{10}{20}=\frac{10\div\square}{20\div\square}=\frac{\square}{\square}$

❷ $\frac{18}{30}$

30과 18의 최대공약수: $\square$

⇨ $\frac{18}{30}=\frac{18\div\square}{30\div\square}=\frac{\square}{\square}$

기약분수로 나타내어 보세요.

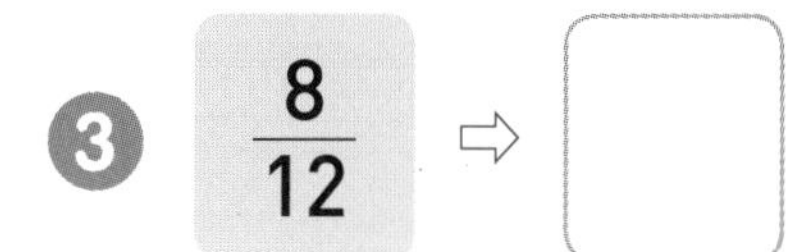

❸ $\frac{8}{12}$ ⇨ $\square$

❹ $\frac{5}{15}$ ⇨ $\square$

❺ $\frac{6}{30}$ ⇨ $\square$

❻ $\frac{25}{50}$ ⇨ $\square$

❼ $\frac{20}{32}$ ⇨ $\square$

❽ $\frac{27}{45}$ ⇨ $\square$

❾ $\frac{10}{55}$ ⇨ $\square$

❿ $\frac{11}{33}$ ⇨ $\square$

2일 기초 집중 연습

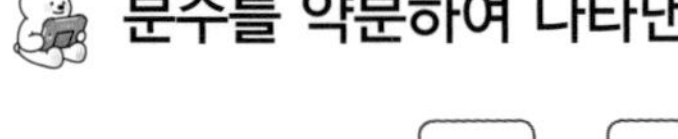

분수를 약분하여 나타낸 것입니다. □ 안에 알맞은 수를 써넣으세요.

1-1 $\frac{12}{16}$ ⇨ $\frac{\square}{8}$, $\frac{\square}{4}$

1-2 $\frac{9}{18}$ ⇨ $\frac{\square}{6}$, $\frac{\square}{2}$

1-3 $\frac{8}{28}$ ⇨ $\frac{\square}{14}$, $\frac{\square}{7}$

1-4 $\frac{20}{30}$ ⇨ $\frac{\square}{15}$, $\frac{\square}{6}$, $\frac{\square}{3}$

기약분수로 나타내어 보세요.

2-1 $\frac{3}{12}$ ⇨ □

2-2 $\frac{25}{35}$ ⇨ □

2-3 $\frac{11}{55}$ ⇨ □

2-4 $\frac{13}{39}$ ⇨ □

2-5 $\frac{60}{75}$ ⇨ □

2-6 $\frac{48}{72}$ ⇨ □

제한 시간 10분

생활 속 계산

거리를 기약분수로 나타내어 보세요.

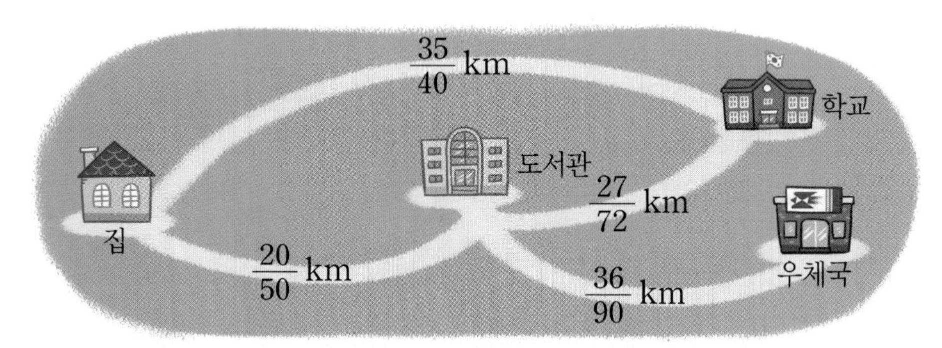

3-1 집 ~ 학교 ⇨ ______ km

$\frac{35}{40}$ km

3-2 집 ~ 도서관 ⇨ ______ km

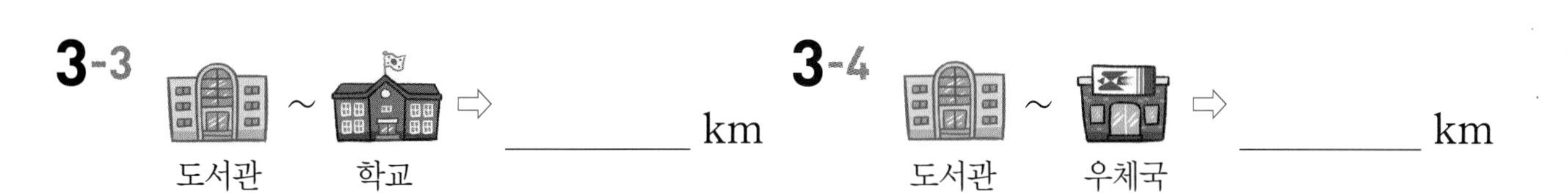

3-3 도서관 ~ 학교 ⇨ ______ km

3-4 도서관 ~ 우체국 ⇨ ______ km

문장 읽고 문제 해결하기

4-1 분모가 6이고 진분수인 기약분수는 모두 몇 개?

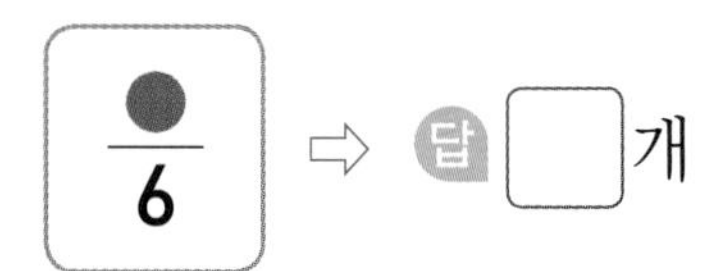

4-2 분모가 8이고 진분수인 기약분수는 모두 몇 개?

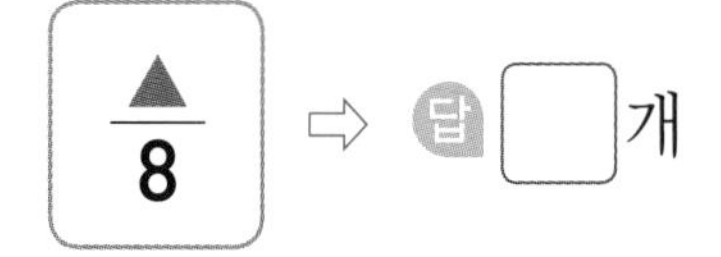

3일 분모가 같은 분수로 나타내기 ①

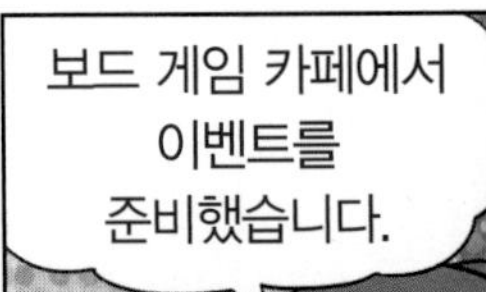

똑똑한 하루 계산법

- **두 분모의 곱을 공통분모로 하여 통분하기**

통분한다: 분수의 분모를 같게 하는 것
공통분모: 통분한 분모

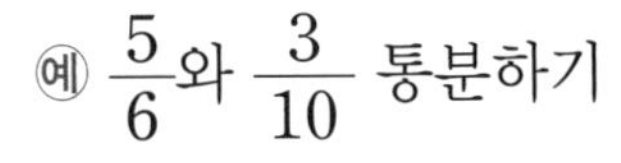

예 $\frac{5}{6}$와 $\frac{3}{10}$ 통분하기

① 두 분모의 곱: $6 \times 10 = 60$

② $\left(\frac{5}{6}, \frac{3}{10}\right) \Rightarrow \left(\frac{5 \times 10}{6 \times 10}, \frac{3 \times 6}{10 \times 6}\right)$

$\Rightarrow \left(\frac{50}{60}, \frac{18}{60}\right)$

OX 퀴즈

두 분모의 곱을 공통분모로 하여 통분한 것이 옳으면 ○에, 틀리면 ×에 ○표 하세요.

$\left(\frac{1}{2}, \frac{2}{3}\right) \Rightarrow \left(\frac{3}{6}, \frac{4}{6}\right)$

정답 ○에 ○표

똑똑한 계산 연습

▶정답 및 풀이 16쪽

제한 시간 5분

두 분모의 곱을 공통분모로 하여 통분해 보세요.

❶ $\left(\frac{1}{2}, \frac{2}{5}\right) \Rightarrow \left(\frac{1\times5}{2\times5}, \frac{2\times2}{5\times2}\right)$

$\Rightarrow \left(\frac{\square}{10}, \frac{\square}{10}\right)$

❷ $\left(\frac{2}{3}, \frac{1}{4}\right) \Rightarrow \left(\frac{2\times4}{3\times4}, \frac{1\times3}{4\times3}\right)$

$\Rightarrow \left(\frac{\square}{12}, \frac{\square}{12}\right)$

❸ $\left(\frac{3}{4}, \frac{5}{6}\right) \Rightarrow \left(\quad , \quad \right)$

❹ $\left(\frac{2}{5}, \frac{7}{10}\right) \Rightarrow \left(\quad , \quad \right)$

❺ $\left(\frac{2}{9}, \frac{5}{6}\right) \Rightarrow \left(\quad , \quad \right)$

❻ $\left(\frac{1}{3}, \frac{5}{8}\right) \Rightarrow \left(\quad , \quad \right)$

❼ $\left(\frac{3}{4}, \frac{7}{9}\right) \Rightarrow \left(\quad , \quad \right)$

❽ $\left(\frac{4}{7}, \frac{4}{9}\right) \Rightarrow \left(\quad , \quad \right)$

❾ $\left(\frac{3}{4}, \frac{9}{14}\right) \Rightarrow \left(\quad , \quad \right)$

❿ $\left(\frac{7}{8}, \frac{1}{6}\right) \Rightarrow \left(\quad , \quad \right)$

분모가 같은 분수로 나타내기 ②

똑똑한 하루 계산법

- **두 분모의 최소공배수를 공통분모로 하여 통분하기**

예 $\frac{3}{4}$과 $\frac{1}{6}$ 통분하기

① **4**와 **6**의 최소공배수: 12

② $\left(\frac{3}{4}, \frac{1}{6}\right) \Rightarrow \left(\frac{3\times3}{4\times3}, \frac{1\times2}{6\times2}\right)$

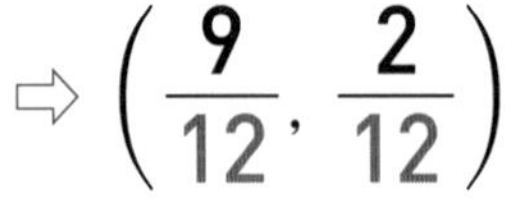

$\Rightarrow \left(\frac{9}{12}, \frac{2}{12}\right)$

OX 퀴즈

$\left(\frac{3}{10}, \frac{2}{5}\right) \Rightarrow \left(\frac{15}{50}, \frac{20}{50}\right)$

○ ✕

정답 ✕에 ○표

똑똑한 계산 연습

▶정답 및 풀이 16쪽

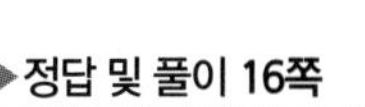

제한 시간 5분

두 분모의 최소공배수를 공통분모로 하여 통분해 보세요.

❶ $\left(\frac{1}{6}, \frac{2}{9}\right) \Rightarrow \left(\frac{1\times3}{6\times3}, \frac{2\times2}{9\times2}\right) \Rightarrow \left(\frac{\square}{18}, \frac{\square}{18}\right)$

❷ $\left(\frac{5}{8}, \frac{7}{12}\right) \Rightarrow \left(\frac{5\times3}{8\times3}, \frac{7\times2}{12\times2}\right) \Rightarrow \left(\frac{\square}{24}, \frac{\square}{24}\right)$

❸ $\left(\frac{1}{2}, \frac{3}{8}\right) \Rightarrow ($, $)$

❹ $\left(\frac{4}{7}, \frac{5}{21}\right) \Rightarrow ($, $)$

❺ $\left(\frac{3}{10}, \frac{2}{15}\right) \Rightarrow ($, $)$

❻ $\left(\frac{2}{9}, \frac{1}{12}\right) \Rightarrow ($, $)$

❼ $\left(\frac{7}{8}, \frac{5}{12}\right) \Rightarrow ($, $)$

❽ $\left(\frac{7}{12}, \frac{2}{15}\right) \Rightarrow ($, $)$

❾ $\left(\frac{3}{4}, \frac{7}{10}\right) \Rightarrow ($, $)$

❿ $\left(\frac{11}{15}, \frac{7}{9}\right) \Rightarrow ($, $)$

3일 기초 집중 연습

□에는 두 분모의 곱을 공통분모로 하여 통분한 분수를, ⬡에는 두 분모의 최소공배수를 공통분모로 하여 통분한 분수를 써 보세요.

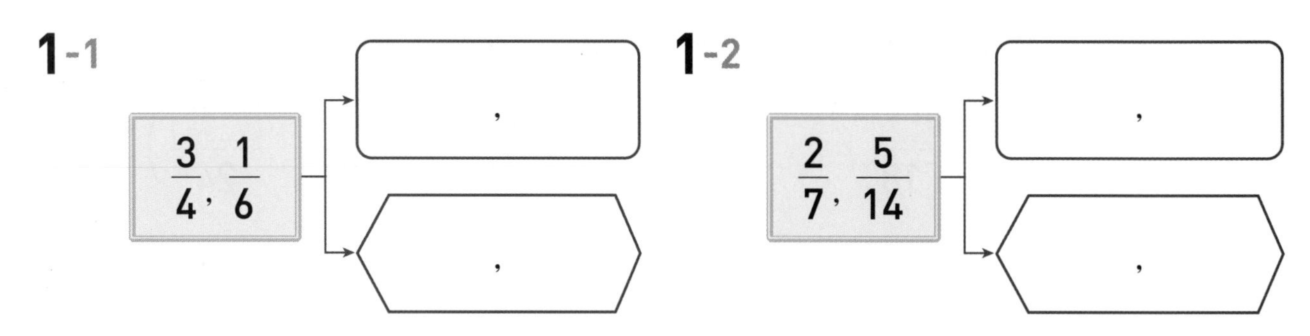

1-1 $\frac{3}{4}, \frac{1}{6}$

1-2 $\frac{2}{7}, \frac{5}{14}$

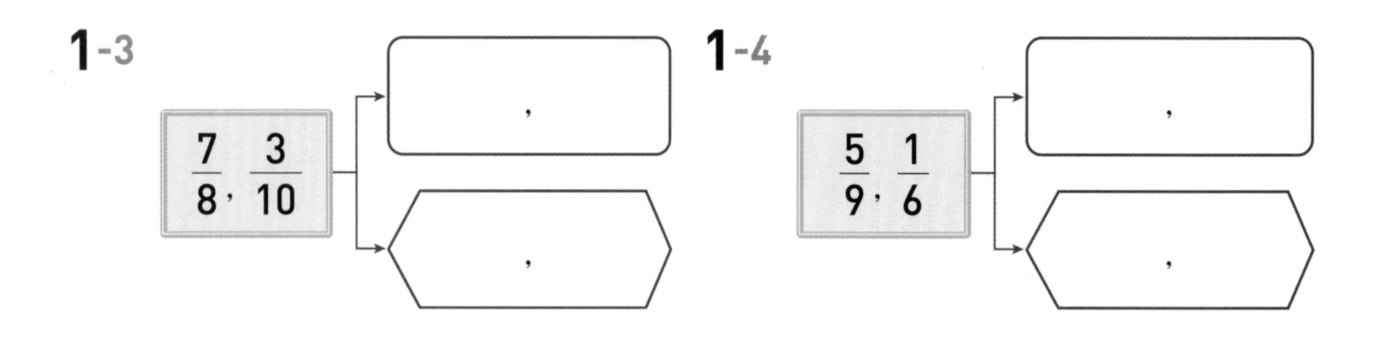

1-3 $\frac{7}{8}, \frac{3}{10}$

1-4 $\frac{5}{9}, \frac{1}{6}$

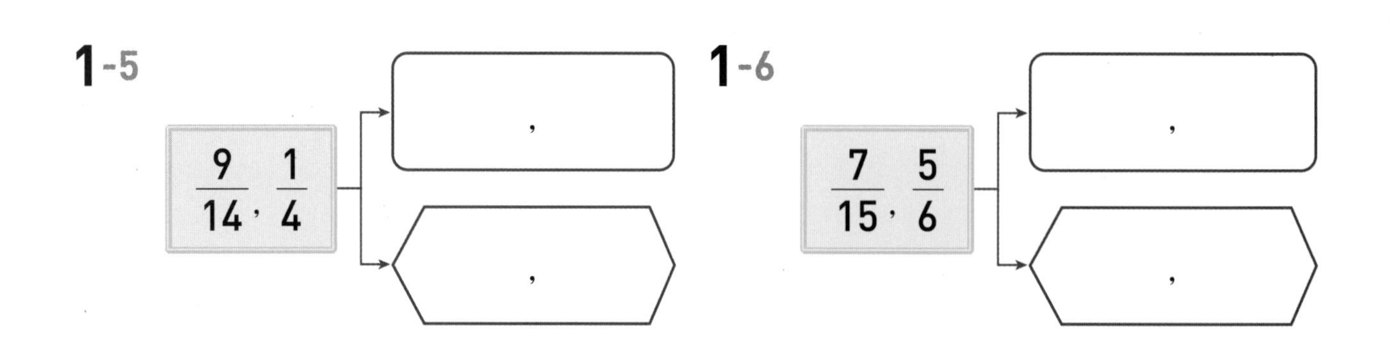

1-5 $\frac{9}{14}, \frac{1}{4}$

1-6 $\frac{7}{15}, \frac{5}{6}$

제한 시간 10분

생활 속 계산

먹고 남은 두 파이의 양을 분모의 최소공배수를 공통분모로 하여 통분해 보세요.

2-1 $\frac{1}{2}$ 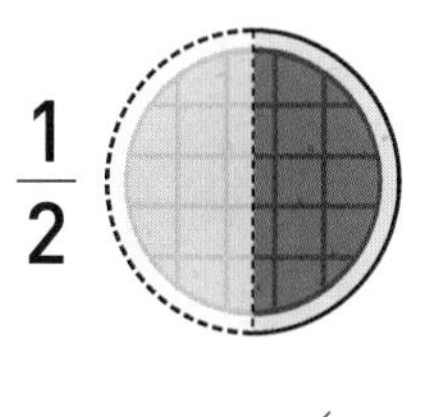 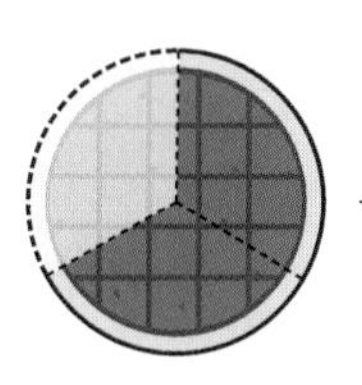 $\frac{2}{3}$

(,)

2-2 $\frac{1}{3}$ 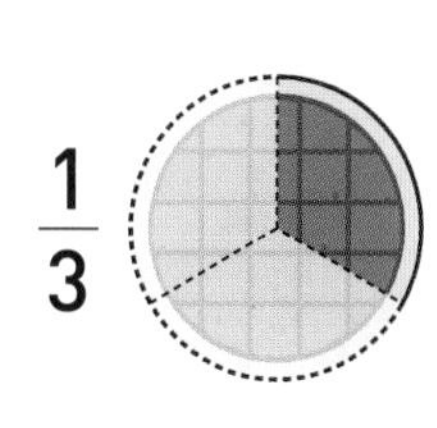 $\frac{3}{8}$

(,)

2-3 $\frac{3}{4}$ 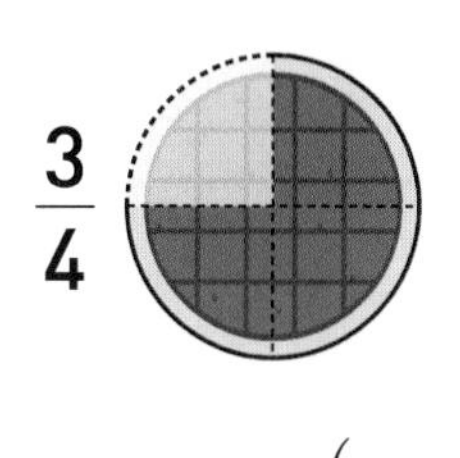 $\frac{5}{6}$

(,)

2-4 $\frac{2}{3}$ 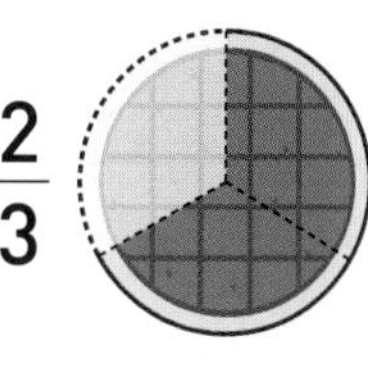 $\frac{3}{4}$

(,)

문장 읽고 문제 해결하기

3-1 $\left(\frac{2}{5}, \frac{2}{3}\right)$를 30을 공통분모로 하여 통분하면?

$\left(\frac{\square}{30}, \frac{\square}{30}\right)$

3-2 $\left(\frac{5}{6}, \frac{4}{9}\right)$를 18과 36을 공통분모로 하여 각각 통분하면?

$\left(\frac{\square}{18}, \frac{\square}{18}\right), \left(\frac{\square}{36}, \frac{\square}{36}\right)$

3주 3일

분수의 크기 비교하기 ①

피자를 많이 먹었더니 콜라가 마시고 싶어.
우리 콜라 내기하자!
난 패스할게~.

그럼 카드 다섯 장 중에 더 큰 수를 고른 사람이 이기는 걸로 해요.
전 이거요.
전 이거요.

$\frac{3}{4}$이 나왔어.
나는 $\frac{2}{3}$!
$\frac{3}{4}$
$\frac{2}{3}$

분모가 다른 분수는 통분한 후 크기를 비교하면 돼.
$\frac{3}{4}$이 더 커! 어서 콜라 사줘.
$\left(\frac{3}{4}, \frac{2}{3}\right) \Rightarrow \left(\frac{9}{12}, \frac{8}{12}\right)$
$\Rightarrow \frac{9}{12} > \frac{8}{12}$
$\Rightarrow \frac{3}{4} > \frac{2}{3}$

여기 정수기가 있네? 난 물이면 충분해!
내기하자 하고 왜 딴소리야!

똑똑한 하루 계산법

• **두 분수의 크기 비교하기**

예 $\frac{3}{4}$과 $\frac{2}{3}$의 크기 비교하기

$$\left(\frac{3}{4}, \frac{2}{3}\right) \overset{\text{통분}}{\Rightarrow} \left(\frac{9}{12}, \frac{8}{12}\right)$$

$$\Rightarrow \frac{9}{12} > \frac{8}{12} \text{이므로 } \frac{3}{4} > \frac{2}{3}$$

분수를 통분한 후 **분자의 크기를 비교**해요.

○✕ 퀴즈

두 분수의 크기 비교가 옳으면 ○에, 틀리면 ✕에 ○표 하세요.

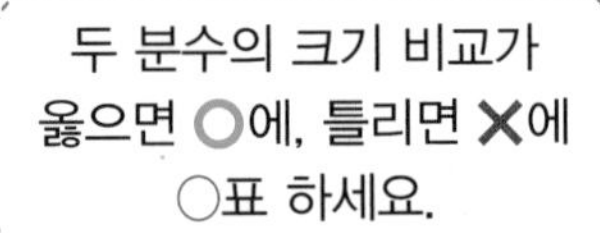

$\frac{2}{5} < \frac{3}{10}$

○ ✕

정답 ✕에 ○표

똑똑한 계산 연습

▶정답 및 풀이 17쪽

제한 시간 5분

두 분수의 크기를 비교하여 ○ 안에 $>$, $=$, $<$를 알맞게 써넣으세요.

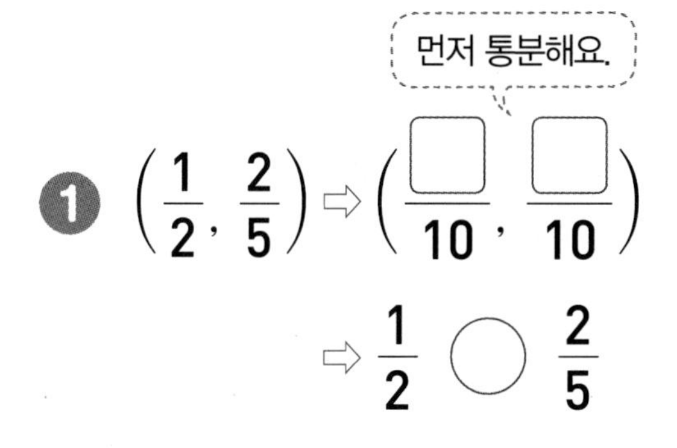

❶ $\left(\frac{1}{2}, \frac{2}{5}\right) \Rightarrow \left(\frac{\square}{10}, \frac{\square}{10}\right)$

$\Rightarrow \frac{1}{2} \bigcirc \frac{2}{5}$

먼저 통분해요.

❷ $\left(\frac{5}{6}, \frac{9}{10}\right) \Rightarrow \left(\frac{\square}{30}, \frac{\square}{30}\right)$

$\Rightarrow \frac{5}{6} \bigcirc \frac{9}{10}$

❸ $\frac{3}{4} \bigcirc \frac{1}{6}$

❹ $\frac{3}{8} \bigcirc \frac{5}{12}$

❺ $\frac{4}{9} \bigcirc \frac{5}{7}$

❻ $\frac{13}{45} \bigcirc \frac{4}{15}$

❼ $\frac{6}{13} \bigcirc \frac{2}{5}$

❽ $\frac{1}{4} \bigcirc \frac{3}{10}$

❾ $\frac{11}{15} \bigcirc \frac{7}{10}$

❿ $\frac{5}{12} \bigcirc \frac{7}{18}$

분수의 크기 비교하기 ②

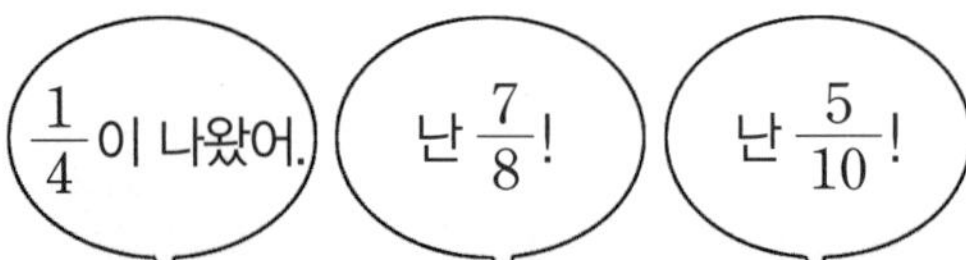

똑똑한 하루 계산법

• **세 분수의 크기 비교하기**

예 $\frac{1}{4}, \frac{7}{8}, \frac{5}{10}$의 크기 비교하기

$$\left(\frac{1}{4}, \frac{7}{8}\right) \xrightarrow{\text{통분}} \left(\frac{2}{8}, \frac{7}{8}\right) \rightarrow \frac{1}{4} < \frac{7}{8}$$

$$\left(\frac{7}{8}, \frac{5}{10}\right) \xrightarrow{\text{통분}} \left(\frac{35}{40}, \frac{20}{40}\right) \rightarrow \frac{7}{8} > \frac{5}{10}$$

$$\left(\frac{1}{4}, \frac{5}{10}\right) \xrightarrow{\text{통분}} \left(\frac{5}{20}, \frac{10}{20}\right) \rightarrow \frac{1}{4} < \frac{5}{10}$$

$$\Rightarrow \frac{7}{8} > \frac{5}{10} > \frac{1}{4}$$

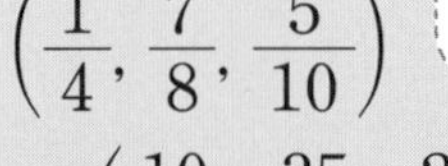

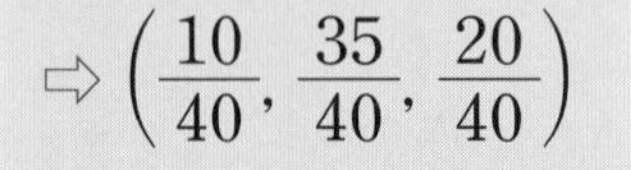

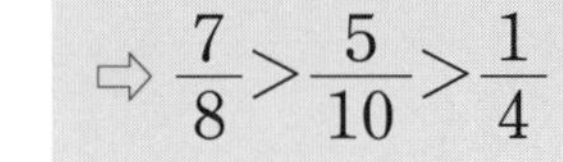

세 분수를 한꺼번에 통분하여 비교할 수도 있어요.

▶정답 및 풀이 18쪽

제한 시간 5분

세 분수의 크기를 비교하여 ▢ 안에 큰 분수부터 차례로 써넣으세요.

❶ 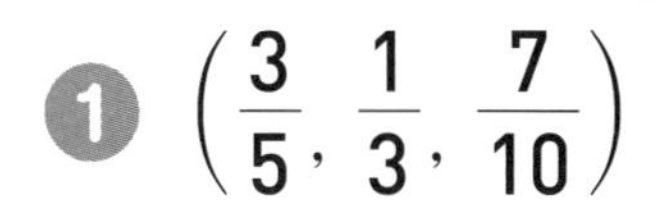

$\frac{3}{5}$ ○ $\frac{1}{3}$

$\frac{1}{3}$ ○ $\frac{7}{10}$

$\frac{3}{5}$ ○ $\frac{7}{10}$

⇨ ▢, ▢, ▢

❷ $\left(\frac{3}{4}, \frac{7}{8}, \frac{5}{6}\right)$

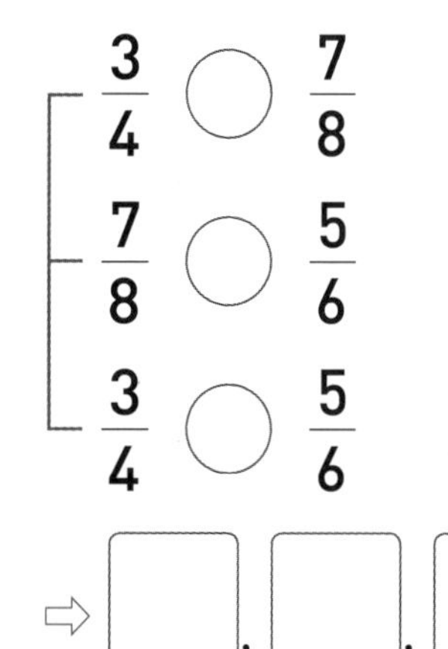

$\frac{3}{4}$ ○ $\frac{7}{8}$

$\frac{7}{8}$ ○ $\frac{5}{6}$

$\frac{3}{4}$ ○ $\frac{5}{6}$

⇨ ▢, ▢, ▢

❸ 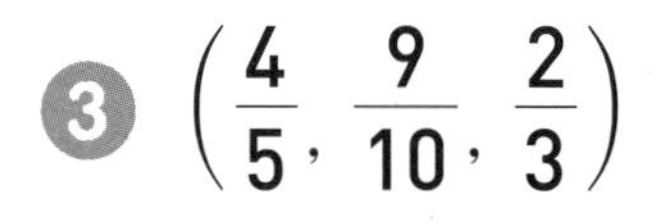

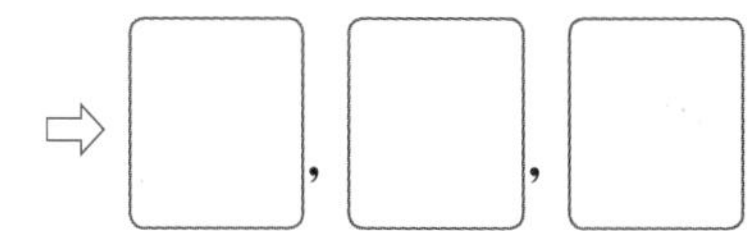

❹ $\left(\frac{5}{6}, \frac{3}{5}, \frac{2}{3}\right)$

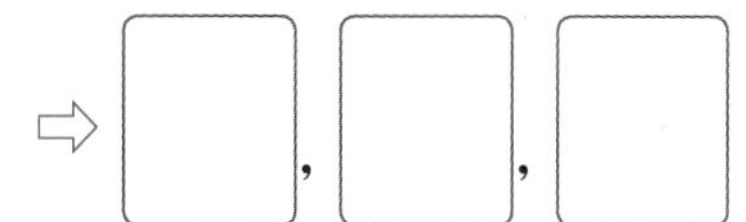

❺ $\left(\frac{3}{8}, \frac{7}{12}, \frac{11}{16}\right)$

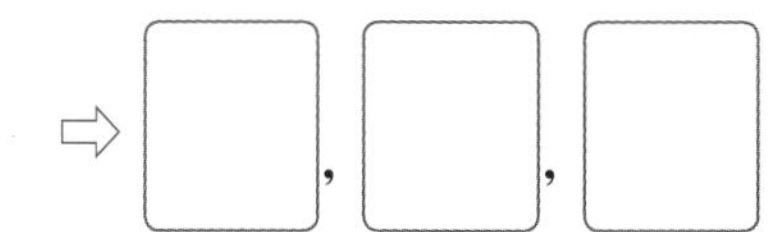

❻ $\left(\frac{1}{4}, \frac{5}{12}, \frac{2}{9}\right)$

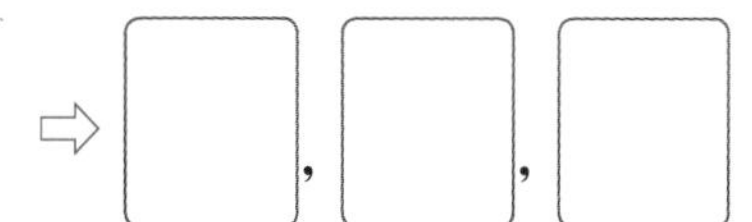

기초 집중 연습

두 분수의 크기를 비교하여 더 큰 수에 ○표 하세요.

1-1 $\frac{4}{9}$ | $\frac{2}{3}$

1-2 $\frac{7}{8}$ | $\frac{3}{4}$

1-3 $\frac{5}{6}$ | $\frac{7}{9}$

1-4 $\frac{1}{4}$ | $\frac{2}{5}$

세 분수의 크기를 비교하여 가장 큰 수를 빈칸에 써넣으세요.

2-1

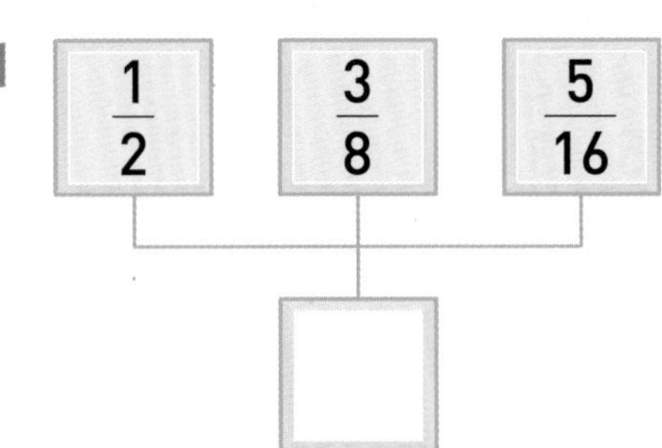

2-2

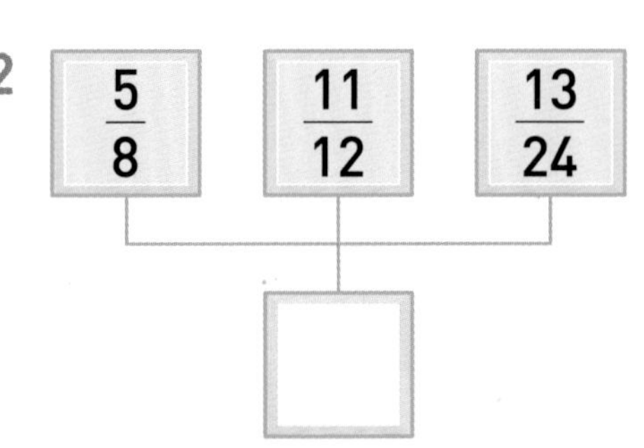

2-3

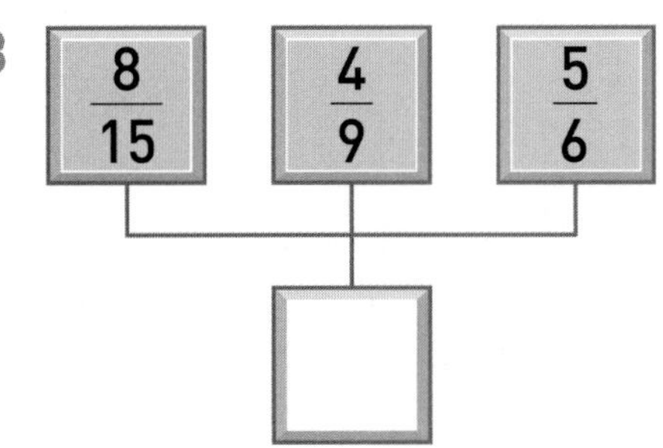

2-4

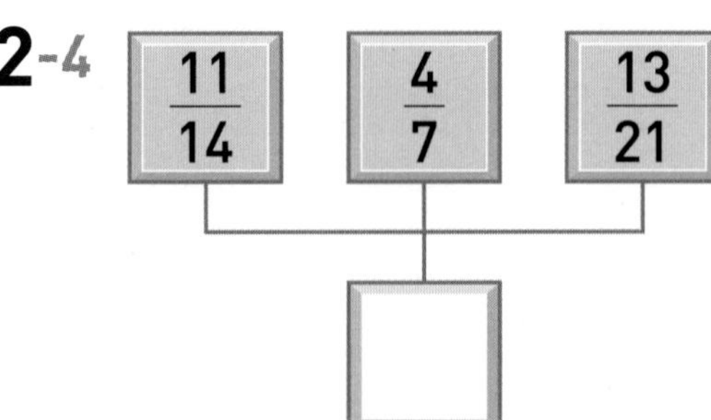

제한 시간 10분

생활 속 계산

 키를 나타낸 것입니다. 키가 더 작은 학생을 찾아 ○표 하세요.

3-1

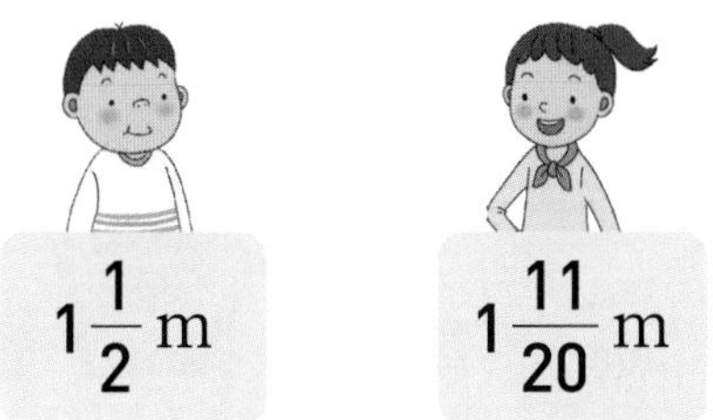

$1\frac{1}{2}$ m　　$1\frac{11}{20}$ m

(　　　　)　(　　　　)

3-2

$1\frac{9}{20}$ m　　$1\frac{3}{8}$ m

(　　　　)　(　　　　)

3-3

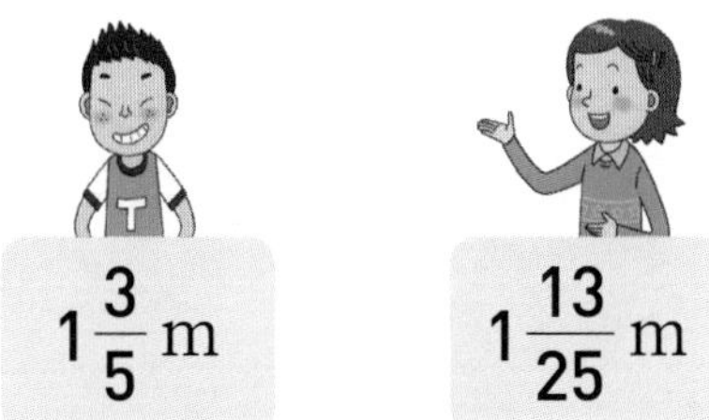

$1\frac{3}{5}$ m　　$1\frac{13}{25}$ m

(　　　　)　(　　　　)

3-4

$1\frac{7}{10}$ m　　$1\frac{3}{4}$ m

(　　　　)　(　　　　)

문장 읽고 문제 해결하기

4-1

우유 $1\frac{7}{8}$ L와 콜라 $1\frac{9}{10}$ L 중 양이 더 많은 음료수는?

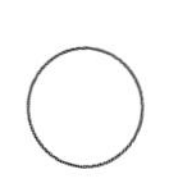

$1\frac{7}{8}$ ○ $1\frac{9}{10}$ ⇨  답

4-2

빨강 끈 $2\frac{3}{8}$ m와 노랑 끈 $2\frac{7}{12}$ m 중 더 짧은 끈은?

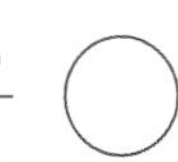

$2\frac{3}{8}$ ○ $2\frac{7}{12}$ ⇨ 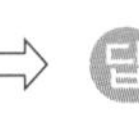 답

3주 4일

분수와 소수의 크기 비교하기 ①

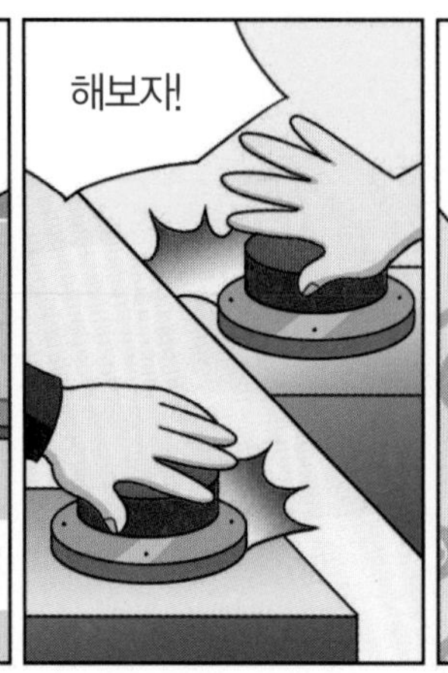

분수를 약분해서 크기를 비교해 볼 수도 있고 소수로 나타내어 크기를 비교하는 방법도 있어.
(12/20, 21/30) ⇨ 6/10 < 7/10
⇨ 0.6 < 0.7
⇨ 12/20 < 21/30

똑똑한 하루 계산법

• **두 분수의 크기 비교하기**

예 $\frac{12}{20}$와 $\frac{21}{30}$의 크기 비교하기

방법 1 두 분수를 약분하여 크기 비교하기

$$\left(\frac{12}{20}, \frac{21}{30}\right) \Rightarrow \left(\frac{6}{10}, \frac{7}{10}\right) \Rightarrow \frac{12}{20} < \frac{21}{30}$$

방법 2 두 분수를 소수로 나타내어 크기 비교하기

$$\left(\frac{12}{20}, \frac{21}{30}\right) \Rightarrow \left(\frac{6}{10}, \frac{7}{10}\right)$$

$$\Rightarrow 0.6 < 0.7 \Rightarrow \frac{12}{20} < \frac{21}{30}$$

O X 퀴즈

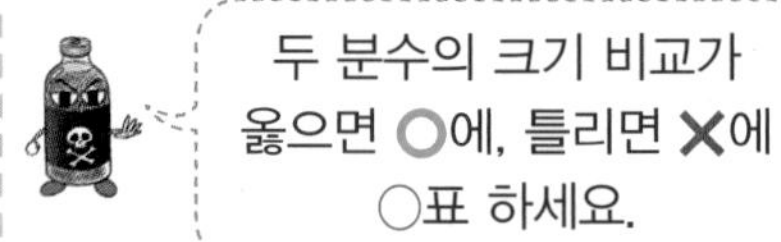

$$\frac{9}{30} < \frac{16}{40}$$

정답 ○에 ○표

똑똑한 계산 연습

▶정답 및 풀이 19쪽

제한 시간 5분

두 분수의 크기를 비교하여 ○ 안에 >, =, <를 알맞게 써넣으세요.

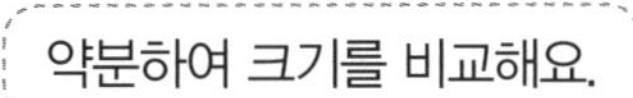

1 $\left(\frac{14}{20}, \frac{35}{50}\right) \Rightarrow \left(\frac{\square}{10}, \frac{\square}{10}\right)$

$\Rightarrow \frac{14}{20}$ ○ $\frac{35}{50}$

소수로 나타내어 크기를 비교해요.

2 $\left(\frac{7}{10}, \frac{24}{30}\right) \Rightarrow (\square, \square)$

$\Rightarrow \frac{7}{10}$ ○ $\frac{24}{30}$

3 $\frac{21}{30}$ ○ $\frac{12}{20}$

4 $\frac{32}{40}$ ○ $\frac{25}{50}$

5 $\frac{35}{50}$ ○ $\frac{64}{80}$

6 $\frac{15}{30}$ ○ $\frac{16}{40}$

7 $\frac{36}{60}$ ○ $\frac{54}{90}$

8 $\frac{40}{50}$ ○ $\frac{63}{70}$

9 $\frac{14}{70}$ ○ $\frac{9}{30}$

10 $\frac{18}{20}$ ○ $\frac{28}{40}$

3주 5일

분수와 소수의 크기 비교하기 ②

똑똑한 하루 계산법

- **분수와 소수의 크기 비교하기**

예 $\frac{4}{5}$와 0.6의 크기 비교하기

방법 1 분수를 소수로 나타내어 크기 비교하기

$$\frac{4}{5}=\frac{8}{10}=0.8 \quad \frac{4}{5}>0.6$$

방법 2 소수를 분수로 나타내어 크기 비교하기

$$\frac{4}{5}>0.6 \quad 0.6=\frac{6}{10}=\frac{3}{5}$$

○× 퀴즈

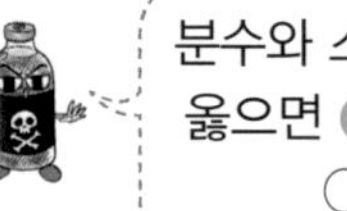

분수와 소수의 크기 비교가 옳으면 ○에, 틀리면 ×에 ○표 하세요.

$$0.6>\frac{3}{4}$$

정답 ×에 ○표

제한 시간 5분

분수와 소수의 크기를 비교하여 ○ 안에 >, =, <를 알맞게 써넣으세요.

$\frac{1}{5}$을 소수로 나타내요.

❶ $\frac{1}{5}$(=□) ○ 0.4

0.9를 분수로 나타내요.

❷ $0.9\left(=\frac{\square}{10}\right)$ ○ $\frac{7}{10}$

❸ $\frac{3}{5}$ ○ 0.5

❹ 0.5 ○ $\frac{1}{2}$

❺ $\frac{7}{20}$ ○ 0.3

❻ 0.5 ○ $\frac{27}{50}$

❼ $\frac{1}{4}$ ○ 0.4

❽ 0.45 ○ $\frac{3}{20}$

❾ $\frac{11}{20}$ ○ 0.55

❿ 1.12 ○ $1\frac{4}{25}$

3주 5일

5일 기초 집중 연습

두 수의 크기를 비교하여 더 큰 수를 빈칸에 써넣으세요.

1-1

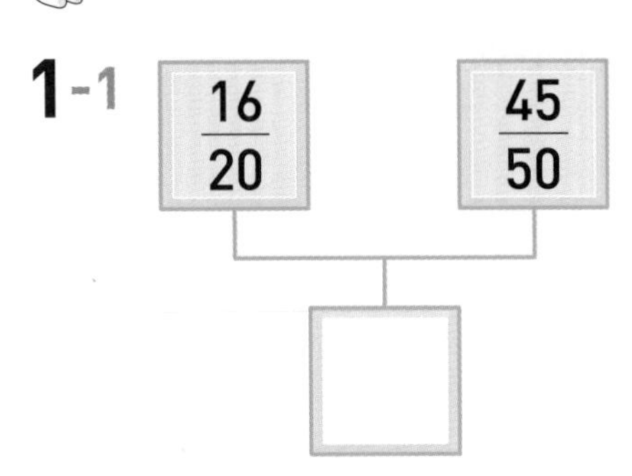

1-2

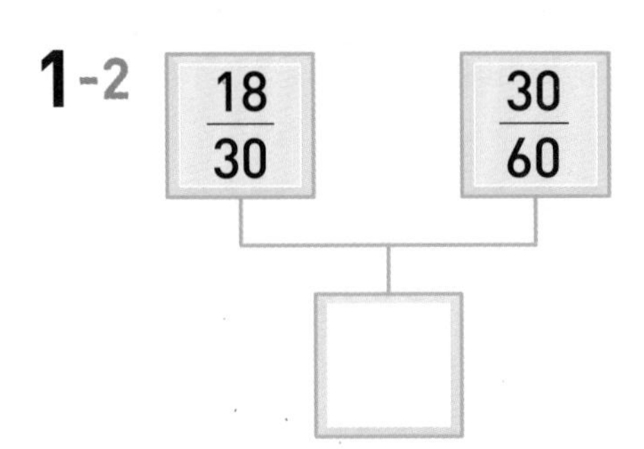

1-3

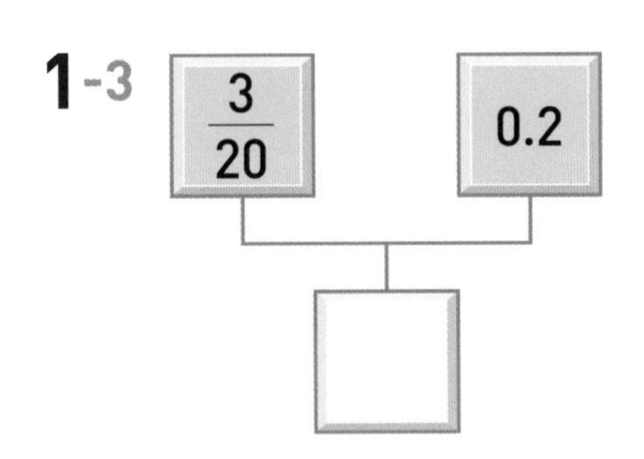

1-4

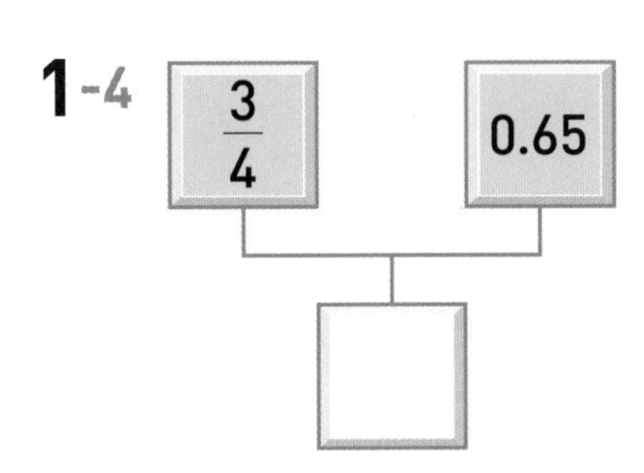

세 수의 크기를 비교하여 가장 큰 수에 ○표 하세요.

2-1 0.9 $\frac{4}{5}$ 0.7

2-2 0.3 $\frac{9}{20}$ 0.46

2-3 $\frac{3}{50}$ 0.21 $\frac{1}{5}$

2-4 $1\frac{1}{4}$ 1.3 $1\frac{1}{2}$

제한 시간 10분

생활 속 계산

집에서 더 가까운 곳을 찾아 ○표 하세요.

3-1

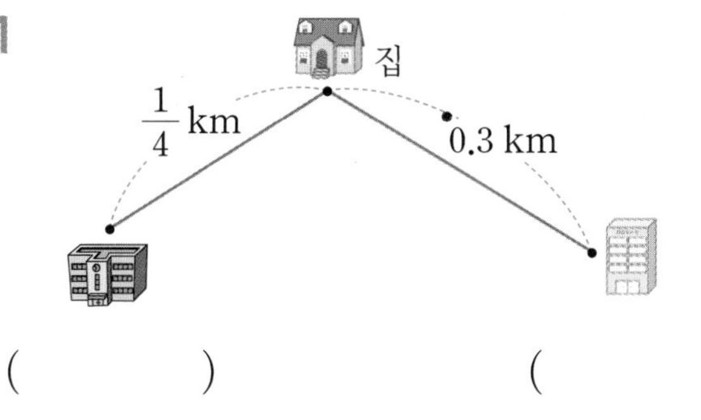

(　　　　)　　　　(　　　　)

3-2

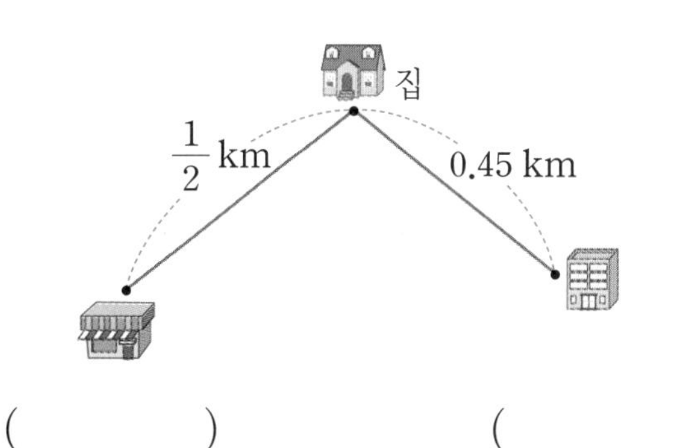

(　　　　)　　　　(　　　　)

3-3

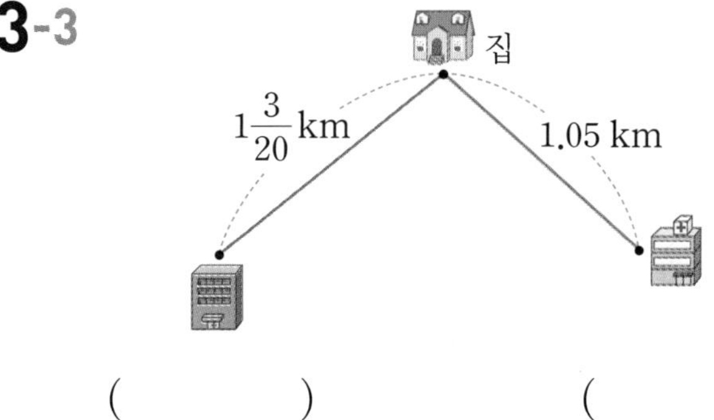

(　　　　)　　　　(　　　　)

3-4

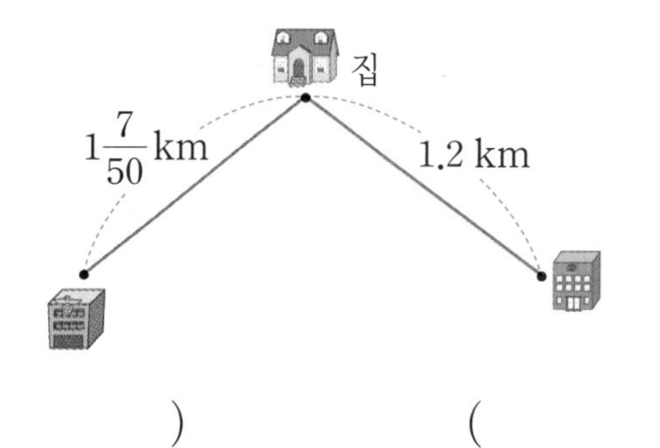

(　　　　)　　　　(　　　　)

문장 읽고 문제 해결하기

4-1 쌀 2.5 kg과 현미 $2\frac{2}{5}$ kg 중 양이 더 많은 곡물은?

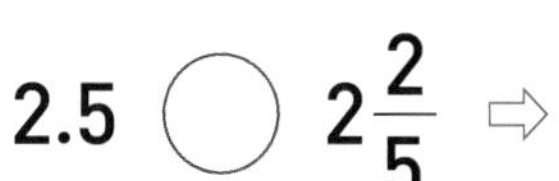

2.5 ○ $2\frac{2}{5}$ ⇨ 답

4-2 무게가 $3\frac{3}{4}$ kg인 강아지와 3.7 kg인 고양이 중 더 가벼운 동물은?

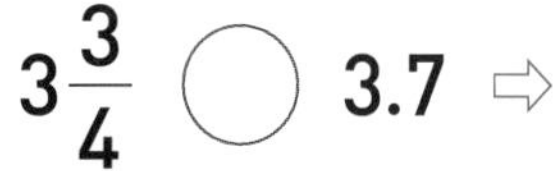

$3\frac{3}{4}$ ○ 3.7 ⇨ 답

3주 5일

3주 평가 누구나 100점 맞는 TEST

크기가 같은 분수가 되도록 □ 안에 알맞은 수를 써넣으세요.

❶ $\frac{2}{5}=\frac{\square}{15}$

❷ $\frac{6}{8}=\frac{3}{\square}$

❸ $\frac{4}{9}=\frac{8}{\square}$

❹ $\frac{27}{36}=\frac{\square}{12}$

기약분수로 나타내어 보세요.

❺ $\frac{4}{8}$ ⇨ □

❻ $\frac{12}{16}$  □

❼ $\frac{10}{35}$ ⇨ □

❽ $\frac{30}{50}$ ⇨ □

❾ $\frac{8}{48}$ ⇨ □

❿ $\frac{21}{56}$ ⇨ □

▶정답 및 풀이 20쪽

제한 시간 15분

맞은 개수 / 20개

두 분수를 통분해 보세요.

⑪ $\left(\frac{4}{5}, \frac{5}{6}\right) \Rightarrow \left(\frac{\square}{30}, \frac{\square}{30}\right)$

⑫ $\left(\frac{2}{3}, \frac{4}{7}\right) \Rightarrow \left(\frac{\square}{21}, \frac{\square}{21}\right)$

⑬ $\left(\frac{3}{8}, \frac{7}{10}\right) \Rightarrow \left(\frac{\square}{40}, \frac{\square}{40}\right)$

⑭ $\left(\frac{1}{6}, \frac{4}{9}\right) \Rightarrow \left(\frac{\square}{18}, \frac{\square}{18}\right)$

두 수의 크기를 비교하여 ○ 안에 >, =, <를 알맞게 써넣으세요.

⑮ $\frac{3}{4}$ ○ $\frac{5}{6}$

⑯ $\frac{5}{9}$ ○ $\frac{7}{15}$

⑰ $\frac{3}{8}$ ○ $\frac{7}{12}$

⑱ $\frac{18}{20}$ ○ $\frac{27}{30}$

⑲ 0.5 ○ $\frac{9}{20}$

⑳ 1.12 ○ $1\frac{4}{25}$

제한 시간 안에 정확하게 모두 풀었다면
여러분은 진정한 **계산왕!**

창의 · 융합 · 코딩

누구를 스카우트 할까?

융합 1 야구 선수들의 타격 성적을 비교하고 있습니다.

야구 선수의 타격 성적을 기약분수로 나타내 봐.

코치

(타격 성적)$=\frac{60}{150}=\frac{\square}{\square}$

이장우

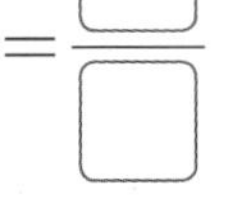

(타격 성적)$=\frac{49}{140}=\frac{\square}{\square}$

양준호

야구 선수의 타격 성적을 통분하여 크기를 비교하면 ☐ 선수의 타격 성적이 더 좋군.

감독

▶정답 및 풀이 21쪽

물 오염시키는 음식물 쓰레기

융합 2 1 mL를 정화하는 데 물이 가장 많이 필요한 음료수와 가장 적게 필요한 음료수를 차례로 구하세요.

* 정화: 더러운 것을 깨끗하게 함.

먼저 분수를 소수로 나타내 봐.
그럼 세 수의 크기 비교를 쉽게 할 수 있어.

음료수	요구르트	커피	우유
1 mL를 정화하는 데 필요한 물의 양(L)	20.1	$14\frac{2}{5}=$ ☐	$20\frac{7}{10}=$ ☐

물이 가장 많이 필요한 음료수 ____________

물이 가장 적게 필요한 음료수 ____________

창의·융합·코딩

창의 3 분수 막대를 보고 크기가 같은 분수를 만들어 보세요.

$\frac{1}{9}$	$\frac{1}{9}$	$\frac{1}{9}$	$\frac{1}{9}$	$\frac{1}{9}$	$\frac{1}{9}$	$\frac{1}{9}$	$\frac{1}{9}$	$\frac{1}{9}$
$\frac{1}{6}$		$\frac{1}{6}$	$\frac{1}{6}$		$\frac{1}{6}$	$\frac{1}{6}$		$\frac{1}{6}$
$\frac{1}{3}$			$\frac{1}{3}$			$\frac{1}{3}$		
1								

(1) $\frac{1}{3}=\frac{\square}{6}=\frac{\square}{9}$

(2) $\frac{2}{3}=\frac{\square}{6}=\frac{\square}{9}$

창의 4 사다리를 타고 내려가 빈칸에 기약분수로 나타내어 보세요.

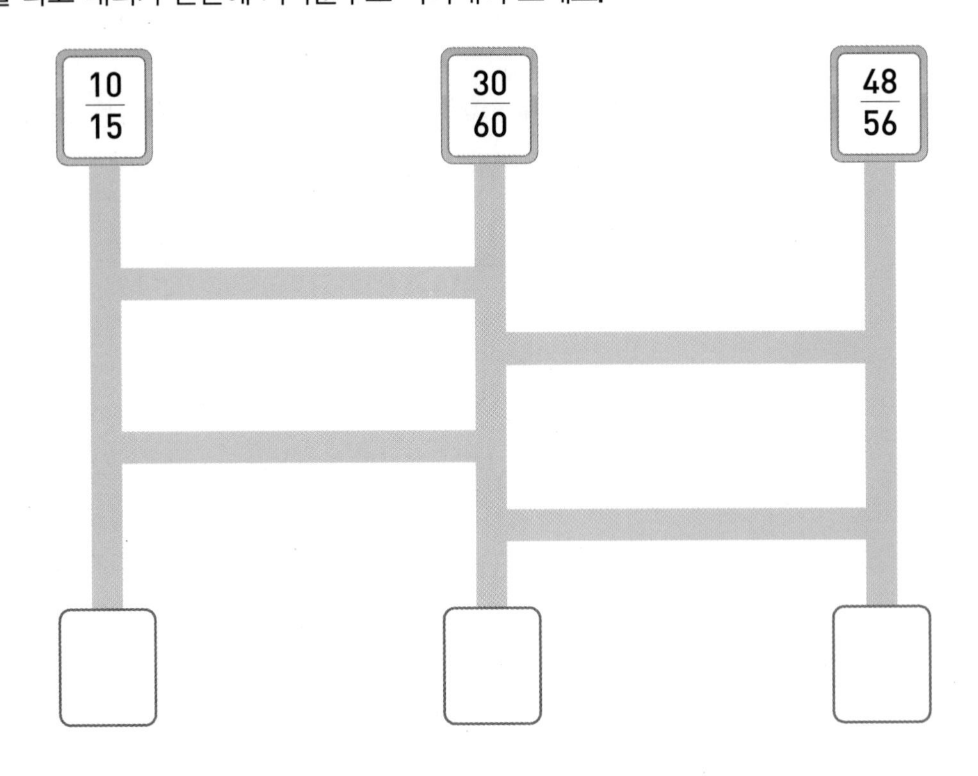

▶정답 및 풀이 21쪽

코딩 5 보기 의 두 수를 각각 화살표의 순서로 주어진 지시에 따라 판단하여 빈 곳에 알맞은 수를 써넣으세요.

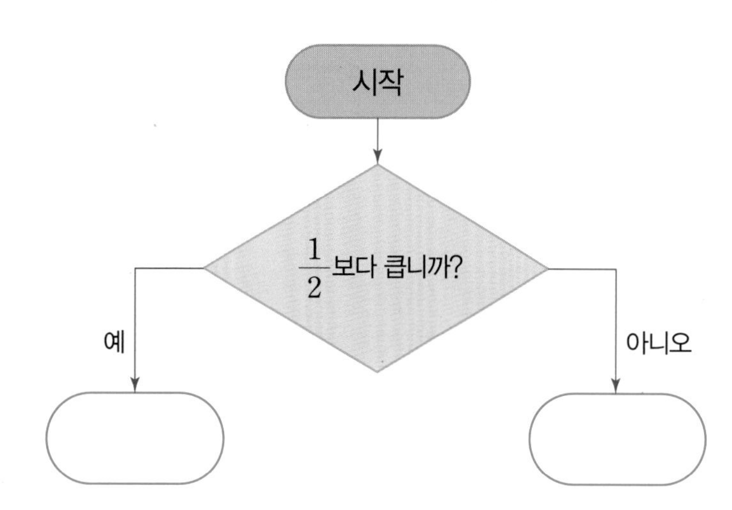

창의 6 보기 와 같이 주어진 분수와 크기가 같은 분수를 모두 찾아 ◯표 하세요.

보기

$\frac{2}{3}$

$\frac{2}{4}$	($\frac{4}{6}$)	$\frac{1}{8}$
$\frac{4}{5}$	$\frac{6}{10}$	($\frac{8}{12}$)

$\frac{4}{5}$

$\frac{3}{8}$	$\frac{7}{16}$	$\frac{12}{15}$
$\frac{8}{10}$	$\frac{16}{25}$	$\frac{15}{20}$

3주 특강

창의·융합·코딩

갈림길에서 더 큰 분수를 따라가면 할머니 댁에 도착할 수 있습니다. 할머니 댁을 찾아 번호를 써 보세요.

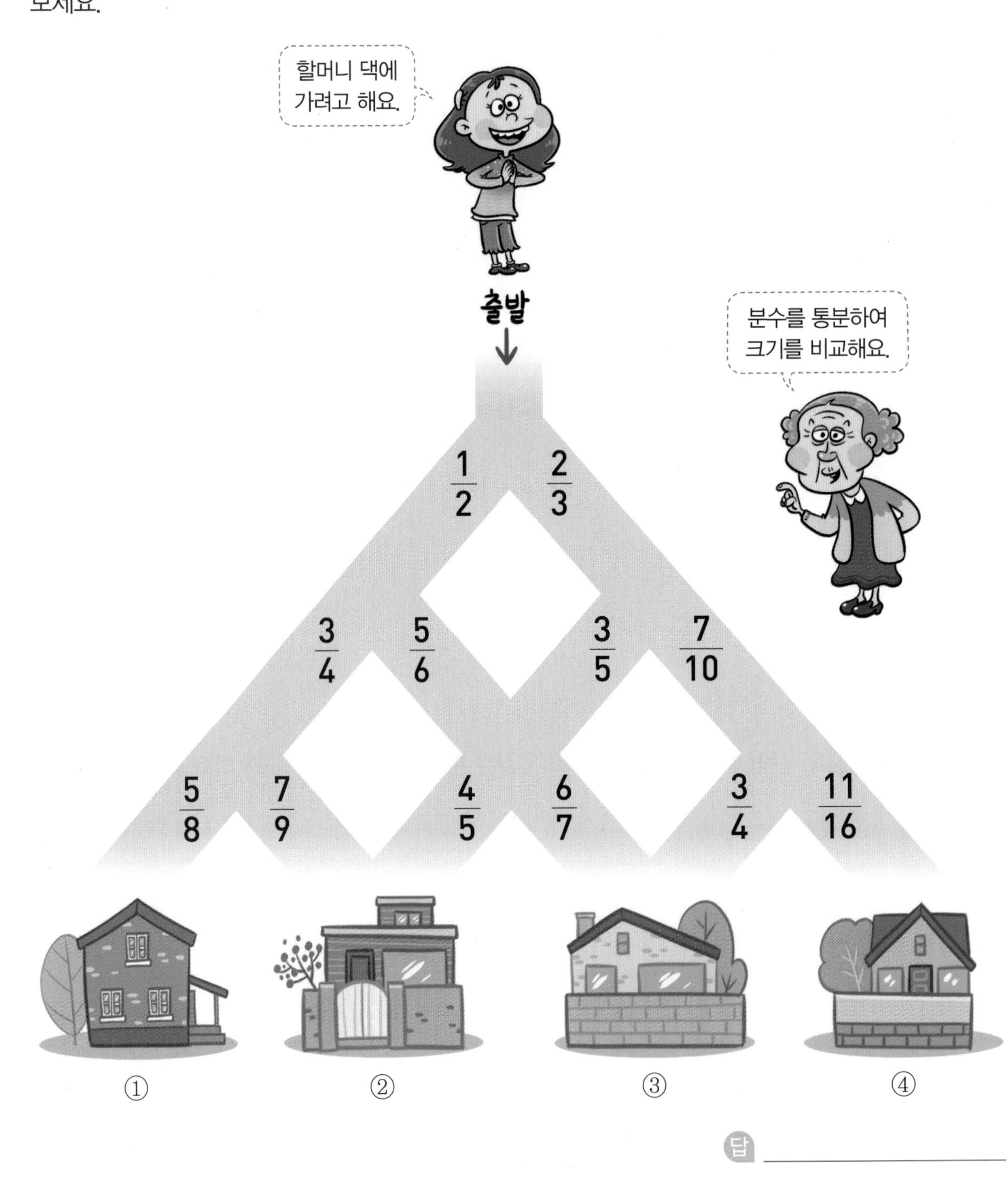

답 ____________

▶정답 및 풀이 21쪽

코딩 8 보기 와 같이 가장 큰 수를 찾고, 로봇이 가장 큰 수를 찾아가는 명령문을 완성하세요.

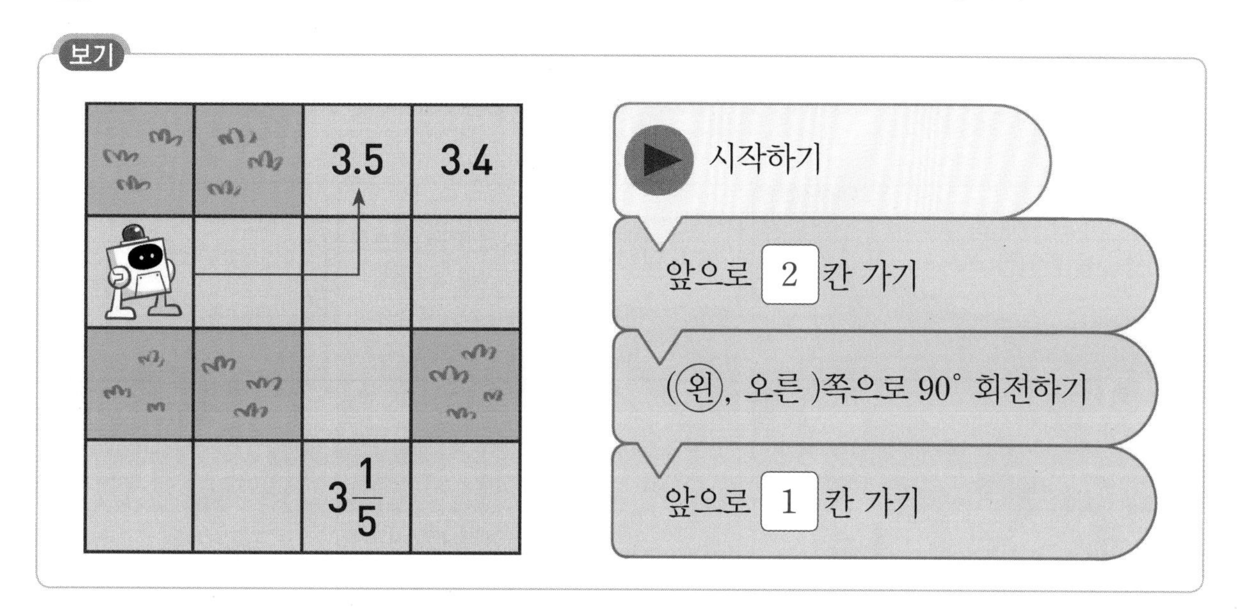

$3.5>3.4>3\frac{1}{5}$이므로 3.5를 찾아가는 명령문을 완성합니다.

	(로봇)		
5.1		5.2	
			$5\frac{1}{4}$

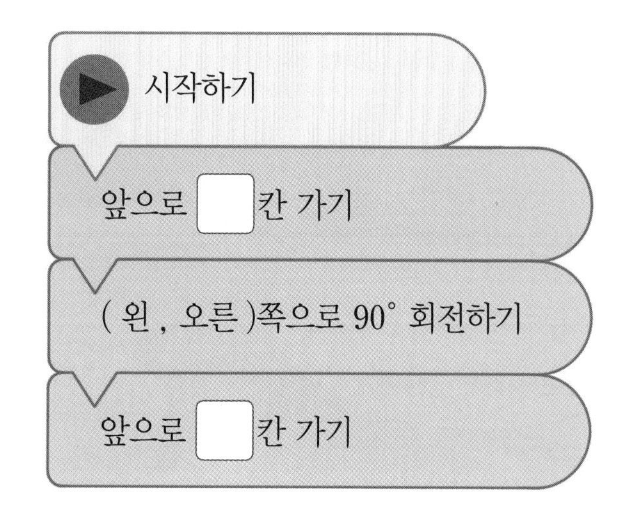

3주 특강

4
주

분수의 덧셈과 뺄셈

우리 삼촌의 사과 농장에 오신 것을 환영합니다~.

사과들이 예쁘게 많이 달렸네~.
직접 따면 주스로 만들어 줄게!

사과 딴 거 먹어 봐도 돼?
물론이지~.

캬~ 과즙이 팡팡!
사과는 안 따고 먹기만 하는 건 아니겠지?
나를 뭘로 보고!

사과 다 땄으면 주스 만들러 가자!
역시! 찬혁이는 먹느라 몇 개 못 땄구나~.
벌써?

선생님께서 딴 사과로 만든 주스는 $\frac{2}{3}$통, 승혜가 딴 사과로 만든 주스는 $\frac{4}{6}$통이야.
따지 않고 먹기만 하니까 그렇지!
나는 $\frac{1}{6}$통밖에…….
선생님
승혜
찬혁

선생님의 주스와 찬혁이의 주스를 더해서 같이 나눠 마실까요?
선생님은 정말 천사세요~.

이번에 배울 내용을 알아볼까요? 1

- 1일 (진분수)+(진분수)
- 2일 (대분수)+(진분수)
- 3일 (대분수)+(대분수)
- 4일 (진분수)−(진분수), (대분수)−(진분수)
- 5일 (대분수)−(대분수)

$\frac{2}{3}$와 $\frac{1}{6}$은 분모가 서로 다른 데 어떻게 더해요?
$\frac{2}{3}+\frac{1}{6}$

분수를 통분한 후 더하면 돼요.
$\left(\frac{2}{3}, \frac{1}{6}\right) \Rightarrow \left(\frac{4}{6}, \frac{1}{6}\right)$
$\frac{2}{3}+\frac{1}{6}=\frac{4}{6}+\frac{1}{6}$
$=\frac{5}{6}$

모두 같이 짠!
사과가 맛있으니까 주스도 정말 맛있다!

주스가 승혜는 $\frac{2}{3}$컵 남아 있고 찬혁이는 $\frac{3}{4}$컵 남아 있네.
승혜꺼
찬혁이꺼

누가 주스를 더 조금 남긴 거야?
딱 봐도 승혜가 더 조금 남겼네.

선생님~ 분모가 다른 경우 분수는 어떻게 비교해요?

분수를 통분한 후에 분자의 크기를 비교하면 돼요.
$\left(\frac{2}{3}, \frac{3}{4}\right) \Rightarrow \left(\frac{8}{12}, \frac{9}{12}\right)$
$\Rightarrow \frac{8}{12} < \frac{9}{12}$
제 주스가 찬혁이보다 적게 남은게 맞네요!

아~ 배불러. 사실 사과를 10개 정도 먹었거든. 이제 사과는 안 먹어도 돼~.

그럼 애플파이 구웠는데 찬혁이 빼고 우리끼리 먹자.
아니~ 애플파이라면 얘기가 다르지!

이번에 배울 내용을 알아볼까요? 

4-2 진분수의 덧셈과 뺄셈

가져온 시멘트 $\frac{2}{7}$ kg과 $\frac{3}{7}$ kg의 합은 얼마야?
$\frac{5}{7}$ kg이야. 가져온 시멘트에서 $\frac{4}{7}$ kg을 썼으면 얼마가 남았지?
$\frac{2}{7}+\frac{3}{7}=\frac{2+3}{7}=\frac{5}{7}$
$\frac{5}{7}-\frac{4}{7}=\frac{5-4}{7}=\frac{1}{7}$

분모가 같은 진분수의 덧셈은 분모는 그대로 두고 분자끼리 더한 다음 계산 결과가 가분수이면 대분수로 나타내요.

분모가 같은 진분수의 뺄셈은 분모는 그대로 두고 분자끼리 빼요.

계산해 보세요.

1-1 $\frac{1}{6}+\frac{4}{6}=\frac{1+\square}{6}=\frac{\square}{6}$

1-2 $\frac{2}{3}-\frac{1}{3}=\frac{2-\square}{3}=\frac{\square}{3}$

1-3 $\frac{5}{9}+\frac{6}{9}=\frac{5+\square}{9}=\frac{\square}{9}=\square\frac{\square}{9}$

1-4 $\frac{8}{11}-\frac{2}{11}=\frac{\square-\square}{11}=\frac{\square}{11}$

5-1 약분과 통분

파란색 물감 $\frac{3}{4}$ L, 빨간색 물감 $\frac{5}{6}$ L로 그림 그리자.
통분해 보니 빨간색 물감을 더 많이 가져왔구나.
$\left(\frac{3}{4}, \frac{5}{6}\right) \Rightarrow \left(\frac{3\times3}{4\times3}, \frac{5\times2}{6\times2}\right)$
$\Rightarrow \left(\frac{9}{12}, \frac{10}{12}\right)$
$\frac{3}{4}$ L
$\frac{5}{6}$ L

통분할 때 분모와 분자에 같은 수를 곱해야 해요.

공배수 중에서 가장 작은 수인 최소공배수를 공통분모로 하여 통분하면 편리해요.

4주 1일

분모의 최소공배수를 공통분모로 하여 통분해 보세요.

2-1 $\left(\frac{2}{3}, \frac{3}{4}\right) \Rightarrow \left(\frac{\square}{12}, \frac{\square}{12}\right)$

2-2 $\left(\frac{1}{6}, \frac{3}{8}\right) \Rightarrow \left(\frac{\square}{24}, \frac{\square}{24}\right)$

2-3 $\left(\frac{3}{5}, \frac{8}{15}\right) \Rightarrow (\quad , \quad)$

2-4 $\left(\frac{1}{4}, \frac{4}{9}\right) \Rightarrow (\quad , \quad)$

(진분수)+(진분수) ①

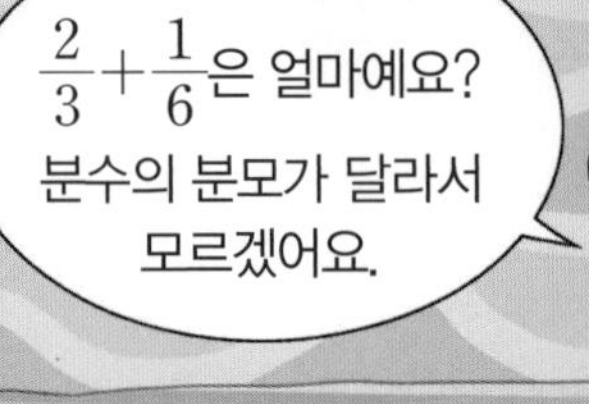

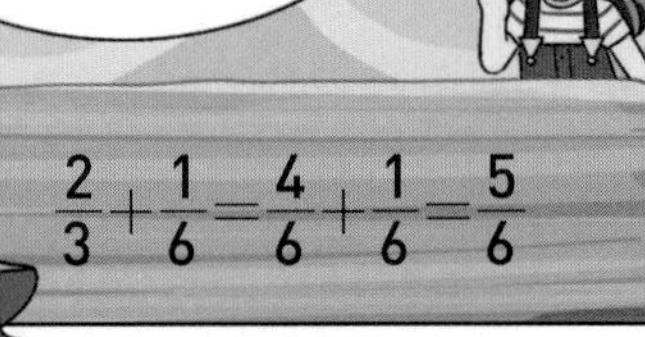

똑똑한 하루 계산법

- **받아올림이 없는 분모가 다른 (진분수)+(진분수)**

예 $\frac{2}{3}+\frac{1}{6}$의 계산

두 분수를 통분한 다음 **통분한 분모는 그대로 두고 분자끼리 더합니다.**

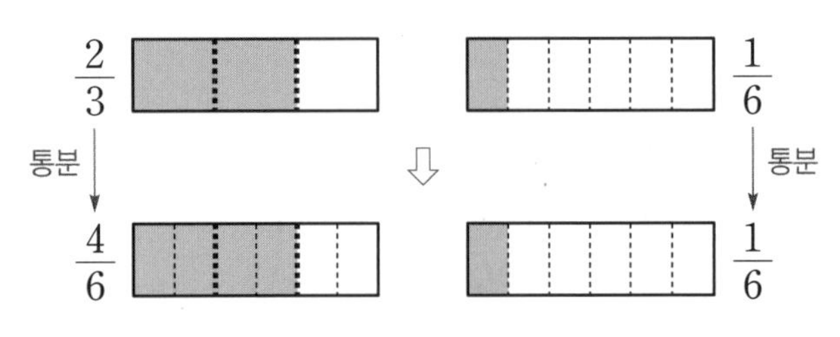

$$\frac{2}{3}+\frac{1}{6}=\frac{2\times2}{3\times2}+\frac{1}{6}=\frac{4}{6}+\frac{1}{6}=\frac{5}{6}$$

최소공배수: 6

OX 퀴즈

$\frac{1}{2}+\frac{1}{4}$을 바르게 계산한 것에 ○표, 틀리게 계산한 것에 ×표 하세요.

$\frac{1}{2}+\frac{1}{4}=\frac{2}{4}+\frac{1}{4}=\frac{3}{4}$

❶ 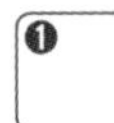

$\frac{1}{2}+\frac{1}{4}=\frac{1+1}{2+4}=\frac{2}{6}=\frac{1}{3}$

❷ 

정답 ❶ ○ ❷ ×

▶정답 및 풀이 22쪽

제한 시간 5분

계산을 하여 기약분수로 나타내어 보세요.

❶ $\frac{1}{2}+\frac{2}{5}=\frac{5}{10}+\frac{\square}{10}=\frac{\square}{10}$

❷ $\frac{1}{5}+\frac{3}{7}=\frac{\square}{35}+\frac{15}{35}=\frac{\square}{35}$

❸ $\frac{7}{10}+\frac{4}{15}=\frac{21}{30}+\frac{\square}{30}=\frac{\square}{30}$

❹ $\frac{5}{8}+\frac{1}{6}=\frac{\square}{24}+\frac{\square}{24}=\frac{\square}{24}$

❺ $\frac{2}{7}+\frac{1}{4}$

❻ $\frac{2}{9}+\frac{2}{3}$

❼ $\frac{3}{14}+\frac{5}{21}$

❽ $\frac{3}{8}+\frac{7}{12}$

❾ $\frac{2}{9}+\frac{5}{18}$

❿ $\frac{1}{6}+\frac{3}{10}$

⓫ $\frac{5}{6}+\frac{2}{15}$

⓬ $\frac{10}{21}+\frac{4}{9}$

(진분수)+(진분수) ②

나도 우유 먹고 싶었는데~!
내가 마시기 전에 달라고 했어야지.
볼록

우유는 더 없으니 물 마셔.

놀러와서 마시는 물은 물맛도 좋네요.
물이 선생님은 $\frac{2}{3}$컵, 저는 $\frac{1}{2}$컵이에요.
$\frac{2}{3}$컵
$\frac{1}{2}$컵

두 컵에 담긴 물의 합을 구하려면 이것도 통분을 해야겠죠?
$\frac{2}{3}+\frac{1}{2}=?$
맞아요.

통분을 해서 계산을 했는데 가분수예요.
$\frac{2}{3}+\frac{1}{2}=\frac{4}{6}+\frac{3}{6}$
$=\frac{7}{6}=1\frac{1}{6}$
가분수는 대분수로 나타내면 돼요.

대분수에서 자연수 1의 모습이 배부른 찬혁이 배처럼 볼록 튀어나왔네요.
야! 내 배가 뭐~.

똑똑한 하루 계산법

• **받아올림이 있는 분모가 다른 (진분수)+(진분수)**

예 $\frac{2}{3}+\frac{1}{2}$의 계산

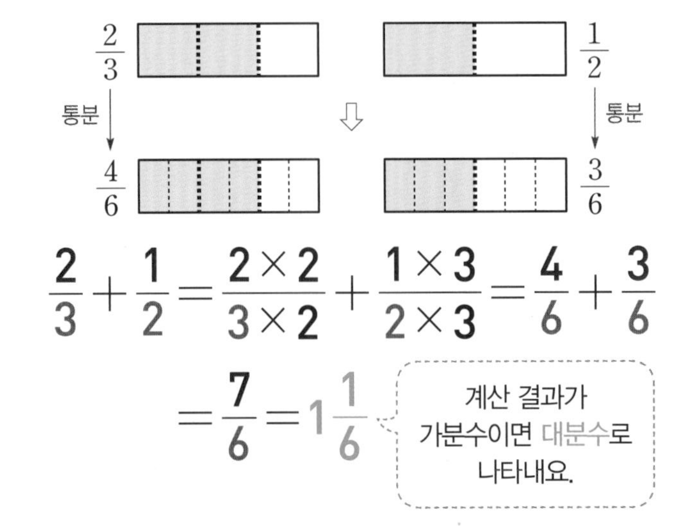

$$\frac{2}{3}+\frac{1}{2}=\frac{2\times2}{3\times2}+\frac{1\times3}{2\times3}=\frac{4}{6}+\frac{3}{6}$$

$$=\frac{7}{6}=1\frac{1}{6}$$

계산 결과가 가분수이면 대분수로 나타내요.

OX 퀴즈

$\frac{4}{7}+\frac{1}{4}$을 바르게 계산한 것에 ○표, 틀리게 계산한 것에 ×표 하세요.

$\frac{4}{7}+\frac{1}{4}=\frac{16}{28}+\frac{7}{28}=\frac{23}{56}$

❶ ☐

$\frac{4}{7}+\frac{1}{4}=\frac{16}{28}+\frac{7}{28}=\frac{23}{28}$

❷ ☐

정답 ❶ × ❷ ○

똑똑한 계산 연습

제한 시간 5분

계산을 하여 기약분수로 나타내어 보세요.

❶ $\frac{2}{3}+\frac{3}{5}=\frac{10}{15}+\frac{\square}{15}=\frac{\square}{15}=\square\frac{\square}{15}$

❷ $\frac{3}{4}+\frac{5}{8}=\frac{\square}{8}+\frac{5}{8}=\frac{\square}{8}=\square\frac{\square}{8}$

❸ $\frac{4}{5}+\frac{19}{20}=\frac{\square}{20}+\frac{19}{20}=\frac{\square}{20}=1\frac{\square}{20}=\square\frac{\square}{4}$

❹ $\frac{4}{5}+\frac{1}{3}$

❺ $\frac{5}{12}+\frac{9}{14}$

❻ $\frac{5}{6}+\frac{2}{5}$

❼ $\frac{3}{8}+\frac{17}{18}$

❽ $\frac{7}{12}+\frac{5}{8}$

❾ $\frac{7}{9}+\frac{5}{12}$

❿ $\frac{8}{9}+\frac{5}{6}$

⓫ $\frac{14}{15}+\frac{2}{3}$

1일 기초 집중 연습

빈 곳에 알맞은 기약분수를 써넣으세요.

1-1

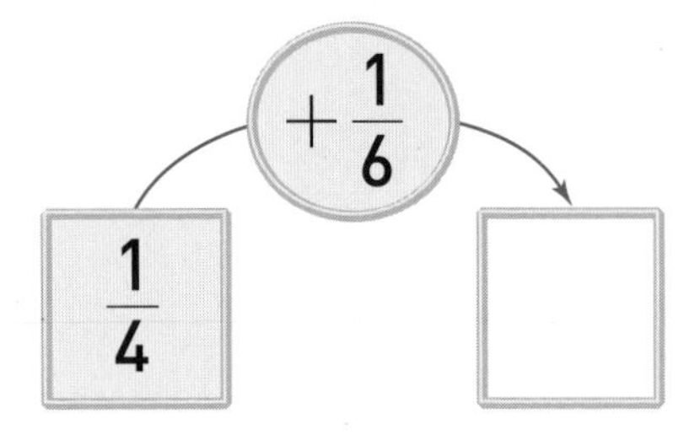

1-2

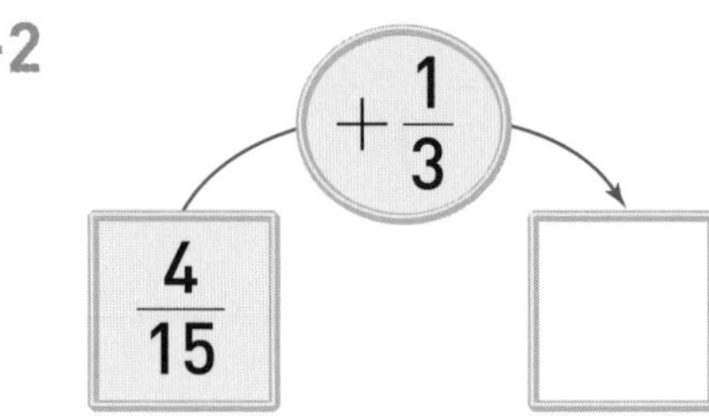

1-3

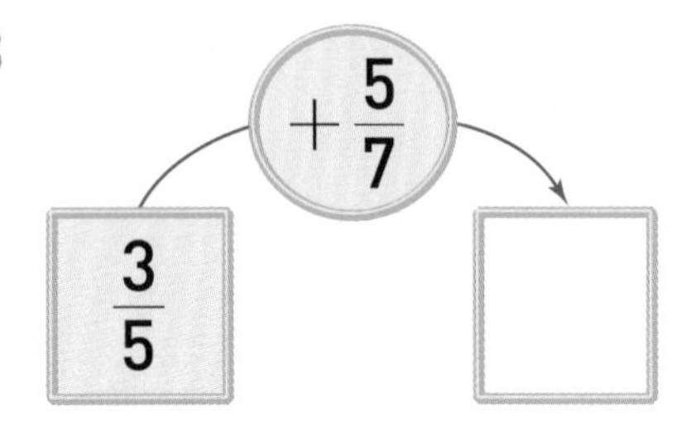

1-4

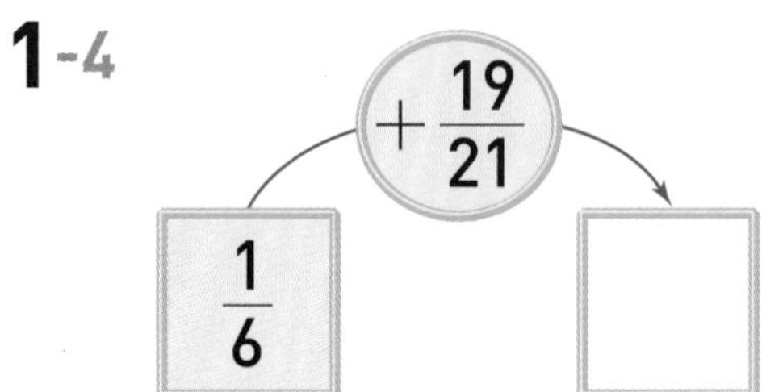

□ 안에 알맞은 기약분수를 써넣으세요.

2-1

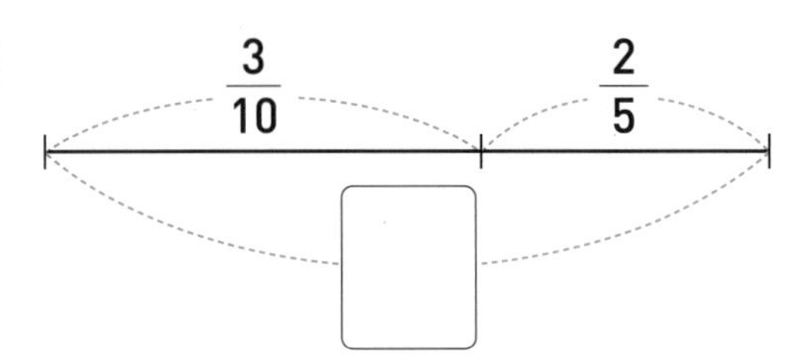

2-2

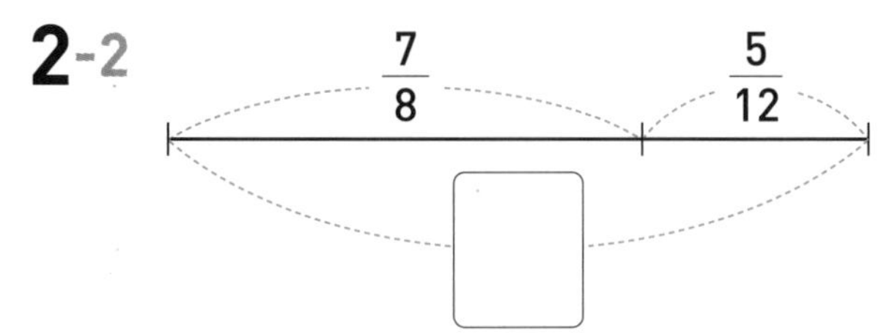

2-3

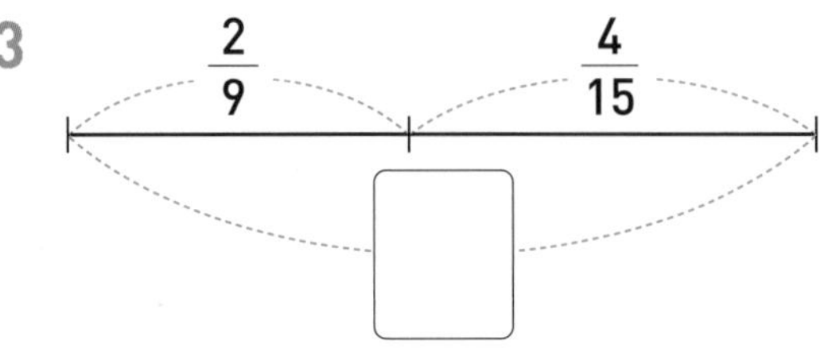

2-4

$\frac{9}{20}$ $\frac{4}{5}$

제한 시간 10분

생활 속 계산

두 사람이 마신 우유의 양의 합을 기약분수로 나타내어 보세요.

3-1

민호 $\frac{1}{4}$L　수현 $\frac{1}{8}$L

$\frac{1}{4}+\square=\square$ (L)

3-2

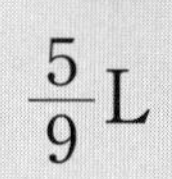

영탁 $\frac{5}{9}$L　민하 $\frac{5}{7}$L

$\square+\frac{5}{7}=\square$ (L)

3-3

준희 $\frac{11}{12}$L　정우 $\frac{4}{9}$L

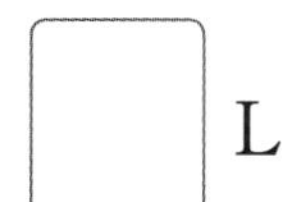

$\square$ L

3-4

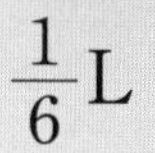

태연 $\frac{1}{6}$L　우석 $\frac{7}{10}$L

$\square$ L

문장 읽고 계산식 세우기

다음을 읽고 식을 세워 기약분수로 나타내어 보세요.

4-1

빨간색 테이프는 $\frac{2}{7}$m, 파란색 테이프는 $\frac{8}{21}$m 있다면 두 색 테이프 길이의 합은?

식 $\frac{2}{7}+\square=\square$ (m)

4-2

동화책을 선우는 $\frac{3}{5}$시간, 민경이는 $\frac{4}{7}$시간 읽었다면 두 사람이 동화책을 읽은 시간의 합은?

식 $\square+\frac{4}{7}=\square$ (시간)

4주 1일

(대분수)+(진분수) ①

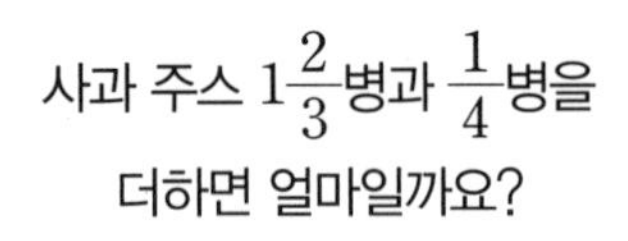

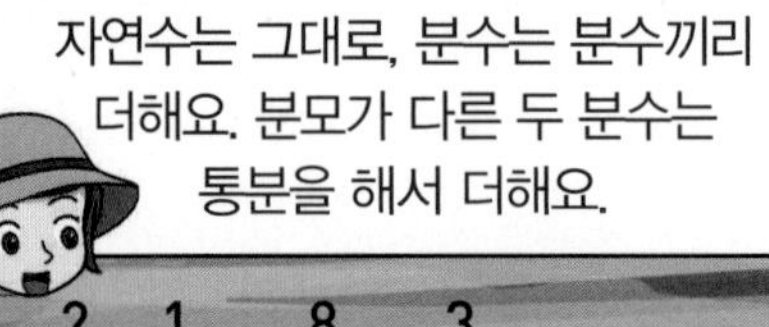

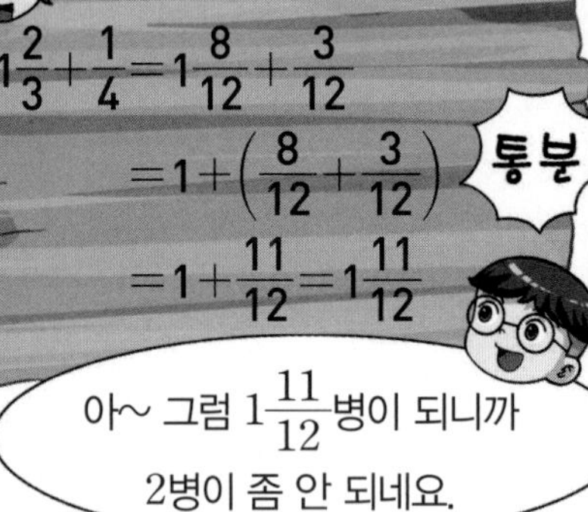

똑똑한 하루 계산법

• **받아올림이 없는 분모가 다른 (대분수)+(진분수)**

예 $1\frac{2}{3}+\frac{1}{4}$의 계산

방법 1 **자연수는 그대로, 분수는 분수끼리** 계산하기

$$1\frac{2}{3}+\frac{1}{4}=1\frac{8}{12}+\frac{3}{12}$$

$1+\frac{8}{12}$

$$=1+\left(\frac{8}{12}+\frac{3}{12}\right)$$

$$=1+\frac{11}{12}=1\frac{11}{12}$$

방법 2 대분수를 가분수로 나타내어 계산하기

$$1\frac{2}{3}+\frac{1}{4}=\frac{5}{3}+\frac{1}{4}=\frac{20}{12}+\frac{3}{12}$$

$$=\frac{23}{12}=1\frac{11}{12}$$

계산 결과는 대분수로 나타내요.

똑똑한 계산 연습

▶정답 및 풀이 23쪽

제한 시간 5분

계산을 하여 기약분수로 나타내어 보세요.

❶ $1\frac{2}{9}+\frac{13}{18}=1\frac{\square}{18}+\frac{13}{18}=\square\frac{\square}{18}$

❷ $\frac{2}{5}+2\frac{1}{10}=\frac{\square}{10}+2\frac{1}{10}=2\frac{\square}{10}=\square\frac{\square}{2}$

❸ $\frac{4}{9}+3\frac{1}{6}=\frac{4}{9}+\frac{\square}{6}=\frac{8}{18}+\frac{\square}{18}=\frac{\square}{18}=\square\frac{\square}{18}$

❹ $1\frac{1}{6}+\frac{3}{7}$

❺ $\frac{3}{5}+3\frac{2}{7}$

❻ $4\frac{2}{5}+\frac{3}{8}$

❼ $\frac{5}{8}+1\frac{1}{6}$

❽ $2\frac{5}{12}+\frac{1}{4}$

❾ $\frac{1}{7}+2\frac{4}{5}$

❿ $2\frac{5}{12}+\frac{3}{16}$

⓫ $\frac{9}{28}+3\frac{2}{21}$

(대분수)+(진분수) ②

똑똑한 하루 계산법

• **받아올림이 있는 분모가 다른 (대분수)+(진분수)**

예 $1\frac{2}{5}+\frac{3}{4}$의 계산

방법 1 **자연수는 그대로, 분수는 분수끼리** 계산하기

$$1\frac{2}{5}+\frac{3}{4}=1\frac{8}{20}+\frac{15}{20}$$
$$=1+\left(\frac{8}{20}+\frac{15}{20}\right)$$
$$=1+\frac{23}{20}=1+1\frac{3}{20}$$
$$=2\frac{3}{20}$$

방법 2 **대분수**를 **가분수**로 나타내어 계산하기

$$1\frac{2}{5}+\frac{3}{4}=\frac{7}{5}+\frac{3}{4}$$
$$=\frac{28}{20}+\frac{15}{20}$$
$$=\frac{43}{20}=2\frac{3}{20}$$

계산 결과가 가분수이면 대분수로 나타내요.

똑똑한 계산 연습

▶정답 및 풀이 23쪽

제한 시간 5분

계산을 하여 기약분수로 나타내어 보세요.

❶ $1\frac{1}{2}+\frac{7}{9}=1\frac{9}{18}+\frac{\square}{18}=1\frac{\square}{18}=\square\frac{\square}{18}$

❷ $\frac{3}{8}+3\frac{4}{5}=\frac{\square}{40}+3\frac{32}{40}=3\frac{\square}{40}=\square\frac{\square}{40}$

❸ $\frac{7}{8}+1\frac{1}{6}=\frac{7}{8}+\frac{7}{6}=\frac{21}{24}+\frac{\square}{24}=\frac{\square}{24}=\square\frac{\square}{24}$

❹ $2\frac{2}{7}+\frac{3}{4}$

❺ $\frac{7}{8}+1\frac{5}{6}$

❻ $4\frac{2}{3}+\frac{5}{9}$

❼ $\frac{5}{8}+2\frac{11}{20}$

❽ $1\frac{4}{7}+\frac{3}{5}$

❾ $\frac{5}{6}+6\frac{13}{15}$

❿ $3\frac{13}{15}+\frac{11}{20}$

⓫ $\frac{20}{27}+2\frac{17}{18}$

2일 기초 집중 연습

두 분수의 합을 ☐ 안에 기약분수로 써넣으세요.

1-1 $1\frac{1}{2}$ $\frac{3}{8}$

☐

1-2 $2\frac{3}{5}$ $\frac{2}{3}$

☐

1-3 $\frac{5}{14}$ $3\frac{5}{6}$

☐

1-4 $\frac{2}{9}$ $5\frac{4}{33}$

☐

빈 곳에 알맞은 기약분수를 써넣으세요.

2-1 $2\frac{3}{8}$ → $+\frac{2}{9}$ → ☐

2-2 $\frac{17}{18}$ → $+1\frac{3}{4}$ → ☐

2-3 $\frac{31}{60}$ → $+4\frac{2}{5}$ → ☐

2-4 $1\frac{7}{10}$ → $+\frac{5}{12}$ → 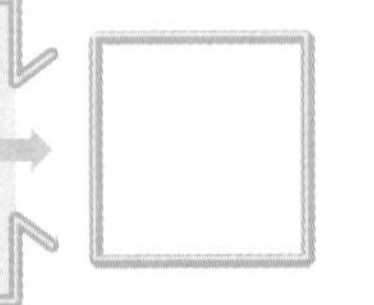

제한 시간 10분

생활 속 계산

물을 더 부은 후 수조에 들어 있는 물의 양을 기약분수로 나타내어 보세요.

3-1

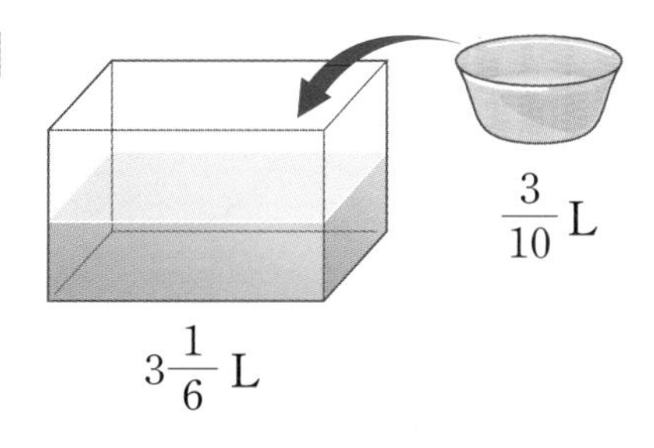

$\frac{3}{10}$ L

$3\frac{1}{6}$ L

$\square + \frac{3}{10} = \square$ (L)

3-2

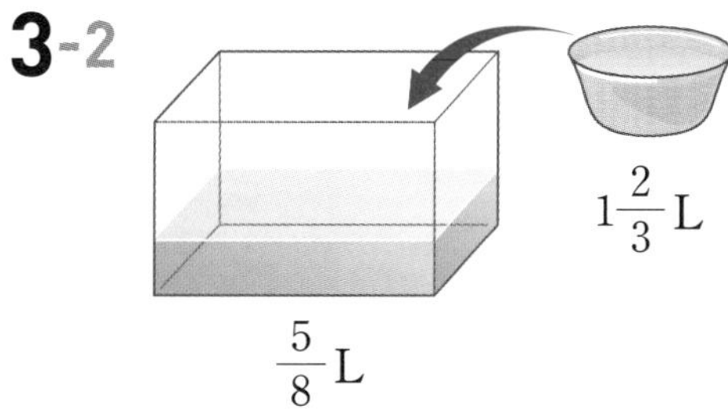

$1\frac{2}{3}$ L

$\frac{5}{8}$ L

$\frac{5}{8} + \square = \square$ (L)

3-3

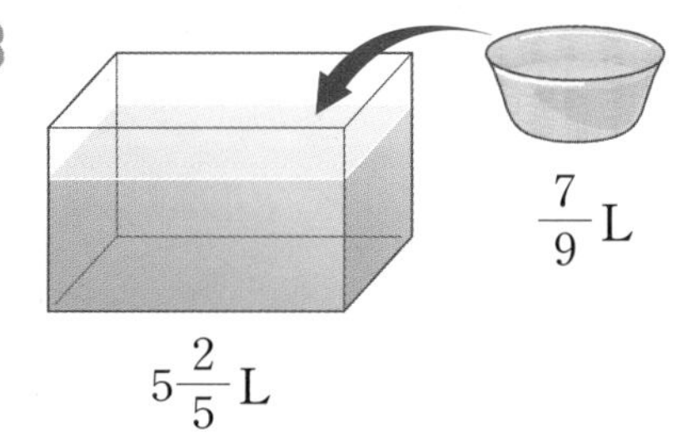

$\frac{7}{9}$ L

$5\frac{2}{5}$ L

3-4

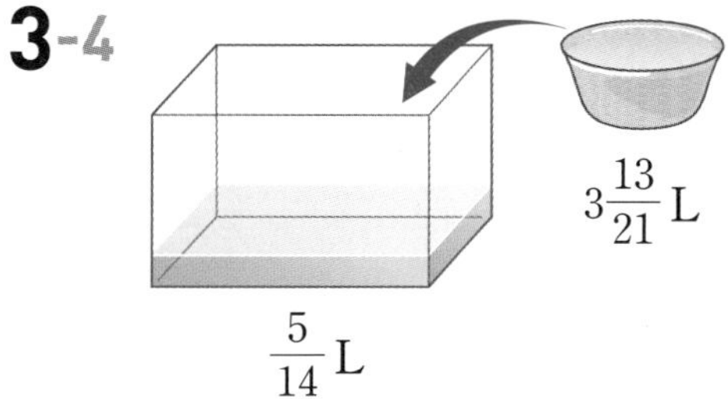

$3\frac{13}{21}$ L

$\frac{5}{14}$ L

문장 읽고 계산식 세우기

다음을 읽고 식을 세워 기약분수로 나타내어 보세요.

4-1

나무 한 도막의 길이는 $1\frac{3}{4}$ m, 다른 한 도막의 길이는 $\frac{7}{10}$ m일 때 두 도막의 길이의 합은 몇 m인지?

식 $1\frac{3}{4} + \square = \square$ (m)

4-2

은성이가 어제는 $\frac{5}{6}$ km, 오늘은 $1\frac{1}{8}$ km 달렸다면 어제와 오늘 달린 거리의 합은 몇 km인지?

식 $\square + \square = \square$ (km)

4주 2일

(대분수)+(대분수) ①

똑똑한 하루 계산법

• **받아올림이 없는 분모가 다른 (대분수)+(대분수)**

예 $1\frac{1}{3}+1\frac{2}{5}$의 계산

방법 1 **자연수는 자연수끼리, 분수는 분수끼리** 계산하기

$$1\frac{1}{3}+1\frac{2}{5}=1\frac{5}{15}+1\frac{6}{15}=(1+1)+\left(\frac{5}{15}+\frac{6}{15}\right)$$
$$=2+\frac{11}{15}=2\frac{11}{15}$$

방법 2 **대분수**를 **가분수**로 나타내어 계산하기

$$1\frac{1}{3}+1\frac{2}{5}=\frac{4}{3}+\frac{7}{5}=\frac{20}{15}+\frac{21}{15}=\frac{41}{15}=2\frac{11}{15}$$

계산 결과는 대분수로 나타내요.

똑똑한 계산 연습

▶정답 및 풀이 24쪽

제한 시간 5분

계산을 하여 기약분수로 나타내어 보세요.

❶ $1\frac{2}{3}+1\frac{1}{4}=1\frac{8}{12}+1\frac{3}{12}=(1+1)+\left(\frac{8}{12}+\frac{\square}{12}\right)=2+\frac{\square}{12}=\square$

❷ $4\frac{1}{8}+2\frac{3}{4}=4\frac{1}{8}+2\frac{6}{8}=(4+\square)+\left(\frac{\square}{8}+\frac{6}{8}\right)=6+\frac{\square}{8}=\square$

❸ $1\frac{1}{7}+1\frac{4}{5}=\frac{8}{7}+\frac{\square}{5}=\frac{40}{35}+\frac{\square}{35}=\frac{\square}{35}=\square$

❹ $5\frac{1}{2}+2\frac{1}{6}$

❺ $2\frac{5}{12}+2\frac{4}{9}$

❻ $2\frac{3}{7}+1\frac{5}{14}$

❼ $1\frac{3}{8}+4\frac{1}{6}$

❽ $2\frac{3}{5}+1\frac{3}{10}$

❾ $2\frac{1}{3}+1\frac{1}{7}$

(대분수)+(대분수) ②

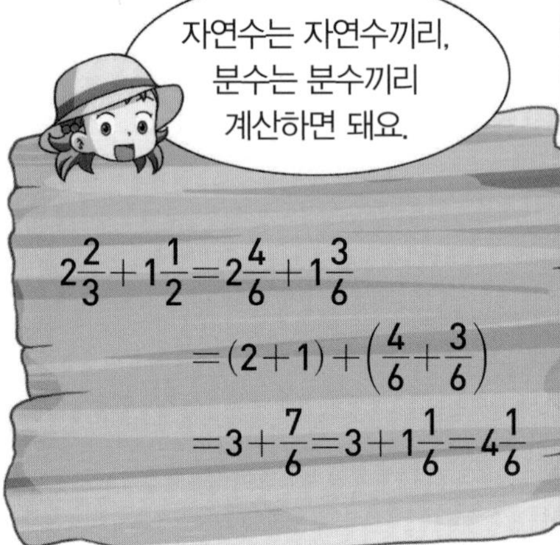

똑똑한 하루 계산법

- **받아올림이 있는 분모가 다른 (대분수)+(대분수)**

㉮ $2\frac{2}{3}+1\frac{1}{2}$의 계산

방법 1 **자연수는 자연수끼리, 분수는 분수끼리** 계산하기

$$2\frac{2}{3}+1\frac{1}{2}=2\frac{4}{6}+1\frac{3}{6}=(2+1)+\left(\frac{4}{6}+\frac{3}{6}\right)$$

$$=3+\frac{7}{6}=3+1\frac{1}{6}=4\frac{1}{6}$$

방법 2 **대분수**를 **가분수**로 나타내어 계산하기

$$2\frac{2}{3}+1\frac{1}{2}=\frac{8}{3}+\frac{3}{2}=\frac{16}{6}+\frac{9}{6}=\frac{25}{6}=4\frac{1}{6}$$

계산 결과가 가분수이면 대분수로 나타내요.

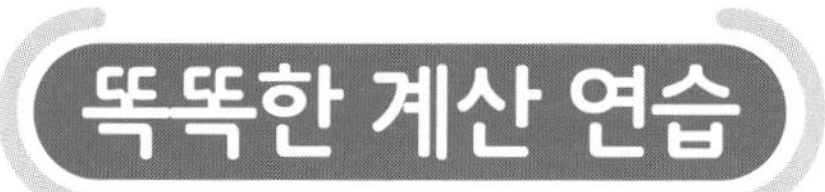

▶정답 및 풀이 24쪽

제한 시간 5분

계산을 하여 기약분수로 나타내어 보세요.

❶ $1\frac{3}{4}+1\frac{2}{5}=1\frac{15}{20}+1\frac{\square}{20}=(1+1)+\left(\frac{15}{20}+\frac{\square}{20}\right)$

$=2+\frac{\square}{20}=2+\square\frac{\square}{20}=\square$

❷ $2\frac{5}{6}+2\frac{3}{4}=2\frac{\square}{12}+2\frac{9}{12}=(2+2)+\left(\frac{\square}{12}+\frac{9}{12}\right)$

$=4+\frac{\square}{12}=\square+1\frac{\square}{12}=\square$

❸ $3\frac{1}{3}+4\frac{5}{6}=\frac{10}{3}+\frac{29}{6}=\frac{\square}{6}+\frac{29}{6}=\frac{\square}{6}=\square$

❹ $3\frac{4}{5}+2\frac{7}{10}$

❺ $1\frac{4}{7}+2\frac{3}{5}$

❻ $2\frac{2}{3}+1\frac{1}{2}$

❼ $2\frac{9}{11}+5\frac{1}{4}$

❽ $2\frac{23}{28}+3\frac{2}{7}$

❾ $1\frac{5}{12}+3\frac{13}{20}$

4주 3일

3일

기초 집중 연습

두 분수의 합을 빈칸에 기약분수로 써넣으세요.

1-1

$5\frac{1}{3}$	$2\frac{1}{2}$

1-2

$3\frac{3}{5}$	$2\frac{9}{10}$

1-3

$2\frac{7}{12}$	$1\frac{21}{32}$

1-4

$1\frac{1}{4}$	$3\frac{3}{14}$

빈칸에 알맞은 기약분수를 써넣으세요.

2-1

$2\frac{5}{8}$	$+2\frac{3}{7}$	

2-2

$1\frac{3}{10}$	$+6\frac{1}{4}$	

2-3

$5\frac{7}{48}$	$+1\frac{3}{8}$	

2-4

$3\frac{5}{6}$	$+2\frac{7}{15}$	

제한 시간 10분

생활 속 계산

집에서 건물을 거쳐 학교까지의 거리를 기약분수로 나타내어 보세요.

3-1

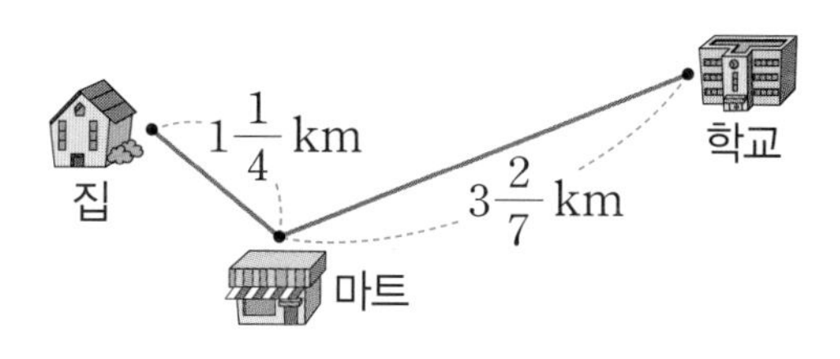

☐ km

3-2

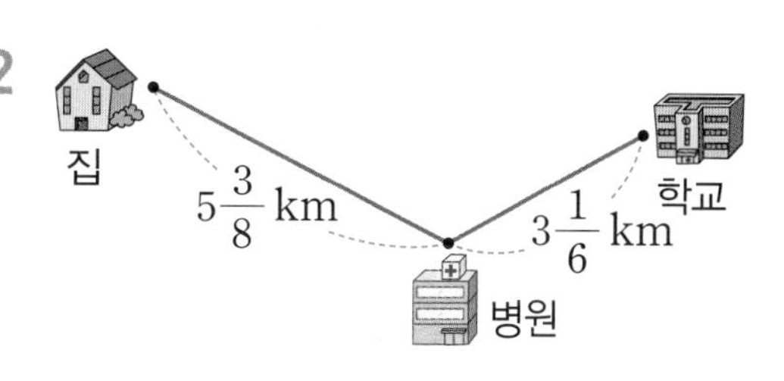

☐ km

3-3

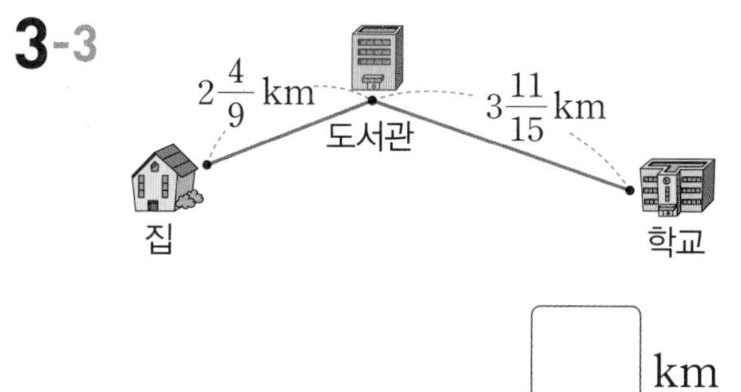

☐ km

3-4

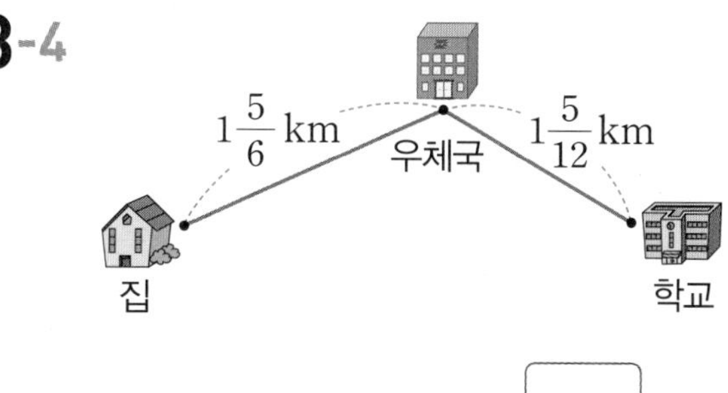

☐ km

문장 읽고 계산식 세우기

다음을 읽고 식을 세워 기약분수로 나타내어 보세요.

4-1

오이는 $1\frac{3}{5}$ kg 따고 가지는 오이보다 $2\frac{7}{20}$ kg 더 많이 땄다면 가지는 몇 kg을 땄는지?

식 ☐ $+2\frac{7}{20}=$ ☐ (kg)

4-2

축구는 $2\frac{7}{15}$시간을 하고 야구는 축구보다 $1\frac{7}{10}$시간을 더 많이 했다면 야구를 한 시간은?

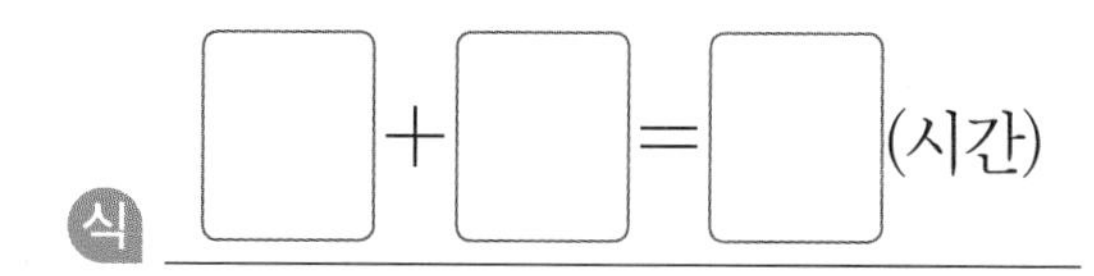

식 ☐ + ☐ = ☐ (시간)

4주 3일

(진분수)-(진분수)

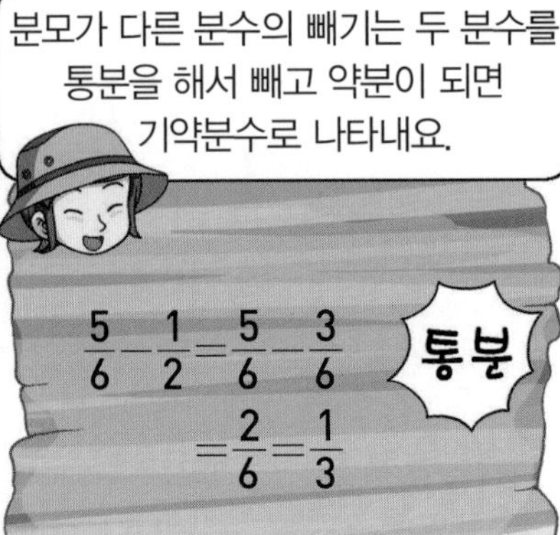

똑똑한 하루 계산법

• **분모가 다른 (진분수)－(진분수)**

예 $\frac{5}{6}-\frac{1}{2}$의 계산

두 분수를 통분한 다음 **통분한 분모는 그대로 두고 분자끼리 뺍니다.**

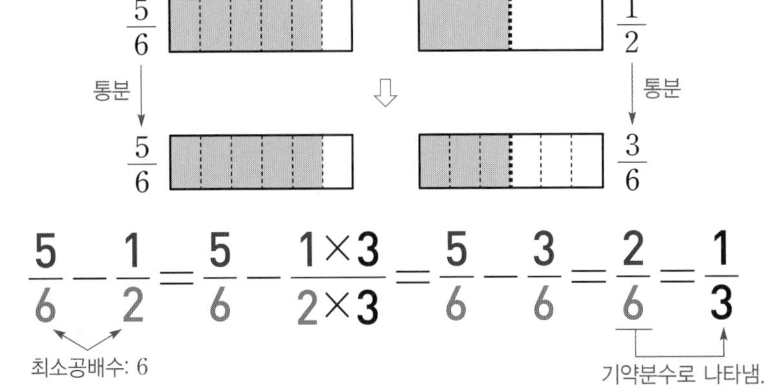

$$\frac{5}{6}-\frac{1}{2}=\frac{5}{6}-\frac{1\times3}{2\times3}=\frac{5}{6}-\frac{3}{6}=\frac{2}{6}=\frac{1}{3}$$

최소공배수: 6

기약분수로 나타냄.

OX 퀴즈

$\frac{2}{3}-\frac{3}{5}$을 바르게 계산한 것에 ○표, 틀리게 계산한 것에 ×표 하세요.

$\frac{2}{3}-\frac{3}{5}=\frac{10}{15}-\frac{9}{15}=\frac{1}{15}$

❶ □

$\frac{2}{3}-\frac{3}{5}=\frac{10}{15}-\frac{3}{15}=\frac{7}{15}$

❷ □

똑똑한 계산 연습

▶정답 및 풀이 25쪽

제한 시간 5분

계산을 하여 기약분수로 나타내어 보세요.

❶ $\frac{3}{4}-\frac{1}{5}=\frac{15}{20}-\frac{\square}{20}=\frac{\square}{20}$

❷ $\frac{5}{8}-\frac{1}{2}=\frac{5}{8}-\frac{\square}{8}=\frac{\square}{8}$

❸ $\frac{1}{5}-\frac{1}{8}=\frac{\square}{40}-\frac{5}{40}=\frac{\square}{40}$

❹ $\frac{1}{2}-\frac{5}{22}=\frac{\square}{22}-\frac{5}{22}=\frac{\square}{22}=\frac{\square}{11}$

❺ $\frac{1}{2}-\frac{1}{6}$

❻ $\frac{2}{3}-\frac{3}{10}$

❼ $\frac{5}{18}-\frac{1}{6}$

❽ $\frac{1}{12}-\frac{1}{14}$

❾ $\frac{11}{16}-\frac{7}{12}$

❿ $\frac{9}{10}-\frac{8}{9}$

⓫ $\frac{11}{12}-\frac{7}{18}$

⓬ $\frac{5}{13}-\frac{1}{4}$

(대분수)-(진분수)

음료수는 $2\frac{1}{4}$병이네.
이건 아까 먹은
사과 주스 아니야.
$2\frac{1}{4}$

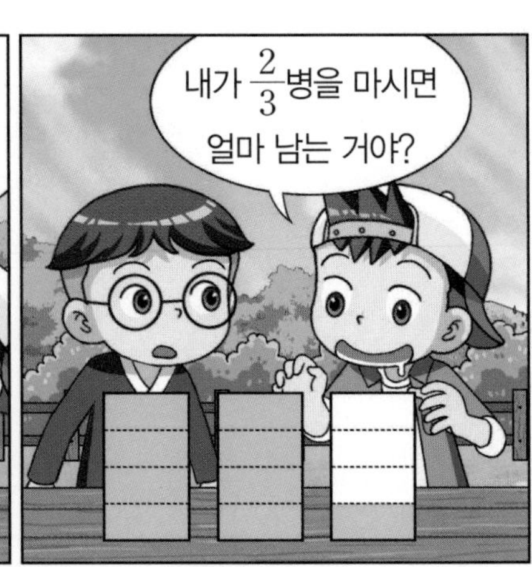

선생님! $2\frac{1}{4}-\frac{2}{3}$는 어떻게 구해요?

$\frac{3}{12}$에서 $\frac{8}{12}$은 뺄 수가 없어서요.

분수끼리 뺄 수 없으면 빼지는 수의 자연수 부분에서 1을 받아내림을 해서 계산해요.

$$2\frac{1}{4}-\frac{2}{3}=2\frac{3}{12}-\frac{8}{12}=1\frac{15}{12}-\frac{8}{12}=1+\left(\frac{15}{12}-\frac{8}{12}\right)=1+\frac{7}{12}=1\frac{7}{12}$$

야! $\frac{2}{3}$병만 마신다더니
다 마시면 어떡해!
아니~ 그러게 왜
안 마시고 있냐고!
텅 텅-

똑똑한 하루 계산법

- **분모가 다른 (대분수)−(진분수)**

예 $2\frac{1}{4}-\frac{2}{3}$의 계산

방법 1 **자연수는 자연수끼리, 분수는 분수끼리** 계산하기

$$2\frac{1}{4}-\frac{2}{3}=2\frac{3}{12}-\frac{8}{12}=1\frac{15}{12}-\frac{8}{12}$$

$1+1\frac{3}{12}=1+\frac{15}{12}=1\frac{15}{12}$

$$=1+\left(\frac{15}{12}-\frac{8}{12}\right)=1+\frac{7}{12}=1\frac{7}{12}$$

분수끼리 뺄 수 없으면 자연수에서 1을 받아내림해요.

방법 2 **대분수**를 **가분수**로 나타내어 계산하기

$$2\frac{1}{4}-\frac{2}{3}=\frac{9}{4}-\frac{2}{3}=\frac{27}{12}-\frac{8}{12}=\frac{19}{12}=1\frac{7}{12}$$

계산 결과가 가분수이면 대분수로 나타내요.

똑똑한 계산 연습

제한 시간 5분

계산을 하여 기약분수로 나타내어 보세요.

❶ $3\frac{6}{7}-\frac{3}{14}=3\frac{\square}{14}-\frac{3}{14}=3+\left(\frac{\square}{14}-\frac{3}{14}\right)=3+\frac{\square}{14}=\square$

❷ $1\frac{2}{3}-\frac{1}{4}=\frac{\square}{3}-\frac{1}{4}=\frac{\square}{12}-\frac{3}{12}=\frac{\square}{12}=\square$

❸ $2\frac{1}{2}-\frac{11}{12}=2\frac{\square}{12}-\frac{11}{12}=1\frac{\square}{12}-\frac{11}{12}$

$=1+\left(\frac{\square}{12}-\frac{11}{12}\right)=1+\frac{\square}{12}=\square$

❹ $3\frac{3}{4}-\frac{4}{7}$

❺ $1\frac{5}{18}-\frac{5}{9}$

❻ $6\frac{1}{2}-\frac{2}{5}$

❼ $2\frac{2}{3}-\frac{17}{18}$

❽ $4\frac{5}{6}-\frac{1}{2}$

❾ $4\frac{3}{10}-\frac{5}{8}$

기초 집중 연습

 빈 곳에 알맞은 기약분수를 써넣으세요.

1-1 $\frac{5}{18}$ → $-\frac{1}{6}$ → □

1-2 $\frac{8}{9}$ → $-\frac{5}{12}$ → □

1-3 $\frac{9}{10}$ → $-\frac{7}{18}$ → □

1-4 $3\frac{5}{12}$ → $-\frac{7}{8}$ → □

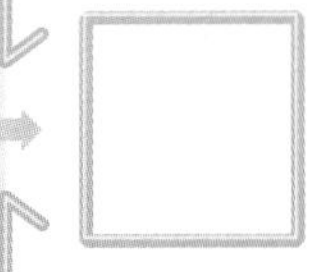

두 분수의 차를 빈칸에 기약분수로 써넣으세요.

2-1 $1\frac{5}{8}$, $\frac{1}{2}$

2-2 $\frac{7}{9}$, $2\frac{1}{4}$

2-3 $1\frac{6}{35}$, $\frac{13}{14}$

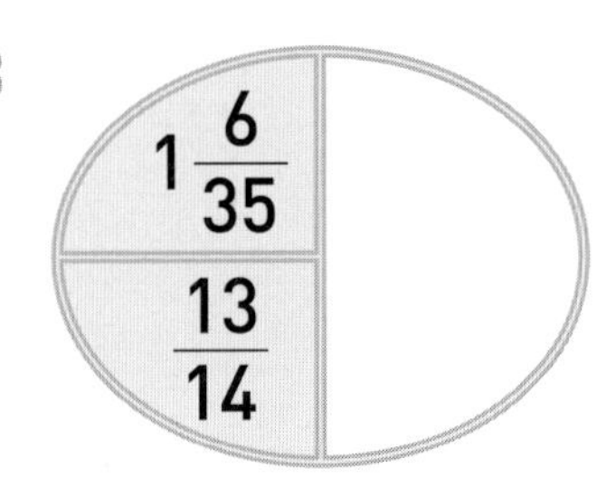

2-4 $\frac{31}{75}$, $5\frac{12}{25}$

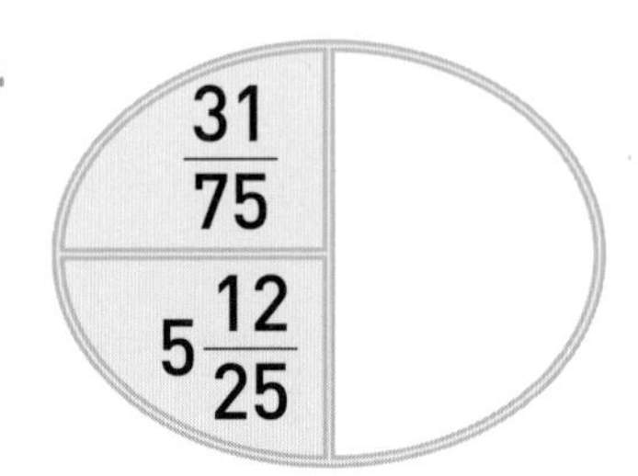

제한 시간 10분

생활 속 계산

리본 테이프를 사용하여 선물 상자를 포장했습니다. 포장하고 남은 리본 테이프의 길이를 기약분수로 나타내어 보세요.

3-1

테이프의 길이: $2\frac{2}{7}$ m 사용한 길이: $\frac{4}{9}$ m

$2\frac{2}{7} - \square = \square$ (m)

3-2

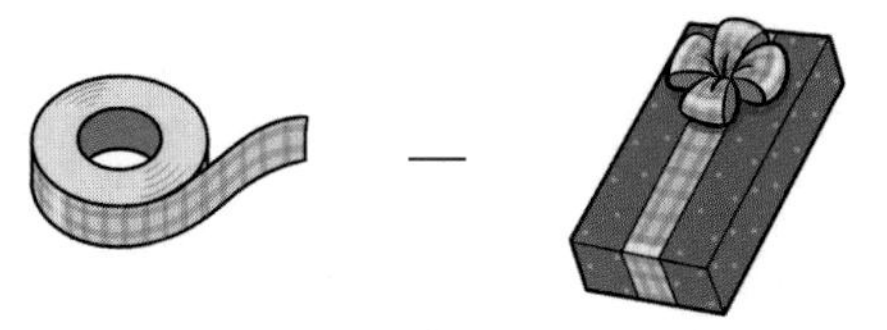

테이프의 길이: $\frac{3}{8}$ m 사용한 길이: $\frac{5}{28}$ m

$\square - \frac{5}{28} = \square$ (m)

3-3

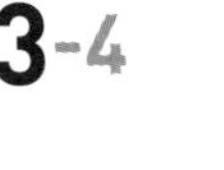

테이프의 길이: $3\frac{11}{12}$ m 사용한 길이: $\frac{2}{3}$ m

$\square$ m

3-4

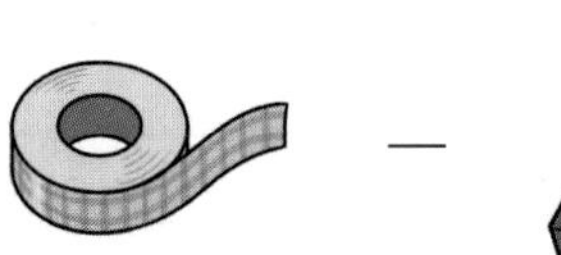

테이프의 길이: $\frac{10}{11}$ m 사용한 길이: $\frac{5}{7}$ m

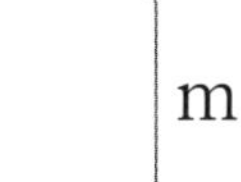

$\square$ m

4주 4일

문장 읽고 계산식 세우기

다음을 읽고 식을 세워 기약분수로 나타내어 보세요.

4-1

토마토를 담은 상자의 무게가 $5\frac{1}{3}$ kg, 상자만의 무게가 $\frac{11}{12}$ kg라면 토마토의 무게는 몇 kg인지?

식 $5\frac{1}{3} - \square = \square$ (kg)

4-2

식용유 $\frac{15}{16}$ L에서 새우 튀김을 만드는 데 $\frac{11}{24}$ L를 사용했다면 남은 식용유는 몇 L인지?

식 $\square - \frac{11}{24} = \square$ (L)

(대분수)-(대분수) ①

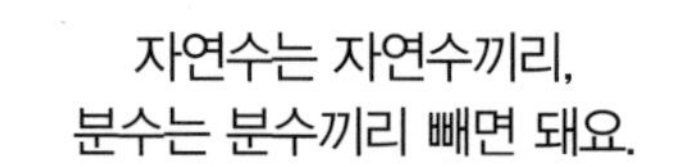

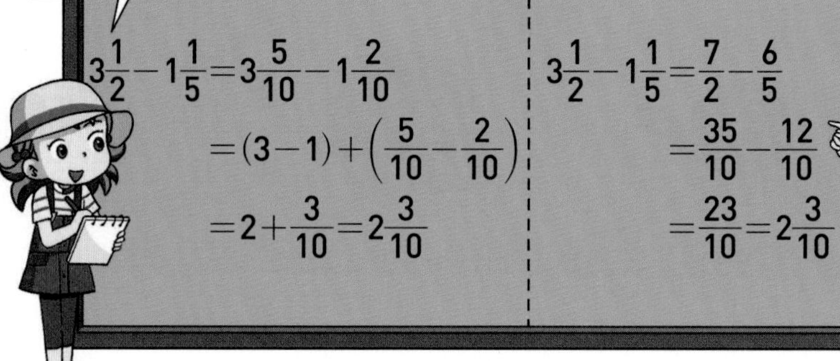

똑똑한 하루 계산법

- **받아내림이 없는 분모가 다른 (대분수)−(대분수)**

㉠ $3\frac{1}{2}-1\frac{1}{5}$의 계산

방법 1 **자연수는 자연수끼리, 분수는 분수끼리** 계산하기

$$3\frac{1}{2}-1\frac{1}{5}=3\frac{5}{10}-1\frac{2}{10}=(3-1)+\left(\frac{5}{10}-\frac{2}{10}\right)$$
$$=2+\frac{3}{10}=2\frac{3}{10}$$

방법 2 대분수를 가분수로 나타내어 계산하기

$$3\frac{1}{2}-1\frac{1}{5}=\frac{7}{2}-\frac{6}{5}=\frac{35}{10}-\frac{12}{10}=\frac{23}{10}=2\frac{3}{10}$$

계산 결과는 가분수가 아닌 대분수로 나타내야 해요.

똑똑한 계산 연습

제한 시간 5분

계산을 하여 기약분수로 나타내어 보세요.

❶ $6\frac{2}{5}-3\frac{1}{6}=6\frac{12}{30}-3\frac{\square}{30}=(6-3)+\left(\frac{12}{30}-\frac{\square}{30}\right)=3+\frac{\square}{30}=\square$

❷ $3\frac{5}{6}-1\frac{3}{4}=3\frac{\square}{12}-1\frac{9}{12}=(3-1)+\left(\frac{\square}{12}-\frac{9}{12}\right)=2+\frac{\square}{12}=\square$

❸ $4\frac{1}{2}-1\frac{1}{3}=\frac{\square}{2}-\frac{4}{3}=\frac{\square}{6}-\frac{8}{6}=\frac{\square}{6}=\square$

❹ $7\frac{1}{2}-1\frac{7}{25}$

❺ $5\frac{4}{5}-1\frac{4}{7}$

❻ $6\frac{5}{6}-2\frac{3}{20}$

❼ $5\frac{5}{8}-2\frac{3}{10}$

❽ $6\frac{11}{30}-2\frac{5}{18}$

❾ $7\frac{3}{4}-4\frac{7}{20}$

(대분수)-(대분수) ②

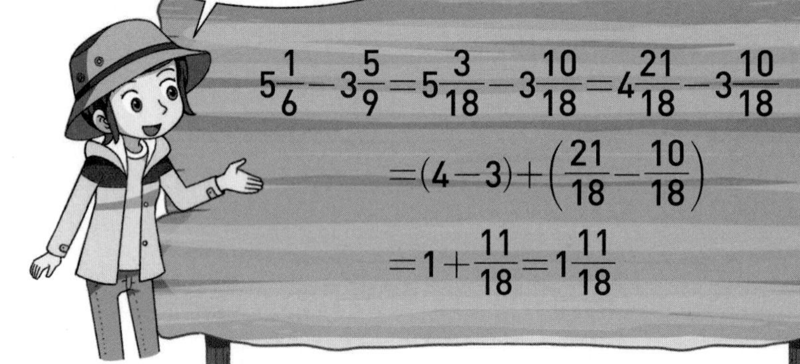

똑똑한 하루 계산법

• **받아내림이 있는 분모가 다른 (대분수)−(대분수)**

예 $5\frac{1}{6}-3\frac{5}{9}$의 계산

방법 1 **자연수는 자연수끼리, 분수는 분수끼리** 계산하기

$$5\frac{1}{6}-3\frac{5}{9}=5\frac{3}{18}-3\frac{10}{18}=4\frac{21}{18}-3\frac{10}{18}$$

분수끼리 뺄 수 없으면 자연수에서 1을 받아내림해요.

$$=(4-3)+\left(\frac{21}{18}-\frac{10}{18}\right)=1+\frac{11}{18}=1\frac{11}{18}$$

방법 2 **대분수**를 **가분수**로 나타내어 계산하기

$$5\frac{1}{6}-3\frac{5}{9}=\frac{31}{6}-\frac{32}{9}=\frac{93}{18}-\frac{64}{18}=\frac{29}{18}=1\frac{11}{18}$$

계산 결과가 가분수이면 대분수로 나타내요.

▶정답 및 풀이 27쪽

제한 시간 5분

계산을 하여 기약분수로 나타내어 보세요.

❶ $4\frac{1}{2}-1\frac{2}{3}=4\frac{3}{6}-1\frac{4}{6}=3\frac{\square}{6}-1\frac{4}{6}$

$=(3-1)+\left(\frac{\square}{6}-\frac{4}{6}\right)=2+\frac{\square}{6}=\square$

❷ $8\frac{2}{3}-4\frac{4}{5}=8\frac{10}{15}-4\frac{12}{15}=7\frac{\square}{15}-4\frac{12}{15}$

$=(7-\square)+\left(\frac{\square}{15}-\frac{12}{15}\right)=3+\frac{\square}{15}=\square$

❸ $7\frac{1}{5}-2\frac{1}{2}=\frac{36}{5}-\frac{\square}{2}=\frac{72}{10}-\frac{\square}{10}=\frac{\square}{10}=\square$

❹ $7\frac{3}{7}-4\frac{5}{9}$

❺ $2\frac{1}{3}-1\frac{4}{9}$

❻ $3\frac{1}{6}-2\frac{1}{2}$

❼ $6\frac{3}{10}-3\frac{7}{9}$

❽ $4\frac{1}{4}-2\frac{11}{14}$

❾ $5\frac{1}{6}-2\frac{3}{8}$

5일 기초 집중 연습

빈칸에 알맞은 기약분수를 써넣으세요.

1-1

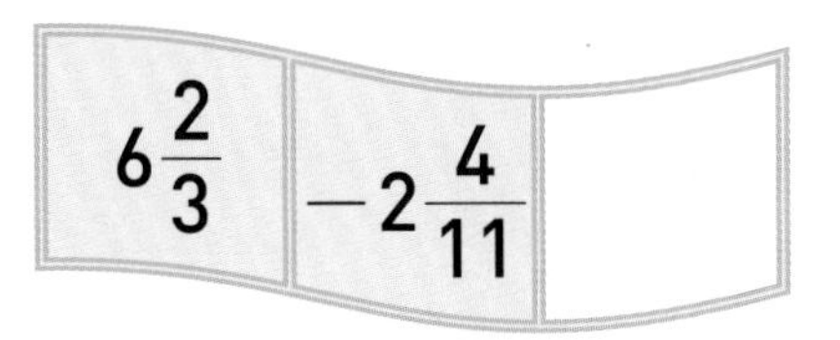

1-2

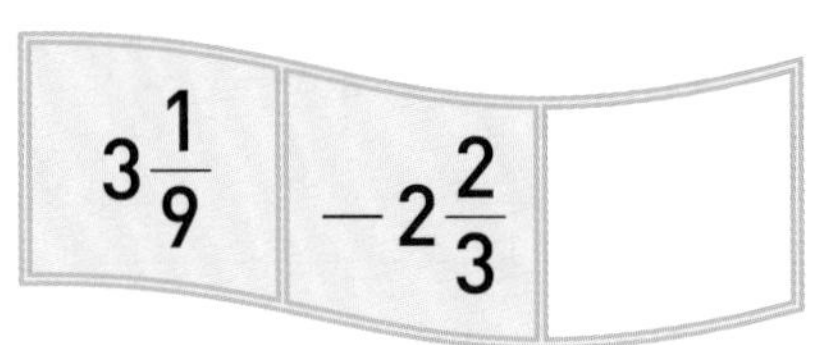

1-3

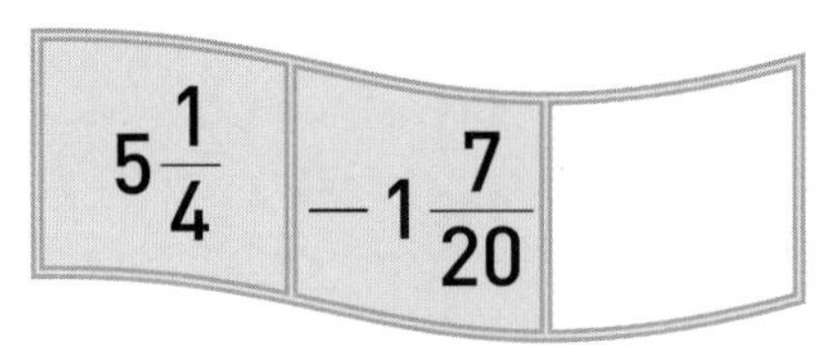

1-4

그림을 보고 ▢ 안에 알맞은 기약분수를 써넣으세요.

2-1

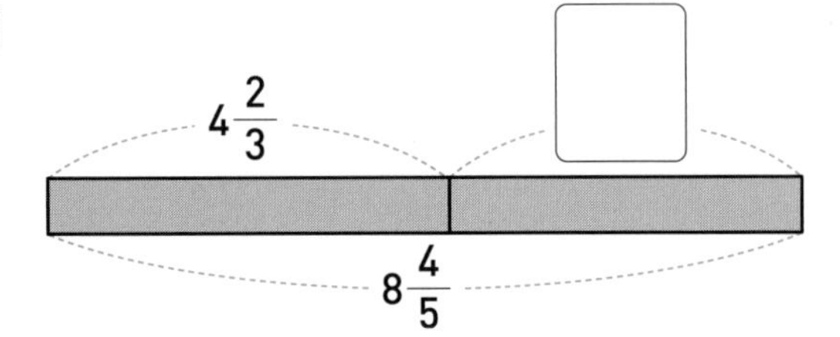

2-2

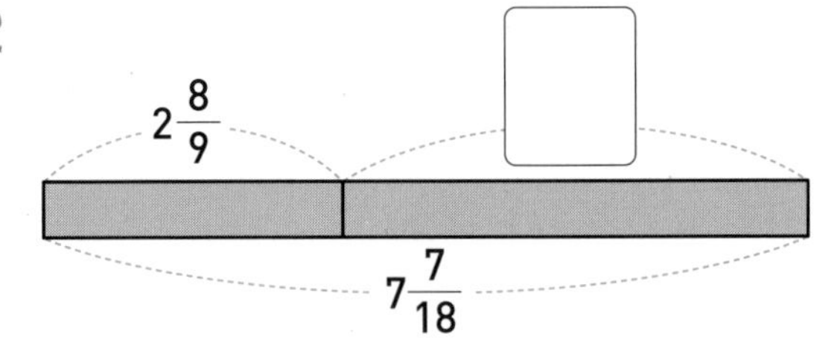

2-3

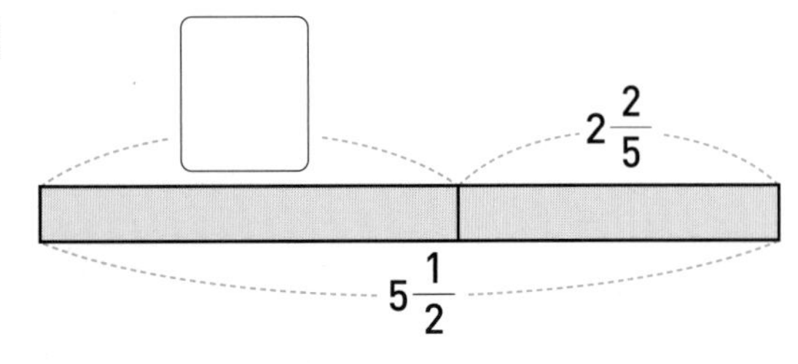

2-4

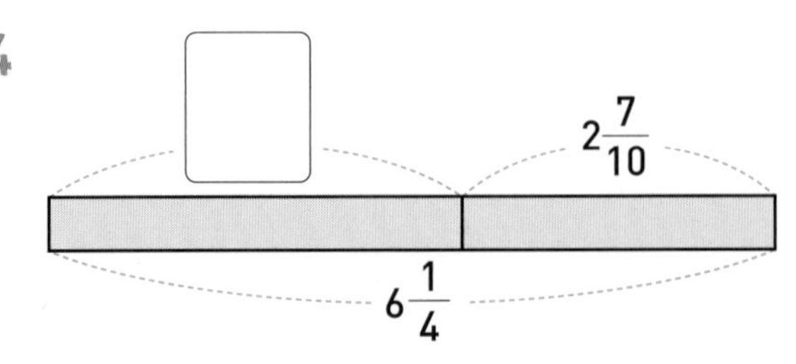

▶정답 및 풀이 27쪽

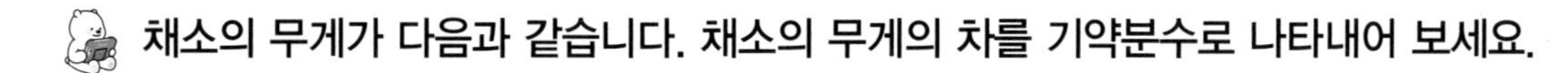

제한 시간 10분

생활 속 계산

채소의 무게가 다음과 같습니다. 채소의 무게의 차를 기약분수로 나타내어 보세요.

채소	호박	감자	고구마	배추
무게	$5\frac{1}{6}$ kg	$1\frac{4}{9}$ kg	$1\frac{2}{7}$ kg	$2\frac{3}{4}$ kg

3-1 호박 − 감자

⇨ $5\frac{1}{6}-\square=\square$ (kg)

3-2 배추 − 고구마

⇨ $\square-1\frac{2}{7}=\square$ (kg)

3-3 호박 − 배추 $=\square$ (kg)

3-4 감자 − 고구마 $=\square$ (kg)

문장 읽고 계산식 세우기

다음을 읽고 식을 세워 기약분수로 나타내어 보세요.

4-1 우유는 $3\frac{2}{3}$ L, 주스는 $2\frac{5}{7}$ L 있다면 우유는 주스보다 몇 L 더 많은지?

식 $3\frac{2}{3}-\square=\square$ (L)

4-2 끈 $4\frac{7}{8}$ m 중 $1\frac{5}{32}$ m를 책을 묶는 데 사용했다면 남은 끈은 몇 m인지?

식 $\square-\square=\square$ (m)

4주 5일

4주 평가 누구나 100점 맞는 TEST

 계산을 하여 기약분수로 나타내어 보세요.

❶ $\frac{1}{4}+\frac{2}{5}$

❷ $\frac{3}{7}+\frac{5}{6}$

❸ $\frac{5}{6}+2\frac{1}{9}$

❹ $1\frac{3}{7}+\frac{5}{21}$

❺ $3\frac{2}{7}+\frac{4}{5}$

❻ $\frac{5}{6}+2\frac{5}{12}$

❼ $1\frac{5}{9}+1\frac{1}{8}$

❽ $4\frac{2}{5}+2\frac{11}{20}$

❾ $2\frac{5}{6}+3\frac{3}{14}$

❿ $3\frac{9}{14}+1\frac{11}{12}$

▶정답 및 풀이 27쪽

제한 시간 15분

맞은 개수 / 20개

⑪ $\frac{7}{12}-\frac{5}{16}$

⑫ $\frac{1}{6}-\frac{1}{10}$

⑬ $4\frac{1}{3}-\frac{1}{7}$

⑭ $3\frac{4}{5}-\frac{2}{15}$

⑮ $1\frac{5}{12}-\frac{8}{9}$

⑯ $2\frac{3}{8}-\frac{5}{6}$

⑰ $6\frac{5}{7}-2\frac{3}{8}$

⑱ $4\frac{5}{14}-2\frac{1}{7}$

⑲ $3\frac{1}{6}-1\frac{5}{9}$

⑳ $7\frac{5}{12}-2\frac{9}{20}$

제한 시간 안에 정확하게 모두 풀었다면
여러분은 진정한 **계산왕!**

창의·융합·코딩

페인트를 섞어 새로운 색을 만들자!

호준이와 수민이는 서로 다른 색의 페인트를 섞어서 새로운 색의 페인트를 만들려고 합니다.

빨간색과 노란색 페인트를 섞어 만든 주황색 페인트는 모두 몇 L입니까?

호준

(주황색 페인트의 양)=(빨간색 페인트의 양)+(노란색 페인트의 양)이야.

그럼, 주황색 페인트의 양은 $2\frac{3}{10}+3\frac{5}{9}=$ □ (L)구나.

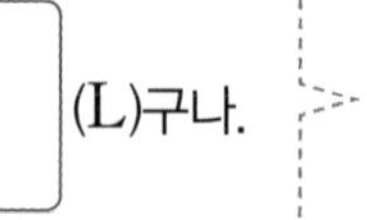

수민

▶정답 및 풀이 28쪽

누가 더 멀리 뛰었을까?

성희와 윤재는 운동장에서 멀리뛰기를 하고 있습니다.

성희는 윤재보다 몇 m 더 멀리 뛰었습니까?

성희: 내가 뛴 거리와 윤재가 뛴 거리의 차를 구하면 $1\frac{2}{3}-1\frac{2}{9}=$ ☐ (m)야.

윤재: 성희가 나보다 ☐ m 더 멀리 뛰었네.

특강

창의 · 융합 · 코딩

주어진 식의 계산 결과를 길을 타고 내려가서 도착한 곳에 알맞은 기약분수로 써넣으세요.

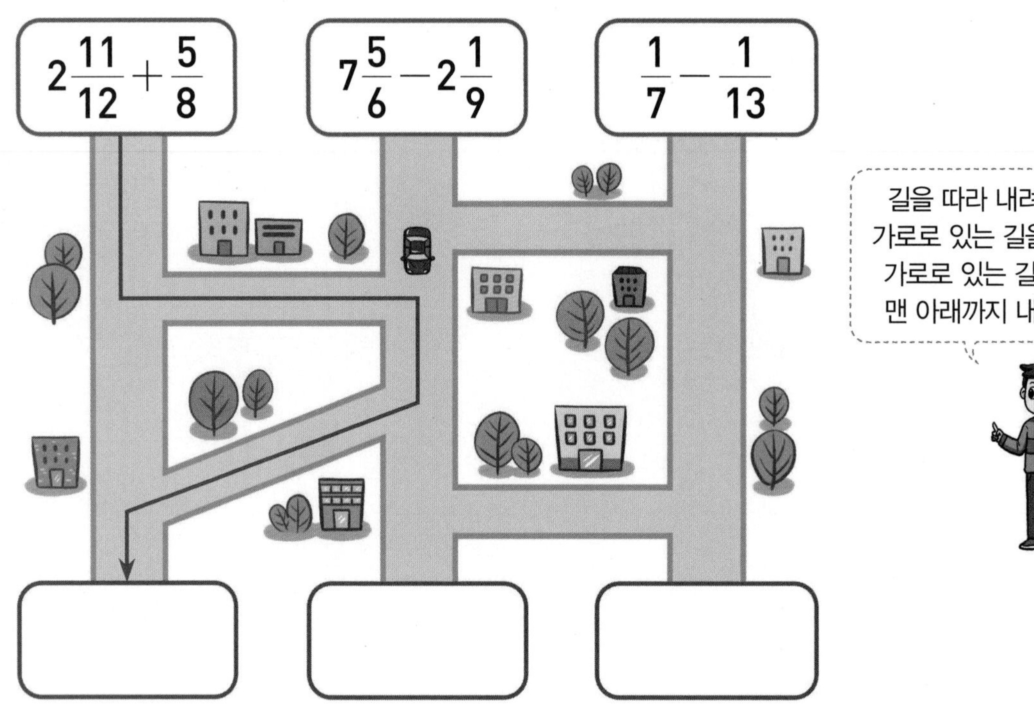
$2\frac{11}{12}+\frac{5}{8}$
$7\frac{5}{6}-2\frac{1}{9}$
$\frac{1}{7}-\frac{1}{13}$
길을 따라 내려가다가 가로로 있는 길을 만나면 가로로 있는 길을 따라 맨 아래까지 내려가요.

5학년 학생들의 표준 몸무게와 키를 보고 남자 표준 몸무게와 여자 표준 몸무게의 차를 구하려고 합니다. 식을 쓰고 답을 기약분수로 나타내어 보세요.

표준 몸무게와 키

남자		여자	
몸무게	키	몸무게	키
$40\frac{3}{10}$ kg	$145\frac{13}{50}$ cm	$39\frac{6}{25}$ kg	$146\frac{7}{10}$ cm

식 $40\frac{3}{10}-\square=\square$　　답 ______ kg

▶정답 및 풀이 28쪽

다음과 같은 화살표 약속 에 따라 빈 곳에 알맞은 기약분수를 써넣으세요.

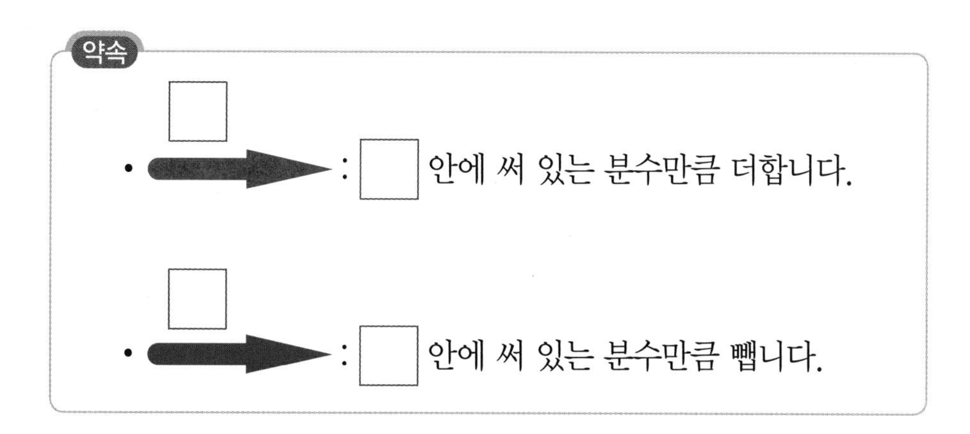

코딩 5

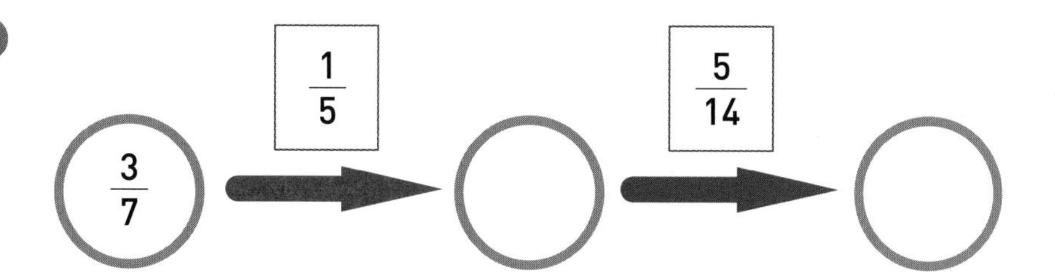

화살표의 색을 보고
약속에 맞게 계산해요.

코딩 6

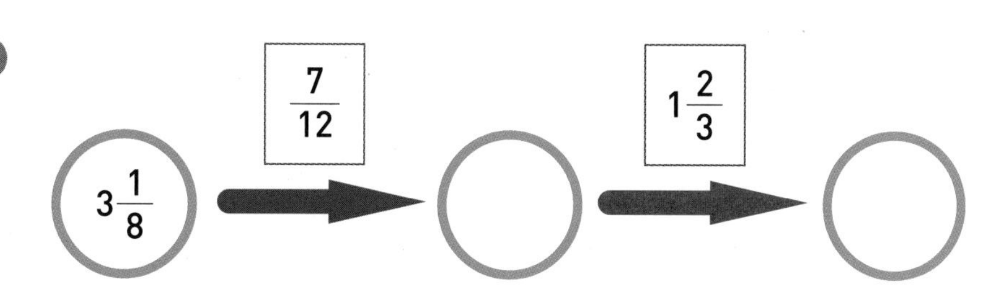

창의 · 융합 · 코딩

유리컵에 담긴 물의 양이 적을수록 막대로 쳤을 때 높은 음이 난다고 합니다. 막대로 쳤을 때 가장 낮은 음이 나는 유리컵의 물의 양과 가장 높은 음이 나는 유리컵의 물의 양의 합을 기약분수로 나타내어 보세요.

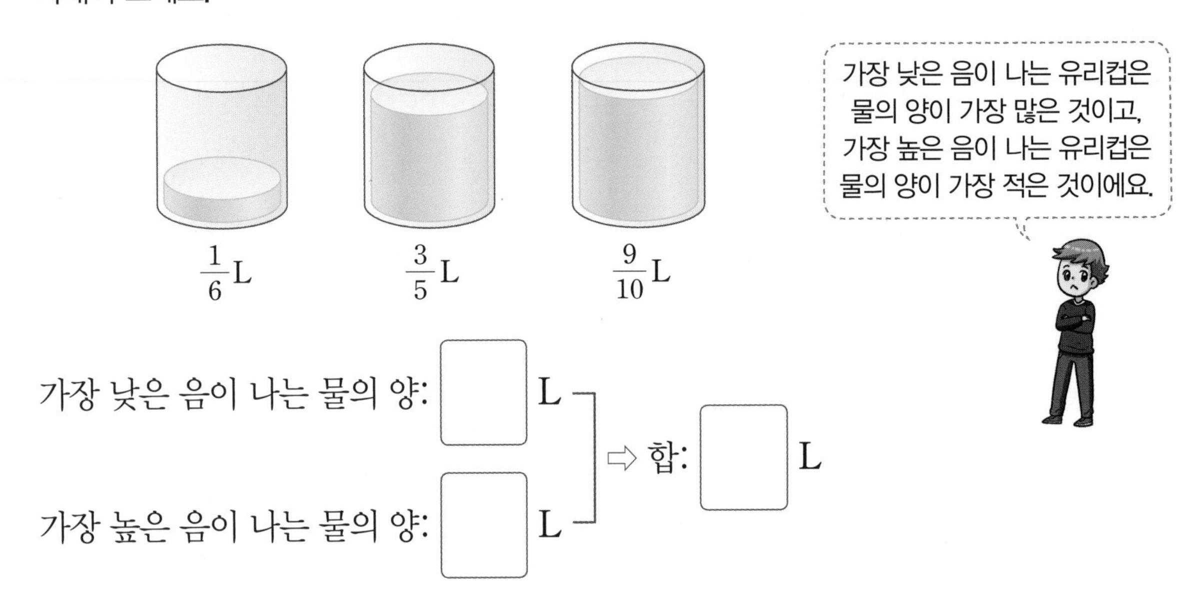

$\frac{1}{6}$L
$\frac{3}{5}$L
$\frac{9}{10}$L
가장 낮은 음이 나는 유리컵은 물의 양이 가장 많은 것이고, 가장 높은 음이 나는 유리컵은 물의 양이 가장 적은 것이에요.
가장 낮은 음이 나는 물의 양: □ L
가장 높은 음이 나는 물의 양: □ L
⇨ 합: □ L

융합 8

농구장 바닥에서부터 농구대 림의 높이는 $3\frac{1}{20}$ m입니다. 그림에서 선수는 적어도 몇 m를 점프해야 농구대 림에 닿을 수 있는지 기약분수로 구하세요.

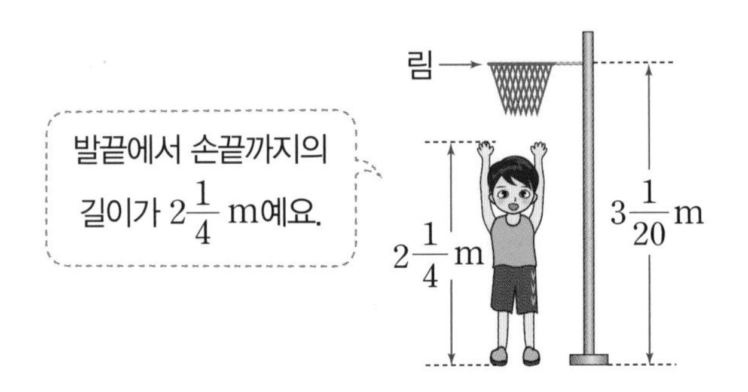

답 ______________ m

▶정답 및 풀이 28쪽

코딩 9 보기 와 같이 로봇이 두 분수를 비교하여 계산을 합니다. 로봇이 말하는 기약분수를 알맞게 써넣으세요.

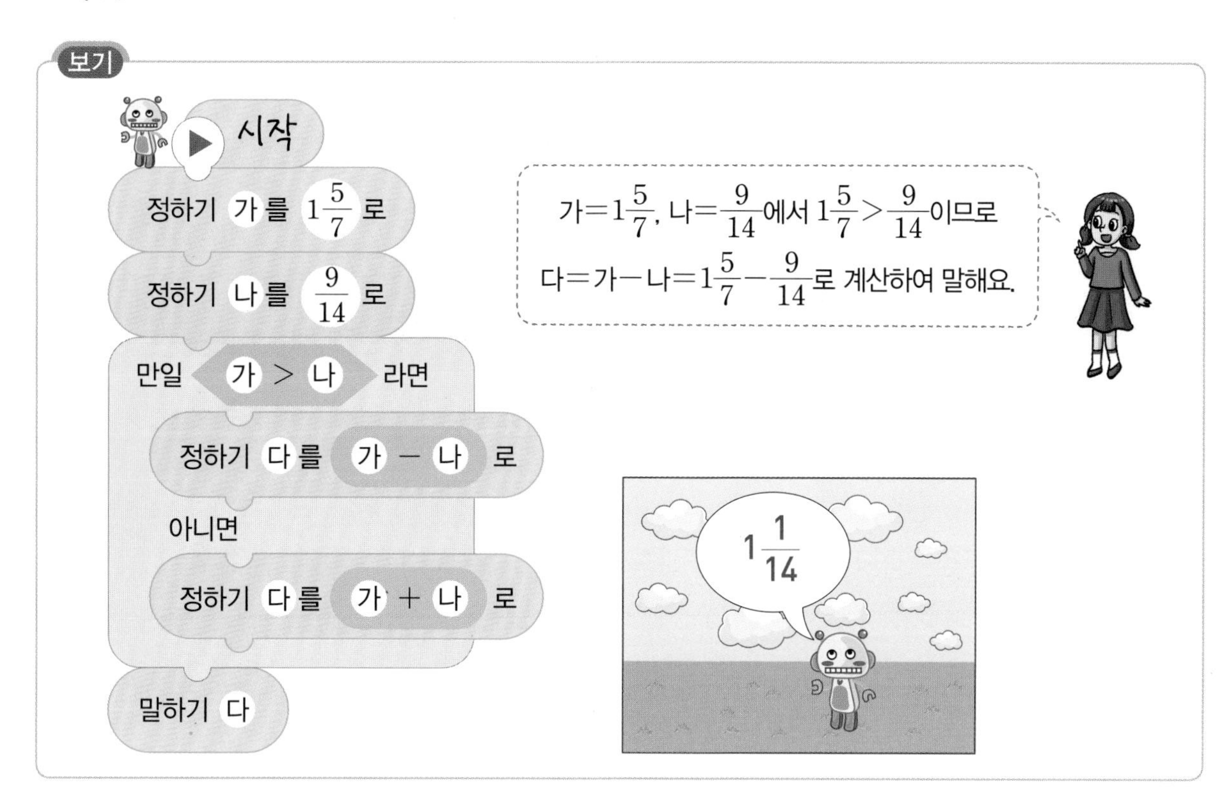

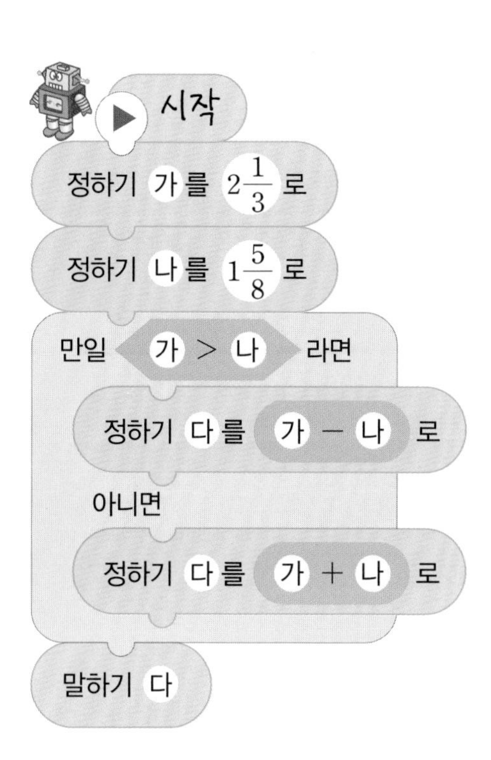

정답 및 풀이
포인트 3가지

- 혼자서도 이해할 수 있는 문제 풀이
- 자세한 풀이 제시
- 참고·주의 등 풍부한 보충 설명

정답 및 풀이

1주 자연수의 혼합 계산

6~7쪽 이번에 배울 내용을 알아볼까요? ②

1-1 ; 15084, 2514, 12570

		4	1	9
	×		3	6
	2	5	1	4
1	2	5	7	
1	5	0	8	4

1-2 ; 30132, 972, 29160

		3	2	4
	×		9	3
		9	7	2
2	9	1	6	
3	0	1	3	2

2-1

			2	3
3	1	)7	1	8
		6	2	
			9	8
			9	3
				5

2-2

			6	5
1	4	)9	1	7
		8	4	
			7	7
			7	0
				7

2-3

			2	3
3	6	)8	4	7
		7	2	
		1	2	7
		1	0	8
			1	9

2-4

			1	8
2	7	)4	8	9
		2	7	
		2	1	9
		2	1	6
				3

9쪽 똑똑한 계산 연습

❶ (계산 순서대로) 26, 18, 18
❷ (계산 순서대로) 27, 33, 33
❸ (계산 순서대로) 28, 52, 52
❹ (계산 순서대로) 93, 48, 48
❺ (계산 순서대로) 44, 71, 71
❻ (계산 순서대로) 73, 34, 34
❼ 32, 26, 58 ❽ 61, 33, 28
❾ 80, 41, 39 ❿ 29, 21, 50

❶~❿ 덧셈과 뺄셈이 섞여 있는 식에서는 앞에서부터 차례로 계산합니다.

11쪽 똑똑한 계산 연습

❶ (계산 순서대로) 45, 27, 27
❷ (계산 순서대로) 46, 12, 12
❸ (계산 순서대로) 46, 20, 20
❹ (계산 순서대로) 33, 47, 47
❺ (계산 순서대로) 73, 21, 21
❻ (계산 순서대로) 22, 19, 19
❼ 65, 44, 21 ❽ 91, 52, 39
❾ 77, 39, 38 ❿ 84, 68, 16

❶~❿ ( )가 있는 식에서는 ( ) 안을 먼저 계산합니다.

12~13쪽 기초 집중 연습

1-1 37 **1-2** 51
1-3 14 **1-4** 29

2-1 84−39+15=60
① 45
② 60

2-2 26+49−18=57
① 75
② 57

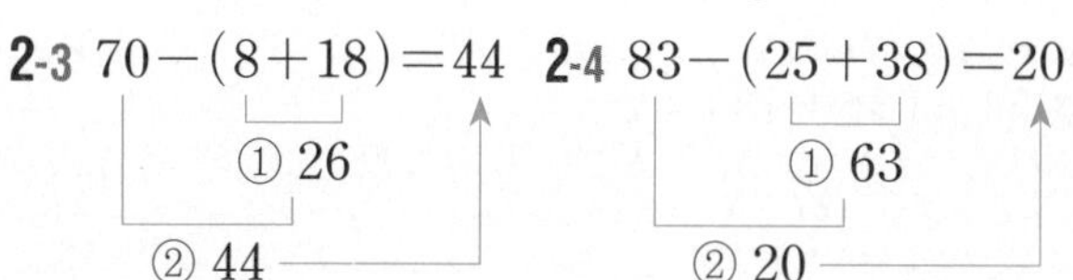

2-3 70−(8+18)=44
① 26
② 44

2-4 83−(25+38)=20
① 63
② 20

2-5 91−(7+49)=35
① 56
② 35

3-1 600 **3-2** 2900
3-3 500 **3-4** 1300
4-1 41, 12, 7, 36 **4-2** 54, 34, 13, 7

1-1 16+48−27=37
64
37

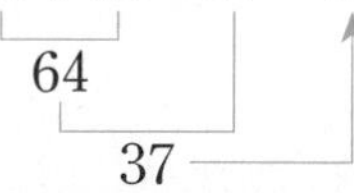

1-2 90−56+17=51
34
51

1-3 81−(39+28)=14
67
14

1-4 72−(15+28)=29
43
29

3-1 1000−500+100=600(원)
500
600

3-2 2000+1500−600=2900(원)
3500
2900

3-3 2100−(700+900)=500(원)
1600
500

3-4 5500−(1700+2500)=1300(원)
4200
1300

4-1 41−12+7=36
29
36

4-2 54−(34+13)=7
47
7

15쪽 똑똑한 계산 연습

❶ (계산 순서대로) 84, 21, 21
❷ (계산 순서대로) 18, 36, 36
❸ (계산 순서대로) 16, 64, 64
❹ (계산 순서대로) 48, 4, 4
❺ (계산 순서대로) 96, 16, 16
❻ (계산 순서대로) 14, 70, 70
❼ 12, 3, 36　❽ 72, 3, 24
❾ 72, 3, 24　❿ 16, 4, 64

❶~❿ 곱셈과 나눗셈이 섞여 있는 식에서는 앞에서부터 차례로 계산합니다.

17쪽 똑똑한 계산 연습

❶ (계산 순서대로) 18, 5, 5
❷ (계산 순서대로) 12, 6, 6
❸ (계산 순서대로) 36, 2, 2
❹ (계산 순서대로) 20, 3, 3
❺ (계산 순서대로) 24, 4, 4
❻ (계산 순서대로) 24, 5, 5
❼ 78, 6, 13　❽ 48, 12, 4
❾ 60, 12, 5　❿ 70, 35, 2

❶~❿ (　)가 있는 식에서는 (　) 안을 먼저 계산합니다.

18~19쪽 기초 집중 연습

1-1 28　1-2 69
1-3 2　1-4 4

2-1 72÷(6×3)=4
① 18
② 4

2-2 96÷(8×2)=6
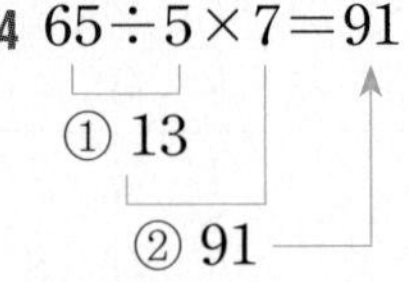

2-3 18×4÷3=24
① 72
② 24

2-4 65÷5×7=91
① 13
② 91

2-5 112÷(4×4)=7
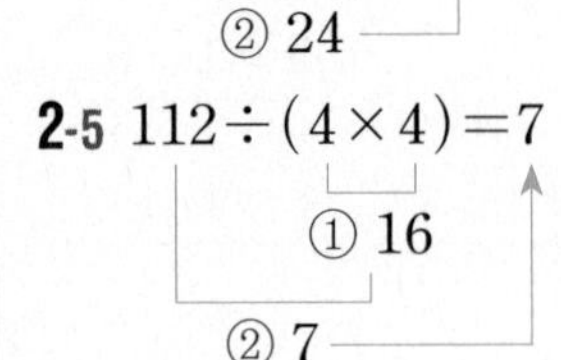

3-1 1600　3-2 3600
3-3 900　3-4 400
4-1 54, 9, 7, 42　4-2 72, 4, 6, 3

1-1 6×14÷3=28
84
28

1-2 92÷4×3=69
23
69

1-3 $96 \div (16 \times 3) = 2$
48
2

1-4 $72 \div (2 \times 9) = 4$
18
4

3-1 $2400 \div 3 \times 2 = 1600$(원)
800
1600

3-2 $4800 \div 4 \times 3 = 3600$(원)
1200
3600

3-3 $5400 \div (2 \times 3) = 900$(원)
6
900

3-4 $8000 \div (5 \times 4) = 400$(원)
20
400

4-1 $54 \div 9 \times 7 = 42$
6
42

4-2 $72 \div (4 \times 6) = 3$
24
3

21쪽 똑똑한 계산 연습

❶ (계산 순서대로) 21, 29, 48, 48
❷ (위에서부터) 99, 63, 36, 99
❸ (위에서부터) 39, 63, 24, 39
❹ (위에서부터) 84, 32, 52, 84
❺ (계산 순서대로) 54, 26, 69, 69
❻ (계산 순서대로) 48, 24, 49, 49
❼ 56, 45, 91, 45, 46
❽ 90, 72, 18, 34, 52

❶~❽ 덧셈, 뺄셈, 곱셈이 섞여 있는 식에서는 곱셈을 먼저 계산합니다.

23쪽 똑똑한 계산 연습

❶ (계산 순서대로) 36, 72, 56, 56
❷ (계산 순서대로) 14, 42, 57, 57
❸ (계산 순서대로) 27, 81, 27, 27
❹ (계산 순서대로) 13, 52, 39, 39
❺ (위에서부터) 25, 96, 71, 25
❻ (위에서부터) 39, 72, 33, 39
❼ 14, 68, 84, 68, 16
❽ 2, 15, 2, 38, 76

❶~❽ ( )가 있는 식에서는 ( ) 안을 먼저 계산합니다.

24~25쪽 기초 집중 연습

1-1 99　　1-2 64
1-3 55　　1-4 51

2-1 $54 + 28 - 4 \times 19 = 6$
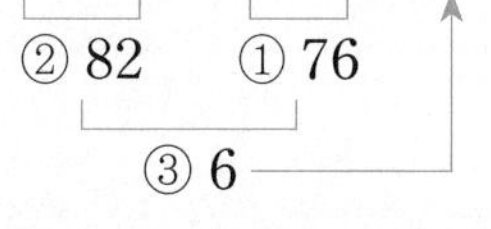

2-2 $27 \times 3 - (18 + 36) = 27$
② 81　① 54
③ 27

2-3 $80 - (43 + 7 \times 4) = 9$
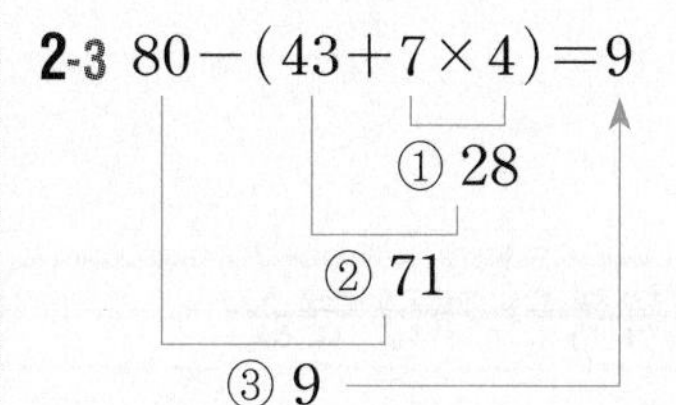

3-1 500　　3-2 800
4-1 16, 9, 3, 7, 36　　4-2 82, 57, 3, 18, 93

1-1 $51 - 24 + 2 \times 36 = 99$
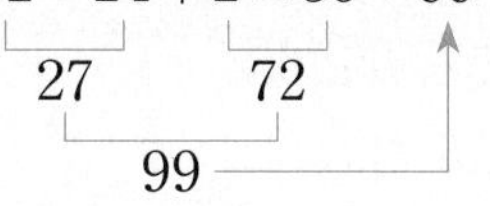

1-2 $95 - 13 \times 6 + 47 = 64$
78
17
64

정답
풀이

1-3 19+2×(73−55)=55

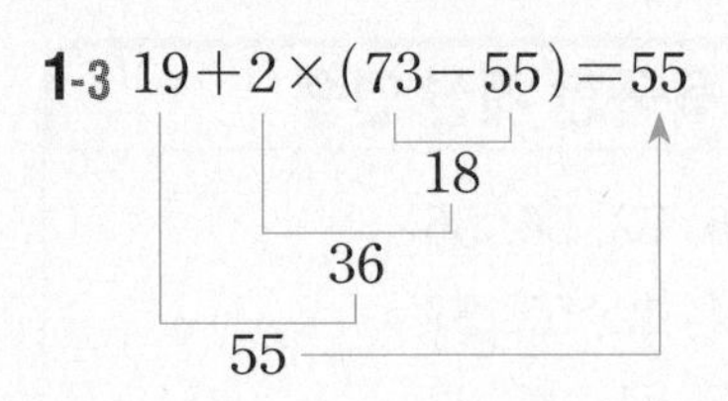

1-4 33+(60−3×14)=51

42
18
51

3-1 3000−800×2−900=500(원)

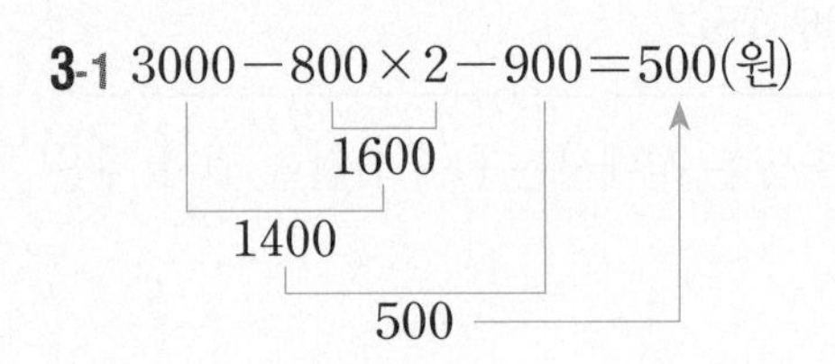

3-2 7000−(1200×3+1300×2)=800(원)

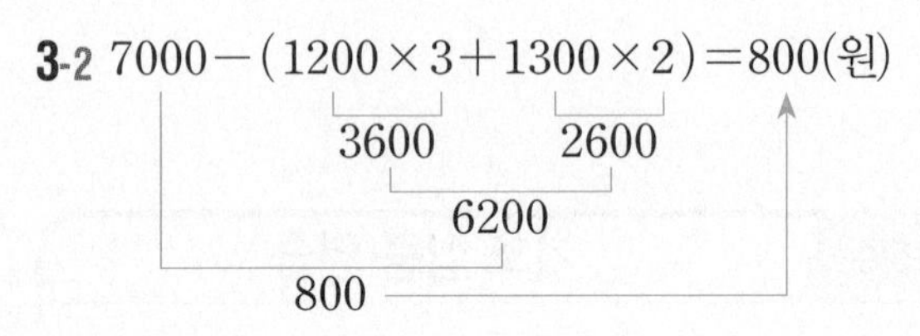

4-1 16+9×3−7=36

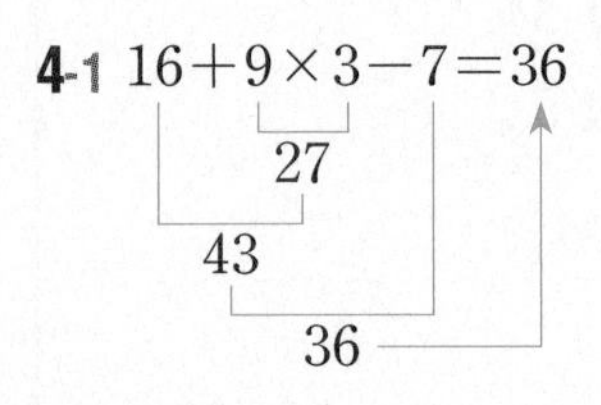

4-2 (82−57)×3+18=93

25
75
93

27쪽 똑똑한 계산 연습

❶ (계산 순서대로) 14, 79, 81, 81
❷ (계산 순서대로) 29, 12, 51, 51
❸ (계산 순서대로) 16, 93, 35, 35
❹ (계산 순서대로) 19, 64, 38, 38
❺ (계산 순서대로) 14, 57, 65, 65
❻ (위에서부터) 39, 33, 6, 39
❼ 61, 47, 80, 47, 33
❽ 20, 6, 14, 35, 49

❶~❽ 덧셈, 뺄셈, 나눗셈이 섞여 있는 식에서는 나눗셈을 먼저 계산합니다.

29쪽 똑똑한 계산 연습

❶ (계산 순서대로) 28, 4, 37, 37
❷ (계산 순서대로) 13, 6, 2, 2
❸ (계산 순서대로) 25, 3, 2, 2
❹ (계산 순서대로) 18, 9, 61, 61
❺ (계산 순서대로) 8, 12, 51, 51
❻ (계산 순서대로) 85, 17, 54, 54
❼ 10, 2, 9, 2, 7
❽ 87, 3, 29, 26, 55

❶~❽ ( )가 있는 식에서는 ( ) 안을 먼저 계산합니다.

30~31쪽 기초 집중 연습

1-1 67 **1-2** 49
1-3 35 **1-4** 29

2-1 96÷(34−26)+59=71

① 8
② 12
③ 71

2-2 62−78÷6+15=64

① 13
② 49
③ 64

2-3 74−(28+51÷3)=29

① 17
② 45
③ 29

3-1 40 **3-2** 210
4-1 84, 12, 35, 24, 18 **4-2** 91, 38, 28, 9, 9

1-1 53+17−36÷12=67

70
3
67

1-2 31−76÷4+37=49

19
12
49

1-3 $(95-67)\div4+28=35$

28

7

35

1-4 $87\div(19+42-58)=29$

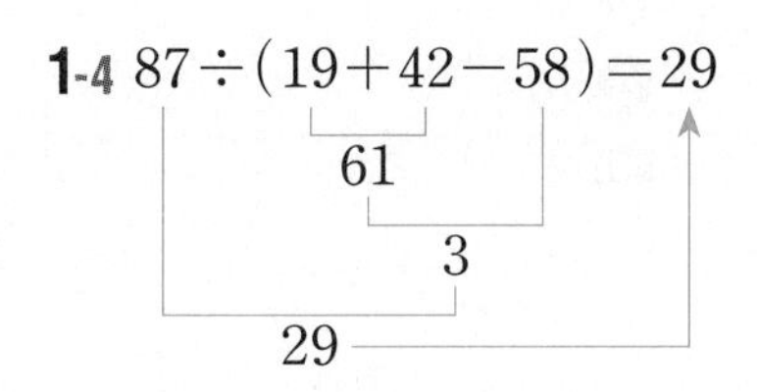

61

3

29

3-1 $70-80\div2+10=40$ (g)

40

30

40

3-2 $400-(290\div2+135\div3)=210$ (g)

145　45

190

210

4-1 $84\div12+35-24=18$

7

42

18

4-2 $(91-38+28)\div9=9$

53

81

9

33쪽 똑똑한 계산 연습

❶ (위에서부터) 32, 42, 3, 29, 32
❷ (위에서부터) 54, 90, 13, 41, 54
❸ (위에서부터) 45, 17, 54, 99, 45
❹ (계산 순서대로) 19, 57, 33, 61, 61
❺ 18, 16, 2, 18, 32, 50, 27, 23
❻ 16, 8, 8, 16, 64, 4, 64, 68

❶~❻ 덧셈, 뺄셈, 곱셈, 나눗셈이 섞여 있는 식에서는 곱셈과 나눗셈을 먼저 계산합니다.

35쪽 똑똑한 계산 연습

❶ (위에서부터) 59, 4, 5, 55, 59
❷ (위에서부터) 26, 8, 2, 18, 26
❸ (위에서부터) 86, 48, 78, 8, 86
❹ (계산 순서대로) 54, 26, 31, 3, 3
❺ 2, 38, 68, 76, 68, 4, 68, 72
❻ 2, 37, 26, 74, 26, 74, 3, 71

❶~❻ (　)가 있는 식에서는 (　) 안을 먼저 계산합니다.

36~37쪽 기초 집중 연습

1-1 19　　1-2 53
1-3 66　　1-4 19

2-1 $7\times13-26+87\div3=94$

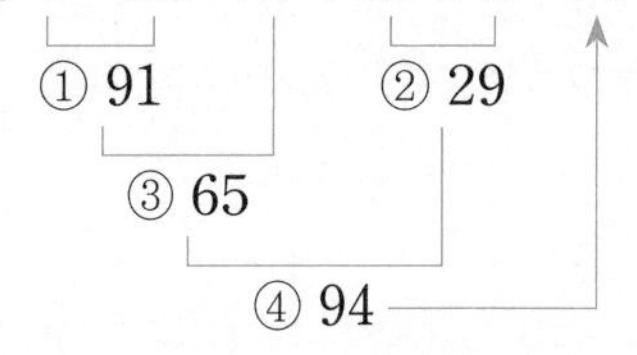

① 91　② 29

③ 65

④ 94

2-2 $96\div(41-33)+15\times4=72$

① 8　③ 60

② 12

④ 72

2-3 $78\div(25-3\times6+6)=6$

① 18

② 7

③ 13

④ 6

3-1 185　　3-2 255
4-1 32, 4, 3, 7, 11, 18
4-2 71, 55, 4, 81, 3, 91

1-1 $78+64\div4-5\times15=19$

16　75

94

19

1-2 $91-80\div5\times4+26=53$

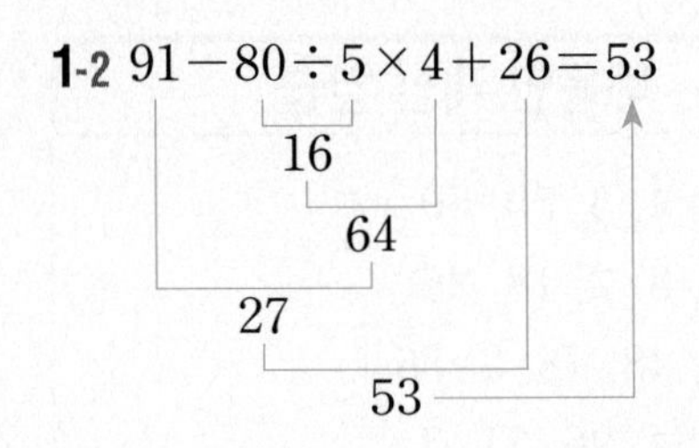

1-3 $2\times(62-26)\div9+58=66$

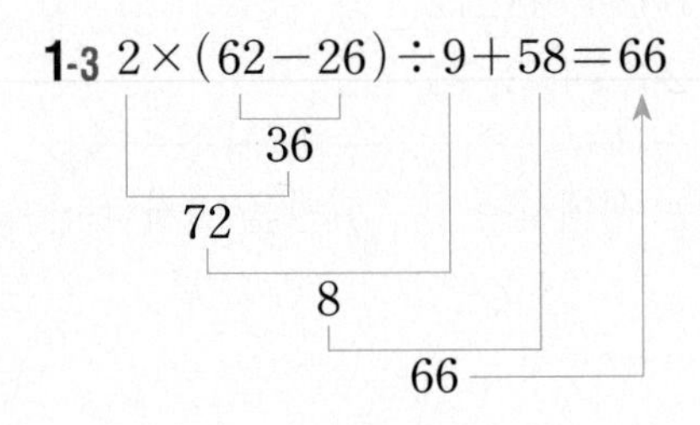

1-4 $42-(18+2\times37)\div4=19$

74, 92, 23, 19

3-1 $230-(260-230)\div(5-3)\times3=185$ (g)

30, 2, 15, 45, 185

3-2 $515-(710-515)\div(7-4)\times4=255$ (g)

195, 3, 65, 260, 255

4-1 $32\div4+3\times7-11=18$

8, 21, 29, 18

4-2 $(71-55)\times4+81\div3=91$

16, 27, 64, 91

38~39쪽 누구나 100점 맞는 TEST

❶ 55	❷ 27
❸ 56	❹ 4
❺ 51	❻ 8
❼ 35	❽ 51
❾ 65	❿ 9

❶ $73-46+28=55$

27, 55

❷ $80-(16+37)=27$

53, 27

❸ $84\div3\times2=56$

28, 56

❹ $96\div(4\times6)=4$

24, 4

❺ $92-5\times13+24=51$

65, 27, 51

❻ $101-(16+15)\times3=8$

31, 93, 8

❼ $61-45+76\div4=35$

16, 19, 35

❽ $70-(36+59)\div5=51$

95, 19, 51

❾ $78 \div 3 + 55 - 4 \times 4 = 65$

26, 16, 81, 65

❿ $62 - (20 \div 4 \times 7 + 18) = 9$

5, 35, 53, 9

40~45쪽	특강	창의 · 융합 · 코딩

창의 1 6, 9 ; 6, 6 ; 6, 5 ; 6, 6, 6, 2 ; 2

창의 2 10, 10, 10, 100 ; 6, 6, 6, 36 ; 9, 9, 9, 81 ; 성규

융합 3 $2600+6700-4500-1900=2900$; 2900

창의 4 $30 \times 3 \div 2 = 45$; 45

융합 5 $3+2\times(20-1)=41$; 41

창의 6 $6-(6+6)\div 6=4$

코딩 7 5

코딩 8 18

코딩 9 56

창의 1 지구에서 잰 무게는 달에서 잰 무게의 6배이므로 달에서 잰 무게는 지구에서 잰 무게를 6으로 나눈 값입니다.

⇨ $(36\div 6+30\div 6)-54\div 6$
$=(6+30\div 6)-54\div 6$
$=(6+5)-54\div 6$
$=11-54\div 6$
$=11-9$
$=2$ (kg)

창의 2 • 유리: 55 ⇨ $5+5=10$ ⇨ $10\times 10=100$으로 카프리카 수가 아닙니다.

• 진태: 24 ⇨ $2+4=6$ ⇨ $6\times 6=36$으로 카프리카 수가 아닙니다.

• 성규: 81 ⇨ $8+1=9$ ⇨ $9\times 9=81$로 카프리카 수입니다.

융합 3 $2600+6700-4500-1900$
$=9300-4500-1900$
$=4800-1900$
$=2900$(원)

창의 4 $30\times 3\div 2=90\div 2=45$(개)

융합 5 (필요한 성냥개비의 수)
$=3+2\times$((만들 삼각형의 수)-1)

코딩 7 • $12\times 12-(12+84\div 12)$
$=12\times 12-(12+7)$
$=12\times 12-19$
$=144-19$
$=125$

• $12\times 6-(6+84\div 6)=12\times 6-(6+14)$
$=12\times 6-20$
$=72-20$
$=52$

• $12\times 3-(3+84\div 3)=12\times 3-(3+28)$
$=12\times 3-31$
$=36-31$
$=5$

코딩 8 ㉠★㉡$=(5+5)\times 5\div 2-7$
$=10\times 5\div 2-7$
$=50\div 2-7$
$=25-7$
$=18$

코딩 9 ㉠★㉡$=(13+5)\times 7\div 2-7$
$=18\times 7\div 2-7$
$=126\div 2-7$
$=63-7$
$=56$

2주 약수와 배수

48~49쪽 이번에 배울 내용을 알아볼까요? ②

1-1 33080
1-2 26880
1-3 4170
1-4 39698
2-1 8
2-2 7…7
2-3 16
2-4 24…25

2-3
```
       1 6
  53)8 4 8
     5 3
     3 1 8
     3 1 8
         0
```

2-4
```
       2 4
  28)6 9 7
     5 6
     1 3 7
     1 1 2
       2 5
```

51쪽 똑똑한 계산 연습

❶ 3, 6 ; 1, 2, 3, 6
❷ 5, 15 ; 1, 3, 5, 15
❸ 1, 2, 4, 5, 10, 20 ; 1, 2, 4, 5, 10, 20
❹ 1, 3, 5, 9, 15, 45 ; 1, 3, 5, 9, 15, 45
❺ 1, 2, 4, 8, 16, 32 ; 1, 2, 4, 8, 16, 32
❻ 1, 3, 7, 9, 21, 63 ; 1, 3, 7, 9, 21, 63

53쪽 똑똑한 계산 연습

❶ 8, 12, 16 ; 4, 8, 12, 16
❷ 14, 21, 28 ; 7, 14, 21, 28
❸ 8, 16, 24, 32 ; 8, 16, 24, 32
❹ 6, 12, 18, 24 ; 6, 12, 18, 24
❺ 11, 22, 33, 44 ; 11, 22, 33, 44
❻ 15, 30, 45, 60 ; 15, 30, 45, 60
❼ 13, 26, 39, 52 ; 13, 26, 39, 52
❽ 20, 40, 60, 80 ; 20, 40, 60, 80

54~55쪽 기초 집중 연습

1-1 1, 5, 25
1-2 1, 2, 4, 5, 8, 10, 20, 40
1-3 5, 10, 15, 20, 25
1-4 9, 18, 27, 36, 45
2-1 ×
2-2 ×
2-3 ○
2-4 ○
2-5 ×
2-6 ○
3-1 2개, 4개, 8개, 16개에 ○표
3-2 2개, 3개, 6개, 12개에 ○표
3-3 3개, 4개, 8개에 ○표
3-4 3개, 7개에 ○표
4-1 6
4-2 8
4-3 5
4-4 9

1-1 $25 \div 1 = 25$, $25 \div 5 = 5$, $25 \div 25 = 1$
⇨ 25의 약수: 1, 5, 25

1-2 $40 \div 1 = 40$, $40 \div 2 = 20$, $40 \div 4 = 10$, $40 \div 5 = 8$, $40 \div 8 = 5$, $40 \div 10 = 4$, $40 \div 20 = 2$, $40 \div 40 = 1$
⇨ 40의 약수: 1, 2, 4, 5, 8, 10, 20, 40

1-3 $5 \times 1 = 5$, $5 \times 2 = 10$, $5 \times 3 = 15$, $5 \times 4 = 20$, $5 \times 5 = 25$……
⇨ 5의 배수: 5, 10, 15, 20, 25……

1-4 $9 \times 1 = 9$, $9 \times 2 = 18$, $9 \times 3 = 27$, $9 \times 4 = 36$, $9 \times 5 = 45$……
⇨ 9의 배수: 9, 18, 27, 36, 45……

2-3 $52 = 13 \times 4$이므로 13은 52의 약수입니다.

2-4 $72 = 18 \times 4$이므로 72는 18의 배수입니다.

2-6 $90 = 15 \times 6$이므로 90은 15의 배수입니다.

3-1 바나나 16개를 똑같이 나누어 담을 수 있는 봉지 수는 16의 약수와 같습니다.
⇨ 16의 약수: 1, 2, 4, 8, 16

3-2 사과 12개를 똑같이 나누어 담을 수 있는 봉지 수는 12의 약수와 같습니다.
⇨ 12의 약수: 1, 2, 3, 4, 6, 12

3-3 키위 24개를 똑같이 나누어 담을 수 있는 봉지 수는 24의 약수와 같습니다.
⇨ 24의 약수: 1, 2, 3, 4, 6, 8, 12, 24

3-4 귤 21개를 똑같이 나누어 담을 수 있는 봉지 수는 21의 약수와 같습니다.
⇨ 21의 약수: 1, 3, 7, 21

4-1 18의 약수: 1, 2, 3, 6, 9, 18 ⇨ 6개

4-2 56의 약수: 1, 2, 4, 7, 8, 14, 28, 56 ⇨ 8개

4-3 81의 약수: 1, 3, 9, 27, 81 ⇨ 5개

4-4 36의 약수: 1, 2, 3, 4, 6, 9, 12, 18, 36 ⇨ 9개

57쪽 똑똑한 계산 연습

❶ 1, 3, 9 ; 9 ❷ 1, 2 ; 2
❸ 1, 2, 4 ; 4 ❹ 1, 3, 9 ; 9
❺ 1, 2, 3, 6 ; 6 ❻ 1, 2, 5, 10 ; 10
❼ 1, 7 ; 7 ❽ 1 ; 1

59쪽 똑똑한 계산 연습

❶ 8 ; 1, 2, 4, 8 ; 8
❷ 6 ; 1, 2, 3, 6 ; 6
❸ 10 ; 1, 2, 5, 10 ; 10
❹ 12 ; 1, 2, 3, 4, 6, 12 ; 12
❺ 9 ; 1, 3, 9 ; 9
❻ 18 ; 1, 2, 3, 6, 9, 18 ; 18

60~61쪽 기초 집중 연습

1-1 1, 2, 5, 10 ; 1, 3, 5, 15 ; 1, 5 ; 5
1-2 1, 2, 7, 14 ; 1, 3, 7, 21 ; 1, 7 ; 7
2-1 1, 2 ; 2 **2-2** 1, 5, 25 ; 25
2-3 1, 3, 9 ; 9 **2-4** 1, 2, 4, 8 ; 8
3-1 1, 13 ; 13 **3-2** 1, 3, 5, 15 ; 15
3-3 1, 2, 3, 6 ; 6 **3-4** 1, 3, 9 ; 9
4-1 1, 2, 4, 8 **4-2** 1, 2, 7, 14
4-3 1, 2, 4, 5, 10, 20 **4-4** 1, 17

2-1 • 16의 약수: 1, 2, 4, 8, 16
• 30의 약수: 1, 2, 3, 5, 6, 10, 15, 30
⇨ 16과 30의 공약수: 1, 2
16과 30의 최대공약수: 2

2-2 • 25의 약수: 1, 5, 25
• 50의 약수: 1, 2, 5, 10, 25, 50
⇨ 25와 50의 공약수: 1, 5, 25
25와 50의 최대공약수: 25

2-4 • 64의 약수: 1, 2, 4, 8, 16, 32, 64
• 56의 약수: 1, 2, 4, 7, 8, 14, 28, 56
⇨ 64와 56의 공약수: 1, 2, 4, 8
64와 56의 최대공약수: 8

3-2 • 75의 약수: 1, 3, 5, 15, 25, 75
• 30의 약수: 1, 2, 3, 5, 6, 10, 15, 30
⇨ 75와 30의 공약수: 1, 3, 5, 15
75와 30의 최대공약수: 15

3-3 • 54의 약수: 1, 2, 3, 6, 9, 18, 27, 54
• 48의 약수: 1, 2, 3, 4, 6, 8, 12, 16, 24, 48
⇨ 54와 48의 공약수: 1, 2, 3, 6
54와 48의 최대공약수: 6

3-4 • 27의 약수: 1, 3, 9, 27
• 45의 약수: 1, 3, 5, 9, 15, 45
⇨ 27과 45의 공약수: 1, 3, 9
27과 45의 최대공약수: 9

4-1 두 수의 공약수는 두 수의 최대공약수의 약수와 같습니다. ⇨ 8의 약수: 1, 2, 4, 8

4-3 20의 약수: 1, 2, 4, 5, 10, 20

63쪽 똑똑한 계산 연습

❶ 2, 4 ❷ 2, 7, 14
❸ 5, 5 ; 3, 5, 15 ❹ 3, 7 ; 3, 3, 9
❺ 2, 5, 5, 5 ; 2, 5, 10
❻ 3, 3, 2, 3, 5 ; 2, 3, 6
❼ 2, 3, 2, 2 ; 2, 2, 2, 8
❽ 3, 3, 3, 3 ; 2, 3, 3, 18

65쪽 똑똑한 계산 연습

❶ 2, 10, 14, 5 ; 2, 2, 4

❷ 3, 12, 3, 4 ; 3, 3, 9

❸ 2) 56 42 ; 2×7=14
7) 28 21
4 3

❹ 3) 36 45 ; 3×3=9
3) 12 15
4 5

❺ 2) 24 32 ; 2×2×2=8
2) 12 16
2) 6 8
3 4

❻ 2) 48 60 ; 2×2×3=12
2) 24 30
3) 12 15
4 5

66~67쪽 기초 집중 연습

1-1 2×2×7 ; 2×2×2×3 ; 2×2=4

1-2 2×3×5 ; 2×2×2×2×3 ; 2×3=6

1-3 2×2×2×7 ; 2×5×7 ; 2×7=14

2-1 4 **2-2** 8

2-3 16 **2-4** 27

3-1 12 **3-2** 24

3-3 24 **3-4** 15

4-1 8 **4-2** 20

4-3 7 **4-4** 12

2-1 2) 16 36
2) 8 18
4 9 ⇨ 최대공약수: 2×2=4

2-2 2) 40 56
2) 20 28
2) 10 14
5 7 ⇨ 최대공약수: 2×2×2=8

2-3 2) 32 80
2) 16 40
2) 8 20
2) 4 10
2 5 ⇨ 최대공약수: 2×2×2×2=16

2-4 3) 81 27
3) 27 9
3) 9 3
3 1 ⇨ 최대공약수: 3×3×3=27

3-1 2) 96 60
2) 48 30
3) 24 15
8 5 ⇨ 최대공약수: 2×2×3=12

3-2 2) 72 48
2) 36 24
2) 18 12
3) 9 6
3 2 ⇨ 최대공약수: 2×2×2×3=24

3-3 2) 72 96
2) 36 48
2) 18 24
3) 9 12
3 4 ⇨ 최대공약수: 2×2×2×3=24

3-4 3) 45 60
5) 15 20
3 4 ⇨ 최대공약수: 3×5=15

4-1 2) 32 56
2) 16 28
2) 8 14
4 7 ⇨ 최대공약수: 2×2×2=8

4-2 2) 60 40
2) 30 20
5) 15 10
3 2 ⇨ 최대공약수: 2×2×5=20

4-4 2) 60 84
2) 30 42
3) 15 21
5 7 ⇨ 최대공약수: 2×2×3=12

69쪽 똑똑한 계산 연습

❶ 6, 12 ; 6 ❷ 10, 20 ; 10

❸ 12, 24 ; 12 ❹ 8, 16 ; 8

❺ 36, 72 ; 36 ❻ 45, 90 ; 45

❼ 30, 60 ; 30 ❽ 30, 60 ; 30

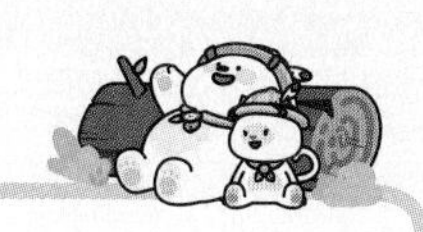

71쪽 똑똑한 계산 연습

❶ 20 ; 20, 40, 60 ; 20 ❷ 30 ; 30, 60, 90 ; 30
❸ 21 ; 21, 42, 63 ; 21 ❹ 24 ; 24, 48, 72 ; 24
❺ 18 ; 18, 36, 54 ; 18 ❻ 20 ; 20, 40, 60 ; 20

72~73쪽 기초 집중 연습

1-1 10, 20, 30, 40, 50 ; 8, 16, 24, 32, 40 ; 40, 80, 120⋯⋯ ; 40
1-2 9, 18, 27, 36, 45 ; 12, 24, 36, 48, 60 ; 36, 72, 108⋯⋯ ; 36
2-1 24, 48, 72 ; 24 **2-2** 30, 60, 90 ; 30
2-3 42, 84, 126 ; 42 **2-4** 36, 72, 108 ; 36
3-1 28, 56, 84 ; 28 **3-2** 48, 96, 144 ; 48
3-3 40, 80, 120 ; 40 **3-4** 45, 90, 135 ; 45
4-1 10, 20, 30 **4-2** 15, 30, 45
4-3 25, 50, 75 **4-4** 30, 60, 90

2-3 • 14의 배수: 14, 28, (42), 56, 70, (84)⋯⋯
• 21의 배수: 21, (42), 63, (84), 105⋯⋯
⇨ 14와 21의 공배수: 42, 84, 126⋯⋯
14와 21의 최소공배수: 42

2-4 • 12의 배수: 12, 24, (36), 48, 60, (72)⋯⋯
• 18의 배수: 18, (36), 54, (72), 90⋯⋯
⇨ 12와 18의 공배수: 36, 72, 108⋯⋯
12와 18의 최소공배수: 36

3-1 • 4의 배수: 4, 8, 12, 16, 20, 24, (28)⋯⋯
• 14의 배수: 14, (28), 42, (56), 70⋯⋯
⇨ 4와 14의 공배수: 28, 56, 84⋯⋯
4와 14의 최소공배수: 28

3-2 • 6의 배수: 6, 12, 18, 24, 30, 36, 42, (48)⋯⋯
• 16의 배수: 16, 32, (48), 64, 80, (96)⋯⋯
⇨ 6과 16의 공배수: 48, 96, 144⋯⋯
6과 16의 최소공배수: 48

3-3 • 8의 배수: 8, 16, 24, 32, (40)⋯⋯
• 20의 배수: 20, (40), 60, (80)⋯⋯
⇨ 8과 20의 공배수: 40, 80, 120⋯⋯
8과 20의 최소공배수: 40

3-4 9의 배수: 9, 18, 27, 36, (45)⋯⋯
15의 배수: 15, 30, (45), 60, 75, (90)⋯⋯
⇨ 9와 15의 공배수: 45, 90, 135⋯⋯
9와 15의 최소공배수: 45

4-2 두 수의 공배수는 두 수의 최소공배수의 배수와 같습니다.
⇨ 15의 배수: 15, 30, 45⋯⋯

4-3 25의 배수: 25, 50, 75⋯⋯

4-4 30의 배수: 30, 60, 90⋯⋯

75쪽 똑똑한 계산 연습

❶ 2, 3, 66 ❷ 2, 7, 5, 70
❸ 5, 7 ; 5, 7, 105 ❹ 3, 7 ; 3, 3, 7, 189
❺ 2, 5, 3, 5 ; 5, 2, 3, 60
❻ 3, 3, 3, 5 ; 3, 2, 5, 90
❼ 3, 7, 2, 3 ; 2, 3, 7, 2, 84
❽ 7, 2, 7 ; 7, 3, 2, 2, 84

77쪽 똑똑한 계산 연습

❶ 3, 15, 6, 5, 2 ; 3, 5, 2, 60
❷ 7, 14, 21, 2, 3 ; 7, 2, 3, 84
❸
```
3 ) 27  36
3 )  9  12
     3   4
```
; $3\times3\times3\times4=108$

❹
```
2 ) 18  30
3 )  9  15
     3   5
```
; $2\times3\times3\times5=90$

❺
```
2 ) 60  36
2 ) 30  18
3 ) 15   9
     5   3
```
; $2\times2\times3\times5\times3=180$

❻
```
3 ) 27  81
3 )  9  27
3 )  3   9
     1   3
```
; $3\times3\times3\times1\times3=81$

정답 풀이

78~79쪽 기초 집중 연습

1-1 $2 \times 2 \times 7$; $2 \times 2 \times 5$; $2 \times 2 \times 7 \times 5 = 140$
1-2 $2 \times 2 \times 2$; $2 \times 3 \times 3$; $2 \times 2 \times 2 \times 3 \times 3 = 72$
1-3 $2 \times 3 \times 5$; $3 \times 3 \times 5$; $3 \times 5 \times 2 \times 3 = 90$

2-1 180	2-2 270
2-3 200	2-4 132
3-1 24	3-2 30
3-3 27	3-4 80
4-1 50	4-2 120
4-3 120	4-4 210

2-1
2) 20 36
2) 10 18
5 9 ⇨ 최소공배수: $2 \times 2 \times 5 \times 9 = 180$

2-2
2) 30 54
3) 15 27
5 9 ⇨ 최소공배수: $2 \times 3 \times 5 \times 9 = 270$

2-4
2) 44 66
11) 22 33
2 3 ⇨ 최소공배수: $2 \times 11 \times 2 \times 3 = 132$

3-1
2) 8 6
4 3 ⇨ 최소공배수: $2 \times 4 \times 3 = 24$

3-2
2) 6 10
3 5 ⇨ 최소공배수: $2 \times 3 \times 5 = 30$

3-3
3) 9 27
3) 3 9
1 3 ⇨ 최소공배수: $3 \times 3 \times 1 \times 3 = 27$

3-4
2) 20 16
2) 10 8
5 4 ⇨ 최소공배수: $2 \times 2 \times 5 \times 4 = 80$

4-1
5) 10 25
2 5 ⇨ 최소공배수: $5 \times 2 \times 5 = 50$

4-2
2) 30 24
3) 15 12
5 4 ⇨ 최소공배수: $2 \times 3 \times 5 \times 4 = 120$

4-3
2) 40 24
2) 20 12
2) 10 6
5 3 ⇨ 최소공배수: $2 \times 2 \times 2 \times 5 \times 3 = 120$

80~81쪽 누구나 100점 맞는 TEST

❶ 2, 5, 10 ; 1, 2, 5, 10
❷ 8, 16, 24, 32 ; 8, 16, 24, 32
❸ (1) 1, 7, 49 (2) 1, 2, 4, 8, 16, 32, 64
❹ (1) 7, 14, 21, 28, 35 (2) 13, 26, 39, 52, 65
❺ 3, 5, 5, 5, 5 ; 5, 5, 25
❻ 2, 7, 5, 7 ; 7, 2, 5, 140
❼ (1) × (2) ◯
❽
2) 32 40 ; 2, 2, 2, 8
2) 16 20
2) 8 10
4 5
❾
2) 28 42 ; 2, 7, 2, 3, 84
7) 14 21
2 3
❿ 15, 90

❶ $10 \div 1 = 10$, $10 \div 2 = 5$, $10 \div 5 = 2$, $10 \div 10 = 1$
⇨ 10의 약수: 1, 2, 5, 10

❸ (1) $49 \div 1 = 49$, $49 \div 7 = 7$, $49 \div 49 = 1$
⇨ 49의 약수: 1, 7, 49
(2) $64 \div 1 = 64$, $64 \div 2 = 32$, $64 \div 4 = 16$, $64 \div 8 = 8$, $64 \div 16 = 4$, $64 \div 32 = 2$, $64 \div 64 = 1$
⇨ 64의 약수: 1, 2, 4, 8, 16, 32, 64

❹ (1) $7 \times 1 = 7$, $7 \times 2 = 14$, $7 \times 3 = 21$, $7 \times 4 = 28$, $7 \times 5 = 35$……
⇨ 7의 배수: 7, 14, 21, 28, 35……
(2) $13 \times 1 = 13$, $13 \times 2 = 26$, $13 \times 3 = 39$, $13 \times 4 = 52$, $13 \times 5 = 65$……
⇨ 13의 배수: 13, 26, 39, 52, 65……

❼ (2) $96 = 12 \times 8$
⇨ 96은 12의 배수입니다.

❿
3) 30 45
5) 10 15
2 3
⇨ 최대공약수: $3 \times 5 = 15$
최소공배수: $3 \times 5 \times 2 \times 3 = 90$

82~87쪽 특강 창의 · 융합 · 코딩

창의 1

1	2	(3)	4	5	(6)	7	8	(9)	10
11	(12)	13	14	(15)	16	17	(18)	19	20
(21)	22	23	(24)	25	26	(27)	28	29	(30)
31	32	(33)	34	35	(36)	37	38	(39)	40

; 21

창의 2

16의 약수: 8, 16 / 공통: 1, 2, 4 / 28의 약수: 7, 14, 28

; 4

창의 3 15, 10, 9 ; 고, 길, 동

융합 4 (앞에서부터) 8, 10, 17, 9

코딩 5 8

융합 6 (1) 24 ; 24, 48　(2) 80 ; 80, 160

(3) 84 ; 84, 168　(4) 210 ; 210, 420

창의 3

❶ 3) 60 45
　5) 20 15
　　　4 3

⇨ 최대공약수: $3\times5=15$

❷ 2) 40 50
　5) 20 25
　　　4 5

⇨ 최대공약수: $2\times5=10$

❸ 3) 36 27
　3) 12 9
　　　4 3

⇨ 최대공약수: $3\times3=9$

융합 4

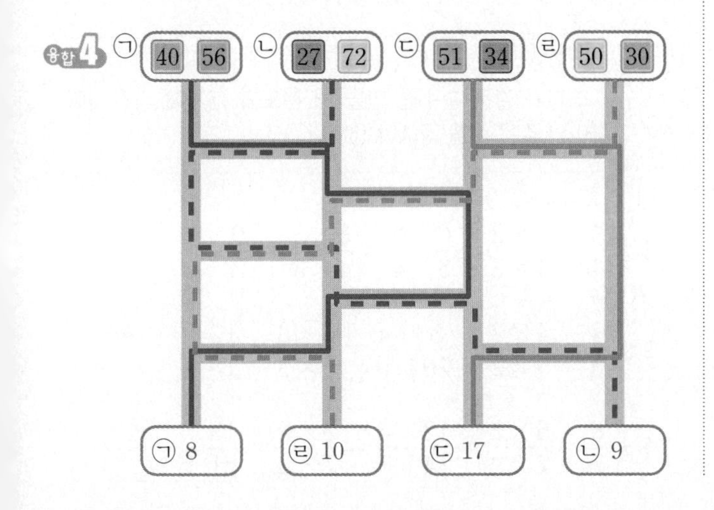

㉠ 2) 40 56
　2) 20 28
　2) 10 14
　　　5 7

⇨ 최대공약수: $2\times2\times2=8$

㉡ 3) 27 72
　3) 9 24
　　　3 8

⇨ 최대공약수: $3\times3=9$

㉢ 17) 51 34
　　　3 2

⇨ 최대공약수: 17

㉣ 2) 50 30
　5) 25 15
　　　5 3

⇨ 최대공약수: $2\times5=10$

코딩 5

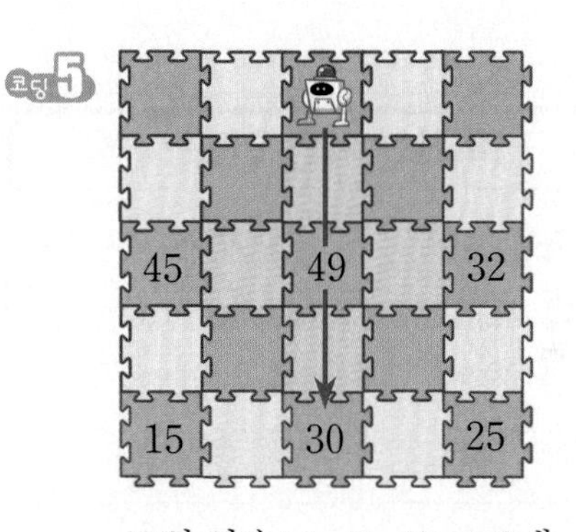

49의 약수: 1, 7, 49 ⇨ 3개

30의 약수: 1, 2, 3, 5, 6, 10, 15, 30 ⇨ 8개

융합 6

(1) 2) 12 8
　2) 6 4
　　　3 2

⇨ 최소공배수: $2\times2\times3\times2=24$

(2) 2) 20 16
　2) 10 8
　　　5 4

⇨ 최소공배수: $2\times2\times5\times4=80$

(3) 7) 21 28
　　　3 4

⇨ 최소공배수: $7\times3\times4=84$

(4) 2) 42 30
　3) 21 15
　　　7 5

⇨ 최소공배수: $2\times3\times7\times5=210$

3주 약분과 통분

90~91쪽 이번에 배울 내용을 알아볼까요? ②

1-1 $<$　　**1-2** $>$

1-3 $>$　　**1-4** $<$

1-5 $>$　　**1-6** $<$

2-1
```
2) 24  42
3) 12  21
    4   7
; 6, 168
```

2-2
```
3) 27  36
3)  9  12
    3   4
; 9, 108
```

2-3
```
2) 30  50
5) 15  25
    3   5
; 10, 150
```

2-4
```
3) 42  63
7) 14  21
    2   3
; 21, 126
```

93쪽 똑똑한 계산 연습

❶ 9, 3　❷ 2, 12　❸ 20, 5
❹ 6, 90　❺ 12　❻ 40
❼ 8　❽ 20　❾ 18
❿ 28　⓫ 15　⓬ 55

❺ $\frac{4}{7}=\frac{4\times3}{7\times3}=\frac{12}{21}$　❻ $\frac{3}{8}=\frac{3\times5}{8\times5}=\frac{15}{40}$

❼ $\frac{2}{9}=\frac{2\times4}{9\times4}=\frac{8}{36}$　❽ $\frac{7}{10}=\frac{7\times2}{10\times2}=\frac{14}{20}$

❾ $\frac{3}{4}=\frac{3\times6}{4\times6}=\frac{18}{24}$　❿ $\frac{2}{7}=\frac{2\times4}{7\times4}=\frac{8}{28}$

⓫ $\frac{5}{8}=\frac{5\times3}{8\times3}=\frac{15}{24}$　⓬ $\frac{5}{11}=\frac{5\times5}{11\times5}=\frac{25}{55}$

95쪽 똑똑한 계산 연습

❶ 3, 2　❷ 3, 3　❸ 1, 5
❹ 4, 5　❺ 2　❻ 10
❼ 3　❽ 2　❾ 3
❿ 9　⓫ 5　⓬ 11

❺ $\frac{12}{18}=\frac{12\div6}{18\div6}=\frac{2}{3}$

❻ $\frac{24}{30}=\frac{24\div3}{30\div3}=\frac{8}{10}$

❼ $\frac{6}{14}=\frac{6\div2}{14\div2}=\frac{3}{7}$

❽ $\frac{8}{16}=\frac{8\div8}{16\div8}=\frac{1}{2}$

❾ $\frac{21}{28}=\frac{21\div7}{28\div7}=\frac{3}{4}$

❿ $\frac{15}{45}=\frac{15\div5}{45\div5}=\frac{3}{9}$

⓫ $\frac{40}{48}=\frac{40\div8}{48\div8}=\frac{5}{6}$

⓬ $\frac{35}{77}=\frac{35\div7}{77\div7}=\frac{5}{11}$

96~97쪽 기초 집중 연습

1-1 $\frac{4}{6}, \frac{6}{9}$　**1-2** $\frac{6}{8}, \frac{9}{12}$

1-3 $\frac{8}{10}, \frac{12}{15}$　**1-4** $\frac{12}{14}, \frac{18}{21}$

2-1 $\frac{8}{10}, \frac{4}{5}$　**2-2** $\frac{6}{12}, \frac{4}{8}$

2-3 $\frac{16}{20}, \frac{8}{10}$　**2-4** $\frac{15}{18}, \frac{10}{12}$

3-1 4　**3-2** 2

3-3 3　**3-4** 3

4-1 4　**4-2** 5

1-1 $\frac{2}{3}=\frac{2\times2}{3\times2}=\frac{4}{6}, \frac{2}{3}=\frac{2\times3}{3\times3}=\frac{6}{9}$

> **주의**
> 크기가 같은 분수를 만들 때 분모와 분자에 각각 0이 아닌 같은 수를 곱해야 합니다.

1-2 $\frac{3}{4}=\frac{3\times2}{4\times2}=\frac{6}{8}, \frac{3}{4}=\frac{3\times3}{4\times3}=\frac{9}{12}$

1-3 $\frac{4}{5}=\frac{4\times2}{5\times2}=\frac{8}{10}, \frac{4}{5}=\frac{4\times3}{5\times3}=\frac{12}{15}$

1-4 $\frac{6}{7}=\frac{6\times2}{7\times2}=\frac{12}{14}, \frac{6}{7}=\frac{6\times3}{7\times3}=\frac{18}{21}$

2-1 $\frac{16}{20}=\frac{16\div2}{20\div2}=\frac{8}{10}$, $\frac{16}{20}=\frac{16\div4}{20\div4}=\frac{4}{5}$

2-2 $\frac{12}{24}=\frac{12\div2}{24\div2}=\frac{6}{12}$, $\frac{12}{24}=\frac{12\div3}{24\div3}=\frac{4}{8}$

2-3 $\frac{32}{40}=\frac{32\div2}{40\div2}=\frac{16}{20}$, $\frac{32}{40}=\frac{32\div4}{40\div4}=\frac{8}{10}$

2-4 $\frac{30}{36}=\frac{30\div2}{36\div2}=\frac{15}{18}$, $\frac{30}{36}=\frac{30\div3}{36\div3}=\frac{10}{12}$

3-1 $\frac{1}{2}=\frac{4}{8}$이므로 승기는 4조각을 먹어야 합니다.

3-2 $\frac{1}{4}=\frac{2}{8}$이므로 승기는 2조각을 먹어야 합니다.

3-3 $\frac{1}{3}=\frac{3}{9}$이므로 승기는 3조각을 먹어야 합니다.

3-4 $\frac{1}{2}=\frac{3}{6}$이므로 승기는 3조각을 먹어야 합니다.

4-1 $\frac{2}{5}=\frac{2\times2}{5\times2}=\frac{4}{10}$

4-2 $\frac{15}{30}=\frac{15\div3}{30\div3}=\frac{5}{10}$

99쪽 똑똑한 계산 연습

❶ 3, $\frac{1}{3}$ ❷ 5, $\frac{2}{3}$
❸ 2, $\frac{6}{10}$ ❹ 2, $\frac{3}{5}$
❺ 6, $\frac{2}{6}$ ❻ 8, $\frac{1}{3}$
❼ 5, $\frac{5}{6}$ ❽ 6, $\frac{5}{7}$
❾ 10, $\frac{4}{5}$ ❿ 7, $\frac{7}{9}$

101쪽 똑똑한 계산 연습

❶ 10, 10, 10, $\frac{1}{2}$ ❷ 6, 6, 6, $\frac{3}{5}$
❸ $\frac{2}{3}$ ❹ $\frac{1}{3}$ ❺ $\frac{1}{5}$ ❻ $\frac{1}{2}$
❼ $\frac{5}{8}$ ❽ $\frac{3}{5}$ ❾ $\frac{2}{11}$ ❿ $\frac{1}{3}$

❸ 12와 8의 최대공약수: 4
⇨ $\frac{8}{12}=\frac{8\div4}{12\div4}=\frac{2}{3}$

❹ 15와 5의 최대공약수: 5
⇨ $\frac{5}{15}=\frac{5\div5}{15\div5}=\frac{1}{3}$

❺ 30과 6의 최대공약수: 6
⇨ $\frac{6}{30}=\frac{6\div6}{30\div6}=\frac{1}{5}$

❻ 50과 25의 최대공약수: 25
⇨ $\frac{25}{50}=\frac{25\div25}{50\div25}=\frac{1}{2}$

❼ 32와 20의 최대공약수: 4
⇨ $\frac{20}{32}=\frac{20\div4}{32\div4}=\frac{5}{8}$

❽ 45와 27의 최대공약수: 9
⇨ $\frac{27}{45}=\frac{27\div9}{45\div9}=\frac{3}{5}$

❾ 55와 10의 최대공약수: 5
⇨ $\frac{10}{55}=\frac{10\div5}{55\div5}=\frac{2}{11}$

❿ 33과 11의 최대공약수: 11
⇨ $\frac{11}{33}=\frac{11\div11}{33\div11}=\frac{1}{3}$

102~103쪽 기초 집중 연습

1-1 6, 3 1-2 3, 1
1-3 4, 2 1-4 10, 4, 2
2-1 $\frac{1}{4}$ 2-2 $\frac{5}{7}$ 2-3 $\frac{1}{5}$
2-4 $\frac{1}{3}$ 2-5 $\frac{4}{5}$ 2-6 $\frac{2}{3}$
3-1 $\frac{7}{8}$ 3-2 $\frac{2}{5}$ 3-3 $\frac{3}{8}$
3-4 $\frac{2}{5}$ 4-1 2 4-2 4

1-1 $\frac{12}{16}=\frac{12\div2}{16\div2}=\frac{6}{8}$, $\frac{12}{16}=\frac{12\div4}{16\div4}=\frac{3}{4}$

1-2 $\frac{9}{18}=\frac{9\div3}{18\div3}=\frac{3}{6}$, $\frac{9}{18}=\frac{9\div9}{18\div9}=\frac{1}{2}$

정답 풀이

1-3 $\frac{8}{28}=\frac{8\div2}{28\div2}=\frac{4}{14}$, $\frac{8}{28}=\frac{8\div4}{28\div4}=\frac{2}{7}$

1-4 $\frac{20}{30}=\frac{20\div2}{30\div2}=\frac{10}{15}$, $\frac{20}{30}=\frac{20\div5}{30\div5}=\frac{4}{6}$, $\frac{20}{30}=\frac{20\div10}{30\div10}=\frac{2}{3}$

2-1 $\frac{3}{12}=\frac{3\div3}{12\div3}=\frac{1}{4}$

2-2 $\frac{25}{35}=\frac{25\div5}{35\div5}=\frac{5}{7}$

2-3 $\frac{11}{55}=\frac{11\div11}{55\div11}=\frac{1}{5}$

2-4 $\frac{13}{39}=\frac{13\div13}{39\div13}=\frac{1}{3}$

2-5 $\frac{60}{75}=\frac{60\div15}{75\div15}=\frac{4}{5}$

2-6 $\frac{48}{72}=\frac{48\div24}{72\div24}=\frac{2}{3}$

3-1 $\frac{35}{40}=\frac{35\div5}{40\div5}=\frac{7}{8}$

3-2 $\frac{20}{50}=\frac{20\div10}{50\div10}=\frac{2}{5}$

3-3 $\frac{27}{72}=\frac{27\div9}{72\div9}=\frac{3}{8}$

3-4 $\frac{36}{90}=\frac{36\div18}{90\div18}=\frac{2}{5}$

4-1 $\frac{1}{6}$, $\frac{5}{6}$ ⇨ 2개

4-2 $\frac{1}{8}$, $\frac{3}{8}$, $\frac{5}{8}$, $\frac{7}{8}$ ⇨ 4개

105쪽 똑똑한 계산 연습

❶ 5, 4
❷ 8, 3
❸ $\frac{18}{24}$, $\frac{20}{24}$
❹ $\frac{20}{50}$, $\frac{35}{50}$
❺ $\frac{12}{54}$, $\frac{45}{54}$
❻ $\frac{8}{24}$, $\frac{15}{24}$
❼ $\frac{27}{36}$, $\frac{28}{36}$
❽ $\frac{36}{63}$, $\frac{28}{63}$
❾ $\frac{42}{56}$, $\frac{36}{56}$
❿ $\frac{42}{48}$, $\frac{8}{48}$

❸ $\frac{3}{4}=\frac{3\times6}{4\times6}=\frac{18}{24}$, $\frac{5}{6}=\frac{5\times4}{6\times4}=\frac{20}{24}$

❹ $\frac{2}{5}=\frac{2\times10}{5\times10}=\frac{20}{50}$, $\frac{7}{10}=\frac{7\times5}{10\times5}=\frac{35}{50}$

❺ $\frac{2}{9}=\frac{2\times6}{9\times6}=\frac{12}{54}$, $\frac{5}{6}=\frac{5\times9}{6\times9}=\frac{45}{54}$

❻ $\frac{1}{3}=\frac{1\times8}{3\times8}=\frac{8}{24}$, $\frac{5}{8}=\frac{5\times3}{8\times3}=\frac{15}{24}$

❼ $\frac{3}{4}=\frac{3\times9}{4\times9}=\frac{27}{36}$, $\frac{7}{9}=\frac{7\times4}{9\times4}=\frac{28}{36}$

❽ $\frac{4}{7}=\frac{4\times9}{7\times9}=\frac{36}{63}$, $\frac{4}{9}=\frac{4\times7}{9\times7}=\frac{28}{63}$

❾ $\frac{3}{4}=\frac{3\times14}{4\times14}=\frac{42}{56}$, $\frac{9}{14}=\frac{9\times4}{14\times4}=\frac{36}{56}$

❿ $\frac{7}{8}=\frac{7\times6}{8\times6}=\frac{42}{48}$, $\frac{1}{6}=\frac{1\times8}{6\times8}=\frac{8}{48}$

107쪽 똑똑한 계산 연습

❶ 3, 4
❷ 15, 14
❸ $\frac{4}{8}$, $\frac{3}{8}$
❹ $\frac{12}{21}$, $\frac{5}{21}$
❺ $\frac{9}{30}$, $\frac{4}{30}$
❻ $\frac{8}{36}$, $\frac{3}{36}$
❼ $\frac{21}{24}$, $\frac{10}{24}$
❽ $\frac{35}{60}$, $\frac{8}{60}$
❾ $\frac{15}{20}$, $\frac{14}{20}$
❿ $\frac{33}{45}$, $\frac{35}{45}$

❸ $\frac{1}{2}=\frac{1\times4}{2\times4}=\frac{4}{8}$

❹ $\frac{4}{7}=\frac{4\times3}{7\times3}=\frac{12}{21}$

❺ $\frac{3}{10}=\frac{3\times3}{10\times3}=\frac{9}{30}$, $\frac{2}{15}=\frac{2\times2}{15\times2}=\frac{4}{30}$

❻ $\frac{2}{9}=\frac{2\times4}{9\times4}=\frac{8}{36}$, $\frac{1}{12}=\frac{1\times3}{12\times3}=\frac{3}{36}$

❼ $\frac{7}{8}=\frac{7\times3}{8\times3}=\frac{21}{24}$, $\frac{5}{12}=\frac{5\times2}{12\times2}=\frac{10}{24}$

❽ $\frac{7}{12}=\frac{7\times5}{12\times5}=\frac{35}{60}$, $\frac{2}{15}=\frac{2\times4}{15\times4}=\frac{8}{60}$

❾ $\frac{3}{4}=\frac{3\times5}{4\times5}=\frac{15}{20}$, $\frac{7}{10}=\frac{7\times2}{10\times2}=\frac{14}{20}$

❿ $\frac{11}{15}=\frac{11\times3}{15\times3}=\frac{33}{45}$, $\frac{7}{9}=\frac{7\times5}{9\times5}=\frac{35}{45}$

108~109쪽 기초 집중 연습

1-1 $\frac{18}{24}, \frac{4}{24}$; $\frac{9}{12}, \frac{2}{12}$ **1-2** $\frac{28}{98}, \frac{35}{98}$; $\frac{4}{14}, \frac{5}{14}$

1-3 $\frac{70}{80}, \frac{24}{80}$; $\frac{35}{40}, \frac{12}{40}$ **1-4** $\frac{30}{54}, \frac{9}{54}$; $\frac{10}{18}, \frac{3}{18}$

1-5 $\frac{36}{56}, \frac{14}{56}$; $\frac{18}{28}, \frac{7}{28}$ **1-6** $\frac{42}{90}, \frac{75}{90}$; $\frac{14}{30}, \frac{25}{30}$

2-1 $\frac{3}{6}, \frac{4}{6}$ **2-2** $\frac{8}{24}, \frac{9}{24}$

2-3 $\frac{9}{12}, \frac{10}{12}$ **2-4** $\frac{8}{12}, \frac{9}{12}$

3-1 12, 20 **3-2** 15, 8 ; 30, 16

1-1 • $\left(\frac{3}{4}, \frac{1}{6}\right)$ ⇨ $\left(\frac{3\times6}{4\times6}, \frac{1\times4}{6\times4}\right)$ ⇨ $\left(\frac{18}{24}, \frac{4}{24}\right)$

• $\left(\frac{3}{4}, \frac{1}{6}\right)$ ⇨ $\left(\frac{3\times3}{4\times3}, \frac{1\times2}{6\times2}\right)$ ⇨ $\left(\frac{9}{12}, \frac{2}{12}\right)$

1-2 • $\left(\frac{2}{7}, \frac{5}{14}\right)$ ⇨ $\left(\frac{2\times14}{7\times14}, \frac{5\times7}{14\times7}\right)$ ⇨ $\left(\frac{28}{98}, \frac{35}{98}\right)$

• $\left(\frac{2}{7}, \frac{5}{14}\right)$ ⇨ $\left(\frac{2\times2}{7\times2}, \frac{5}{14}\right)$ ⇨ $\left(\frac{4}{14}, \frac{5}{14}\right)$

1-3 • $\left(\frac{7}{8}, \frac{3}{10}\right)$ ⇨ $\left(\frac{7\times10}{8\times10}, \frac{3\times8}{10\times8}\right)$ ⇨ $\left(\frac{70}{80}, \frac{24}{80}\right)$

• $\left(\frac{7}{8}, \frac{3}{10}\right)$ ⇨ $\left(\frac{7\times5}{8\times5}, \frac{3\times4}{10\times4}\right)$ ⇨ $\left(\frac{35}{40}, \frac{12}{40}\right)$

1-4 • $\left(\frac{5}{9}, \frac{1}{6}\right)$ ⇨ $\left(\frac{5\times6}{9\times6}, \frac{1\times9}{6\times9}\right)$ ⇨ $\left(\frac{30}{54}, \frac{9}{54}\right)$

• $\left(\frac{5}{9}, \frac{1}{6}\right)$ ⇨ $\left(\frac{5\times2}{9\times2}, \frac{1\times3}{6\times3}\right)$ ⇨ $\left(\frac{10}{18}, \frac{3}{18}\right)$

1-5 • $\left(\frac{9}{14}, \frac{1}{4}\right)$ ⇨ $\left(\frac{9\times4}{14\times4}, \frac{1\times14}{4\times14}\right)$ ⇨ $\left(\frac{36}{56}, \frac{14}{56}\right)$

• $\left(\frac{9}{14}, \frac{1}{4}\right)$ ⇨ $\left(\frac{9\times2}{14\times2}, \frac{1\times7}{4\times7}\right)$ ⇨ $\left(\frac{18}{28}, \frac{7}{28}\right)$

1-6 • $\left(\frac{7}{15}, \frac{5}{6}\right)$ ⇨ $\left(\frac{7\times6}{15\times6}, \frac{5\times15}{6\times15}\right)$ ⇨ $\left(\frac{42}{90}, \frac{75}{90}\right)$

• $\left(\frac{7}{15}, \frac{5}{6}\right)$ ⇨ $\left(\frac{7\times2}{15\times2}, \frac{5\times5}{6\times5}\right)$ ⇨ $\left(\frac{14}{30}, \frac{25}{30}\right)$

2-1 $\left(\frac{1}{2}, \frac{2}{3}\right)$ ⇨ $\left(\frac{1\times3}{2\times3}, \frac{2\times2}{3\times2}\right)$ ⇨ $\left(\frac{3}{6}, \frac{4}{6}\right)$

2-2 $\left(\frac{1}{3}, \frac{3}{8}\right)$ ⇨ $\left(\frac{1\times8}{3\times8}, \frac{3\times3}{8\times3}\right)$ ⇨ $\left(\frac{8}{24}, \frac{9}{24}\right)$

2-3 $\left(\frac{3}{4}, \frac{5}{6}\right)$ ⇨ $\left(\frac{3\times3}{4\times3}, \frac{5\times2}{6\times2}\right)$ ⇨ $\left(\frac{9}{12}, \frac{10}{12}\right)$

2-4 $\left(\frac{2}{3}, \frac{3}{4}\right)$ ⇨ $\left(\frac{2\times4}{3\times4}, \frac{3\times3}{4\times3}\right)$ ⇨ $\left(\frac{8}{12}, \frac{9}{12}\right)$

3-1 $\left(\frac{2}{5}, \frac{2}{3}\right)$ ⇨ $\left(\frac{2\times6}{5\times6}, \frac{2\times10}{3\times10}\right)$ ⇨ $\left(\frac{12}{30}, \frac{20}{30}\right)$

3-2 • $\left(\frac{5}{6}, \frac{4}{9}\right)$ ⇨ $\left(\frac{5\times3}{6\times3}, \frac{4\times2}{9\times2}\right)$ ⇨ $\left(\frac{15}{18}, \frac{8}{18}\right)$

• $\left(\frac{5}{6}, \frac{4}{9}\right)$ ⇨ $\left(\frac{5\times6}{6\times6}, \frac{4\times4}{9\times4}\right)$ ⇨ $\left(\frac{30}{36}, \frac{16}{36}\right)$

111쪽 똑똑한 계산 연습

❶ 5, 4, $>$ ❷ 25, 27, $<$

❸ $>$ ❹ $<$ ❺ $<$ ❻ $>$

❼ $>$ ❽ $<$ ❾ $>$ ❿ $>$

❸ $\left(\frac{3}{4}, \frac{1}{6}\right)$ ⇨ $\left(\frac{9}{12}, \frac{2}{12}\right)$ ⇨ $\frac{3}{4}>\frac{1}{6}$

❹ $\left(\frac{3}{8}, \frac{5}{12}\right)$ ⇨ $\left(\frac{9}{24}, \frac{10}{24}\right)$ ⇨ $\frac{3}{8}<\frac{5}{12}$

❺ $\left(\frac{4}{9}, \frac{5}{7}\right)$ ⇨ $\left(\frac{28}{63}, \frac{45}{63}\right)$ ⇨ $\frac{4}{9}<\frac{5}{7}$

❻ $\left(\frac{13}{45}, \frac{4}{15}\right)$ ⇨ $\left(\frac{13}{45}, \frac{12}{45}\right)$ ⇨ $\frac{13}{45}>\frac{4}{15}$

❼ $\left(\frac{6}{13}, \frac{2}{5}\right)$ ⇨ $\left(\frac{30}{65}, \frac{26}{65}\right)$ ⇨ $\frac{6}{13}>\frac{2}{5}$

❽ $\left(\frac{1}{4}, \frac{3}{10}\right)$ ⇨ $\left(\frac{5}{20}, \frac{6}{20}\right)$ ⇨ $\frac{1}{4}<\frac{3}{10}$

❾ $\left(\frac{11}{15}, \frac{7}{10}\right)$ ⇨ $\left(\frac{22}{30}, \frac{21}{30}\right)$ ⇨ $\frac{11}{15}>\frac{7}{10}$

❿ $\left(\frac{5}{12}, \frac{7}{18}\right)$ ⇨ $\left(\frac{15}{36}, \frac{14}{36}\right)$ ⇨ $\frac{5}{12}>\frac{7}{18}$

113쪽 똑똑한 계산 연습

❶ $>$, $<$, $<$; $\frac{7}{10}$, $\frac{3}{5}$, $\frac{1}{3}$

❷ $<$, $>$, $<$; $\frac{7}{8}$, $\frac{5}{6}$, $\frac{3}{4}$

❸ $\frac{9}{10}$, $\frac{4}{5}$, $\frac{2}{3}$ ❹ $\frac{5}{6}$, $\frac{2}{3}$, $\frac{3}{5}$

❺ $\frac{11}{16}$, $\frac{7}{12}$, $\frac{3}{8}$ ❻ $\frac{5}{12}$, $\frac{1}{4}$, $\frac{2}{9}$

❸ $\left(\frac{4}{5}, \frac{9}{10}\right) \rightarrow \left(\frac{8}{10}, \frac{9}{10}\right) \rightarrow \frac{4}{5} < \frac{9}{10}$

$\left(\frac{9}{10}, \frac{2}{3}\right) \rightarrow \left(\frac{27}{30}, \frac{20}{30}\right) \rightarrow \frac{9}{10} > \frac{2}{3}$

$\left(\frac{4}{5}, \frac{2}{3}\right) \rightarrow \left(\frac{12}{15}, \frac{10}{15}\right) \rightarrow \frac{4}{5} > \frac{2}{3}$

⇨ $\frac{9}{10} > \frac{4}{5} > \frac{2}{3}$

다른 풀이

세 분수를 한꺼번에 통분하여 비교할 수도 있습니다.

$\left(\frac{4}{5}, \frac{9}{10}, \frac{2}{3}\right)$ ⇨ $\left(\frac{24}{30}, \frac{27}{30}, \frac{20}{30}\right)$

⇨ $\frac{9}{10} > \frac{4}{5} > \frac{2}{3}$

❹ $\left(\frac{5}{6}, \frac{3}{5}\right) \rightarrow \left(\frac{25}{30}, \frac{18}{30}\right) \rightarrow \frac{5}{6} > \frac{3}{5}$

$\left(\frac{3}{5}, \frac{2}{3}\right) \rightarrow \left(\frac{9}{15}, \frac{10}{15}\right) \rightarrow \frac{3}{5} < \frac{2}{3}$

$\left(\frac{5}{6}, \frac{2}{3}\right) \rightarrow \left(\frac{5}{6}, \frac{4}{6}\right) \rightarrow \frac{5}{6} > \frac{2}{3}$

⇨ $\frac{5}{6} > \frac{2}{3} > \frac{3}{5}$

❺ $\left(\frac{3}{8}, \frac{7}{12}\right) \rightarrow \left(\frac{9}{24}, \frac{14}{24}\right) \rightarrow \frac{3}{8} < \frac{7}{12}$

$\left(\frac{7}{12}, \frac{11}{16}\right) \rightarrow \left(\frac{28}{48}, \frac{33}{48}\right) \rightarrow \frac{7}{12} < \frac{11}{16}$

⇨ $\frac{11}{16} > \frac{7}{12} > \frac{3}{8}$

❻ $\left(\frac{1}{4}, \frac{5}{12}\right) \rightarrow \left(\frac{3}{12}, \frac{5}{12}\right) \rightarrow \frac{1}{4} < \frac{5}{12}$

$\left(\frac{5}{12}, \frac{2}{9}\right) \rightarrow \left(\frac{15}{36}, \frac{8}{36}\right) \rightarrow \frac{5}{12} > \frac{2}{9}$

$\left(\frac{1}{4}, \frac{2}{9}\right) \rightarrow \left(\frac{9}{36}, \frac{8}{36}\right) \rightarrow \frac{1}{4} > \frac{2}{9}$

⇨ $\frac{5}{12} > \frac{1}{4} > \frac{2}{9}$

114~115쪽 기초 집중 연습

1-1 $\frac{2}{3}$에 ○표 **1-2** $\frac{7}{8}$에 ○표

1-3 $\frac{5}{6}$에 ○표 **1-4** $\frac{2}{5}$에 ○표

2-1 $\frac{1}{2}$ **2-2** $\frac{11}{12}$ **2-3** $\frac{5}{6}$ **2-4** $\frac{11}{14}$

3-1 (○)( ) **3-2** ( )(○)

3-3 ( )(○) **3-4** (○)( )

4-1 $<$, 콜라 **4-2** $<$, 빨강 끈

1-1 $\left(\frac{4}{9}, \frac{2}{3}\right)$ ⇨ $\left(\frac{4}{9}, \frac{6}{9}\right)$ ⇨ $\frac{4}{9} < \frac{2}{3}$

1-2 $\left(\frac{7}{8}, \frac{3}{4}\right)$ ⇨ $\left(\frac{7}{8}, \frac{6}{8}\right)$ ⇨ $\frac{7}{8} > \frac{3}{4}$

1-3 $\left(\frac{5}{6}, \frac{7}{9}\right)$ ⇨ $\left(\frac{15}{18}, \frac{14}{18}\right)$ ⇨ $\frac{5}{6} > \frac{7}{9}$

1-4 $\left(\frac{1}{4}, \frac{2}{5}\right)$ ⇨ $\left(\frac{5}{20}, \frac{8}{20}\right)$ ⇨ $\frac{1}{4} < \frac{2}{5}$

2-1 $\left(\frac{1}{2}, \frac{3}{8}\right) \rightarrow \left(\frac{4}{8}, \frac{3}{8}\right) \rightarrow \frac{1}{2} > \frac{3}{8}$

$\left(\frac{3}{8}, \frac{5}{16}\right) \rightarrow \left(\frac{6}{16}, \frac{5}{16}\right) \rightarrow \frac{3}{8} > \frac{5}{16}$

⇨ $\frac{1}{2} > \frac{3}{8} > \frac{5}{16}$

2-2 $\left(\frac{5}{8}, \frac{11}{12}\right) \rightarrow \left(\frac{15}{24}, \frac{22}{24}\right) \rightarrow \frac{5}{8} < \frac{11}{12}$

$\left(\frac{11}{12}, \frac{13}{24}\right) \rightarrow \left(\frac{22}{24}, \frac{13}{24}\right) \rightarrow \frac{11}{12} > \frac{13}{24}$

$\left(\frac{5}{8}, \frac{13}{24}\right) \rightarrow \left(\frac{15}{24}, \frac{13}{24}\right) \rightarrow \frac{5}{8} > \frac{13}{24}$

⇨ $\frac{11}{12} > \frac{5}{8} > \frac{13}{24}$

2-3 $\left(\frac{8}{15}, \frac{4}{9}\right) \rightarrow \left(\frac{24}{45}, \frac{20}{45}\right) \rightarrow \frac{8}{15} > \frac{4}{9}$

$\left(\frac{4}{9}, \frac{5}{6}\right) \rightarrow \left(\frac{8}{18}, \frac{15}{18}\right) \rightarrow \frac{4}{9} < \frac{5}{6}$

$\left(\frac{8}{15}, \frac{5}{6}\right) \rightarrow \left(\frac{16}{30}, \frac{25}{30}\right) \rightarrow \frac{8}{15} < \frac{5}{6}$

⇨ $\frac{5}{6} > \frac{8}{15} > \frac{4}{9}$

2-4 $\left(\frac{11}{14}, \frac{4}{7}\right) \rightarrow \left(\frac{11}{14}, \frac{8}{14}\right) \rightarrow \frac{11}{14} > \frac{4}{7}$

$\left(\frac{4}{7}, \frac{13}{21}\right) \rightarrow \left(\frac{12}{21}, \frac{13}{21}\right) \rightarrow \frac{4}{7} < \frac{13}{21}$

$\left(\frac{11}{14}, \frac{13}{21}\right) \rightarrow \left(\frac{33}{42}, \frac{26}{42}\right) \rightarrow \frac{11}{14} > \frac{13}{21}$

$\Rightarrow \frac{11}{14} > \frac{13}{21} > \frac{4}{7}$

3-1 $\left(1\frac{1}{2}, 1\frac{11}{20}\right) \Rightarrow \left(1\frac{10}{20}, 1\frac{11}{20}\right) \Rightarrow 1\frac{1}{2} < 1\frac{11}{20}$

3-2 $\left(1\frac{9}{20}, 1\frac{3}{8}\right) \Rightarrow \left(1\frac{18}{40}, 1\frac{15}{40}\right) \Rightarrow 1\frac{9}{20} > 1\frac{3}{8}$

3-3 $\left(1\frac{3}{5}, 1\frac{13}{25}\right) \Rightarrow \left(1\frac{15}{25}, 1\frac{13}{25}\right) \Rightarrow 1\frac{3}{5} > 1\frac{13}{25}$

3-4 $\left(1\frac{7}{10}, 1\frac{3}{4}\right) \Rightarrow \left(1\frac{14}{20}, 1\frac{15}{20}\right) \Rightarrow 1\frac{7}{10} < 1\frac{3}{4}$

4-1 $\left(1\frac{7}{8}, 1\frac{9}{10}\right) \Rightarrow \left(1\frac{35}{40}, 1\frac{36}{40}\right) \Rightarrow 1\frac{7}{8} < 1\frac{9}{10}$

4-2 $\left(2\frac{3}{8}, 2\frac{7}{12}\right) \Rightarrow \left(2\frac{9}{24}, 2\frac{14}{24}\right) \Rightarrow 2\frac{3}{8} < 2\frac{7}{12}$

117쪽 똑똑한 계산 연습

❶ 7, 7, =　　❷ 0.7, 0.8, <
❸ >　❹ >　❺ <　❻ >
❼ =　❽ <　❾ <　❿ >

❸ $\left(\frac{21}{30}, \frac{12}{20}\right) \Rightarrow \left(\frac{7}{10}, \frac{6}{10}\right) \Rightarrow \frac{21}{30} > \frac{12}{20}$

❹ $\left(\frac{32}{40}, \frac{25}{50}\right) \Rightarrow \left(\frac{8}{10}, \frac{5}{10}\right)$
$\Rightarrow (0.8, 0.5) \Rightarrow \frac{32}{40} > \frac{25}{50}$

❺ $\left(\frac{35}{50}, \frac{64}{80}\right) \Rightarrow \left(\frac{7}{10}, \frac{8}{10}\right) \Rightarrow \frac{35}{50} < \frac{64}{80}$

❻ $\left(\frac{15}{30}, \frac{16}{40}\right) \Rightarrow \left(\frac{5}{10}, \frac{4}{10}\right)$
$\Rightarrow (0.5, 0.4) \Rightarrow \frac{15}{30} > \frac{16}{40}$

❼ $\left(\frac{36}{60}, \frac{54}{90}\right) \Rightarrow \left(\frac{6}{10}, \frac{6}{10}\right) \Rightarrow \frac{36}{60} = \frac{54}{90}$

❽ $\left(\frac{40}{50}, \frac{63}{70}\right) \Rightarrow \left(\frac{8}{10}, \frac{9}{10}\right)$
$\Rightarrow (0.8, 0.9) \Rightarrow \frac{40}{50} < \frac{63}{70}$

❾ $\left(\frac{14}{70}, \frac{9}{30}\right) \Rightarrow \left(\frac{2}{10}, \frac{3}{10}\right) \Rightarrow \frac{14}{70} < \frac{9}{30}$

❿ $\left(\frac{18}{20}, \frac{28}{40}\right) \Rightarrow \left(\frac{9}{10}, \frac{7}{10}\right)$
$\Rightarrow (0.9, 0.7) \Rightarrow \frac{18}{20} > \frac{28}{40}$

119쪽 똑똑한 계산 연습

❶ 0.2, <　　❷ 9, >
❸ >　❹ =　❺ >　❻ <
❼ <　❽ >　❾ =　❿ <

참고

분수와 소수의 크기 비교하기
⇨ 분수를 소수로 나타내거나 소수를 분수로 나타내어 크기를 비교합니다.

❸ $\frac{3}{5}=0.6 \Rightarrow \frac{3}{5}>0.5$

❹ $0.5=\frac{5}{10}=\frac{1}{2} \Rightarrow 0.5=\frac{1}{2}$

❺ $\frac{7}{20}=0.35 \Rightarrow \frac{7}{20}>0.3$

❻ $0.5=\frac{5}{10}=\frac{25}{50} \Rightarrow 0.5<\frac{27}{50}$

❼ $\frac{1}{4}=0.25 \Rightarrow \frac{1}{4}<0.4$

❽ $0.45=\frac{45}{100}=\frac{9}{20} \Rightarrow 0.45>\frac{3}{20}$

❾ $\frac{11}{20}=0.55 \Rightarrow \frac{11}{20}=0.55$

❿ $1.12=1\frac{12}{100}=1\frac{3}{25} \Rightarrow 1.12<1\frac{4}{25}$

120~121쪽 기초 집중 연습

1-1 $\frac{45}{50}$　1-2 $\frac{18}{30}$　1-3 0.2　1-4 $\frac{3}{4}$
2-1 0.9에 ○표　2-2 0.46에 ○표
2-3 0.21에 ○표　2-4 $1\frac{1}{2}$에 ○표
3-1 (○)(　)　3-2 (　)(○)
3-3 (　)(○)　3-4 (○)(　)
4-1 $>$, 쌀　4-2 $>$, 고양이

1-1 $\left(\frac{16}{20}, \frac{45}{50}\right) \Rightarrow \left(\frac{8}{10}, \frac{9}{10}\right) \Rightarrow \frac{16}{20} < \frac{45}{50}$

1-2 $\left(\frac{18}{30}, \frac{30}{60}\right) \Rightarrow \left(\frac{6}{10}, \frac{5}{10}\right) \Rightarrow \frac{18}{30} > \frac{30}{60}$

1-3 $\frac{3}{20} = \frac{15}{100} = 0.15 \Rightarrow \frac{3}{20} < 0.2$

1-4 $\frac{3}{4} = \frac{75}{100} = 0.75 \Rightarrow \frac{3}{4} > 0.65$

2-1 $\frac{4}{5} = \frac{8}{10} = 0.8 \Rightarrow 0.9 > \frac{4}{5} > 0.7$

2-2 $\frac{9}{20} = \frac{45}{100} = 0.45 \Rightarrow 0.46 > \frac{9}{20} > 0.3$

2-3 $\frac{3}{50} = 0.06, \frac{1}{5} = 0.2 \Rightarrow 0.21 > \frac{1}{5} > \frac{3}{50}$

2-4 $1\frac{1}{4} = 1.25, 1\frac{1}{2} = 1.5 \Rightarrow 1\frac{1}{2} > 1.3 > 1\frac{1}{4}$

3-1 $\frac{1}{4} = \frac{25}{100} = 0.25 \Rightarrow \frac{1}{4} < 0.3$

3-2 $\frac{1}{2} = \frac{5}{10} = 0.5 \Rightarrow \frac{1}{2} > 0.45$

3-3 $1\frac{3}{20} = 1\frac{15}{100} = 1.15 \Rightarrow 1\frac{3}{20} > 1.05$

3-4 $1\frac{7}{50} = 1\frac{14}{100} = 1.14 \Rightarrow 1\frac{7}{50} < 1.2$

4-1 $2\frac{2}{5} = 2\frac{4}{10} = 2.4 \Rightarrow 2.5 > 2.4$

4-2 $3\frac{3}{4} = 3\frac{75}{100} = 3.75 \Rightarrow 3\frac{3}{4} > 3.7$

122~123쪽 누구나 100점 맞는 TEST

❶ 6　❷ 4　❸ 18
❹ 9　❺ $\frac{1}{2}$　❻ $\frac{3}{4}$
❼ $\frac{2}{7}$　❽ $\frac{3}{5}$　❾ $\frac{1}{6}$
❿ $\frac{3}{8}$　⓫ 24, 25　⓬ 14, 12
⓭ 15, 28　⓮ 3, 8
⓯ $<$　⓰ $>$
⓱ $<$　⓲ $=$
⓳ $>$　⓴ $<$

❺ 8과 4의 최대공약수: 4
$\Rightarrow \frac{4}{8} = \frac{4 \div 4}{8 \div 4} = \frac{1}{2}$

❻ 16과 12의 최대공약수: 4
$\Rightarrow \frac{12}{16} = \frac{12 \div 4}{16 \div 4} = \frac{3}{4}$

❼ 35와 10의 최대공약수: 5
$\Rightarrow \frac{10}{35} = \frac{10 \div 5}{35 \div 5} = \frac{2}{7}$

❽ 50과 30의 최대공약수: 10
$\Rightarrow \frac{30}{50} = \frac{30 \div 10}{50 \div 10} = \frac{3}{5}$

❾ 48과 8의 최대공약수: 8
$\Rightarrow \frac{8}{48} = \frac{8 \div 8}{48 \div 8} = \frac{1}{6}$

❿ 56과 21의 최대공약수: 7
$\Rightarrow \frac{21}{56} = \frac{21 \div 7}{56 \div 7} = \frac{3}{8}$

⓫ $\left(\frac{4}{5}, \frac{5}{6}\right) \Rightarrow \left(\frac{4 \times 6}{5 \times 6}, \frac{5 \times 5}{6 \times 5}\right) \Rightarrow \left(\frac{24}{30}, \frac{25}{30}\right)$

⓬ $\left(\frac{2}{3}, \frac{4}{7}\right) \Rightarrow \left(\frac{2 \times 7}{3 \times 7}, \frac{4 \times 3}{7 \times 3}\right) \Rightarrow \left(\frac{14}{21}, \frac{12}{21}\right)$

⓭ $\left(\frac{3}{8}, \frac{7}{10}\right) \Rightarrow \left(\frac{3 \times 5}{8 \times 5}, \frac{7 \times 4}{10 \times 4}\right) \Rightarrow \left(\frac{15}{40}, \frac{28}{40}\right)$

⓮ $\left(\frac{1}{6}, \frac{4}{9}\right) \Rightarrow \left(\frac{1 \times 3}{6 \times 3}, \frac{4 \times 2}{9 \times 2}\right) \Rightarrow \left(\frac{3}{18}, \frac{8}{18}\right)$

⑮ $\left(\frac{3}{4}, \frac{5}{6}\right) \Rightarrow \left(\frac{9}{12}, \frac{10}{12}\right) \Rightarrow \frac{3}{4}<\frac{5}{6}$

⑯ $\left(\frac{5}{9}, \frac{7}{15}\right) \Rightarrow \left(\frac{25}{45}, \frac{21}{45}\right) \Rightarrow \frac{5}{9}>\frac{7}{15}$

⑰ $\left(\frac{3}{8}, \frac{7}{12}\right) \Rightarrow \left(\frac{9}{24}, \frac{14}{24}\right) \Rightarrow \frac{3}{8}<\frac{7}{12}$

⑱ $\left(\frac{18}{20}, \frac{27}{30}\right) \Rightarrow \left(\frac{9}{10}, \frac{9}{10}\right) \Rightarrow \frac{18}{20}=\frac{27}{30}$

⑲ $\frac{9}{20}=0.45 \Rightarrow 0.5>\frac{9}{20}$

⑳ $1\frac{4}{25}=1.16 \Rightarrow 1.12<1\frac{4}{25}$

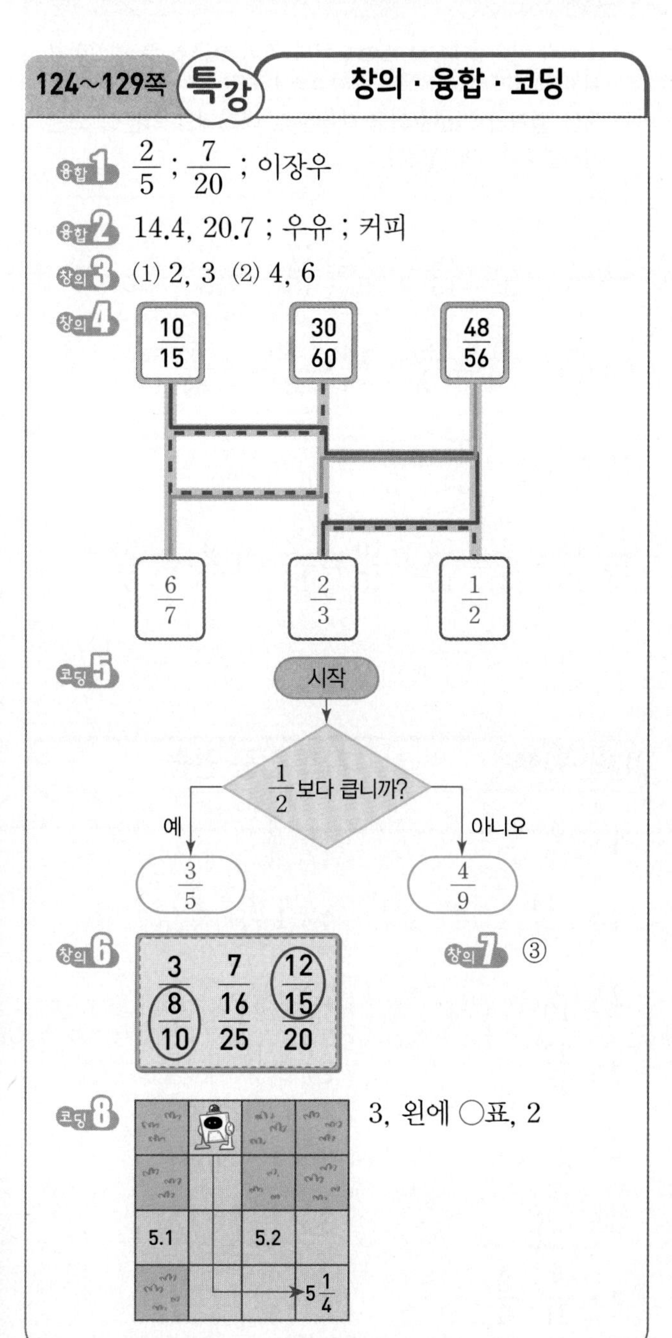

124~129쪽 특강 창의 · 융합 · 코딩

융합 1 $\frac{2}{5}$; $\frac{7}{20}$; 이장우

융합 2 14.4, 20.7 ; 우유 ; 커피

창의 3 (1) 2, 3 (2) 4, 6

창의 4

코딩 5

창의 6

창의 7 ③

코딩 8 3, 왼에 ○표, 2

융합 1 $\frac{60}{150}=\frac{60\div30}{150\div30}=\frac{2}{5}$, $\frac{49}{140}=\frac{49\div7}{140\div7}=\frac{7}{20}$

$\left(\frac{2}{5}, \frac{7}{20}\right) \Rightarrow \left(\frac{8}{20}, \frac{7}{20}\right) \Rightarrow \frac{2}{5}>\frac{7}{20}$이므로

이장우 선수의 타격 성적이 더 좋습니다.

융합 2 $14\frac{2}{5}=14\frac{4}{10}=14.4$, $20\frac{7}{10}=20.7$

$\Rightarrow 20\frac{7}{10}>20.1>14\frac{2}{5}$이므로 1 mL를 정화하는 데 우유가 물이 가장 많이 필요하고, 커피가 물이 가장 적게 필요합니다.

창의 4 $\frac{\overset{2}{\cancel{10}}}{\underset{3}{\cancel{15}}}=\frac{2}{3}$, $\frac{\overset{1}{\cancel{30}}}{\underset{2}{\cancel{60}}}=\frac{1}{2}$, $\frac{\overset{6}{\cancel{48}}}{\underset{7}{\cancel{56}}}=\frac{6}{7}$

코딩 5 • $\left(\frac{3}{5}, \frac{1}{2}\right) \Rightarrow \left(\frac{6}{10}, \frac{5}{10}\right) \Rightarrow \frac{3}{5}>\frac{1}{2}$

• $\left(\frac{4}{9}, \frac{1}{2}\right) \Rightarrow \left(\frac{8}{18}, \frac{9}{18}\right) \Rightarrow \frac{4}{9}<\frac{1}{2}$

창의 6 $\frac{4}{5}=\frac{4\times2}{5\times2}=\frac{8}{10}$, $\frac{4}{5}=\frac{4\times3}{5\times3}=\frac{12}{15}$

창의 7

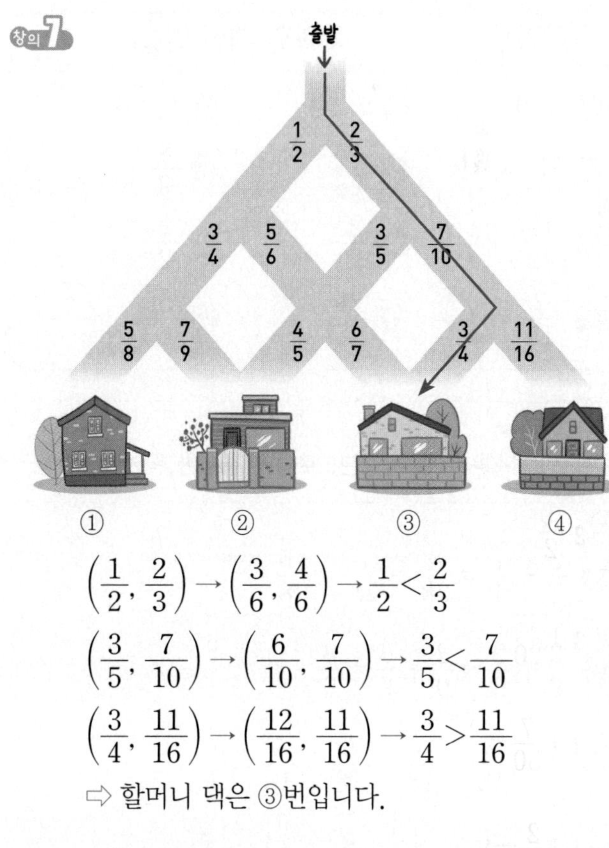

$\left(\frac{1}{2}, \frac{2}{3}\right) \rightarrow \left(\frac{3}{6}, \frac{4}{6}\right) \rightarrow \frac{1}{2}<\frac{2}{3}$

$\left(\frac{3}{5}, \frac{7}{10}\right) \rightarrow \left(\frac{6}{10}, \frac{7}{10}\right) \rightarrow \frac{3}{5}<\frac{7}{10}$

$\left(\frac{3}{4}, \frac{11}{16}\right) \rightarrow \left(\frac{12}{16}, \frac{11}{16}\right) \rightarrow \frac{3}{4}>\frac{11}{16}$

$\Rightarrow$ 할머니 댁은 ③번입니다.

코딩 8 $5\frac{1}{4}=5\frac{25}{100}=5.25$

$\Rightarrow 5\frac{1}{4}>5.2>5.1$

4주 분수의 덧셈과 뺄셈

132~133쪽 이번에 배울 내용을 알아볼까요? ②

1-1 4, 5　　1-2 1, 1

1-3 6, 11, $\boxed{1}\frac{\boxed{2}}{9}$　　1-4 8, 2, 6

2-1 8, 9　　2-2 4, 9

2-3 $\frac{9}{15}$, $\frac{8}{15}$　　2-4 $\frac{9}{36}$, $\frac{16}{36}$

1-3 분모는 그대로 두고 분자끼리 더한 다음 계산 결과가 가분수이면 대분수로 나타냅니다.

1-4 분모는 그대로 두고 분자끼리 뺍니다.

2-1 $\left(\frac{2}{3}, \frac{3}{4}\right) \Rightarrow \left(\frac{2\times4}{3\times4}, \frac{3\times3}{4\times3}\right) \Rightarrow \left(\frac{8}{12}, \frac{9}{12}\right)$

2-3 $\left(\frac{3}{5}, \frac{8}{15}\right) \Rightarrow \left(\frac{3\times3}{5\times3}, \frac{8}{15}\right) \Rightarrow \left(\frac{9}{15}, \frac{8}{15}\right)$

135쪽 똑똑한 계산 연습

❶ 4, 9　❷ 7, 22　❸ 8, 29

❹ 15, 4, 19　❺ $\frac{15}{28}$　❻ $\frac{8}{9}$

❼ $\frac{19}{42}$　❽ $\frac{23}{24}$　❾ $\frac{1}{2}$

❿ $\frac{7}{15}$　⓫ $\frac{29}{30}$　⓬ $\frac{58}{63}$

참고

분모의 최소공배수를 공통분모로 하여 통분한 후 계산합니다.

❺ $\frac{2}{7}+\frac{1}{4}=\frac{8}{28}+\frac{7}{28}=\frac{15}{28}$

❻ $\frac{2}{9}+\frac{2}{3}=\frac{2}{9}+\frac{6}{9}=\frac{8}{9}$

❾ $\frac{2}{9}+\frac{5}{18}=\frac{4}{18}+\frac{5}{18}=\frac{9}{18}=\frac{1}{2}$

❿ $\frac{1}{6}+\frac{3}{10}=\frac{5}{30}+\frac{9}{30}=\frac{14}{30}=\frac{7}{15}$

⓫ $\frac{5}{6}+\frac{2}{15}=\frac{25}{30}+\frac{4}{30}=\frac{29}{30}$

137쪽 똑똑한 계산 연습

❶ 9, 19, $\boxed{1}\frac{\boxed{4}}{15}$　❷ 6, 11, $\boxed{1}\frac{\boxed{3}}{8}$

❸ 16, 35, 15, $\boxed{1}\frac{\boxed{3}}{4}$

❹ $1\frac{2}{15}$　❺ $1\frac{5}{84}$　❻ $1\frac{7}{30}$

❼ $1\frac{23}{72}$　❽ $1\frac{5}{24}$　❾ $1\frac{7}{36}$

❿ $1\frac{13}{18}$　⓫ $1\frac{3}{5}$

참고

• 분모의 최소공배수를 공통분모로 하여 통분한 후 계산하고 계산 결과가 가분수이면 대분수로 나타냅니다.
• 계산 결과가 가분수이면 대분수로 나타내고 약분이 되면 기약분수로 나타냅니다.

❹ $\frac{4}{5}+\frac{1}{3}=\frac{12}{15}+\frac{5}{15}=\frac{17}{15}=1\frac{2}{15}$

❺ $\frac{5}{12}+\frac{9}{14}=\frac{35}{84}+\frac{54}{84}=\frac{89}{84}=1\frac{5}{84}$

❻ $\frac{5}{6}+\frac{2}{5}=\frac{25}{30}+\frac{12}{30}=\frac{37}{30}=1\frac{7}{30}$

⓫ $\frac{14}{15}+\frac{2}{3}=\frac{14}{15}+\frac{10}{15}=\frac{24}{15}=1\frac{9}{15}=1\frac{3}{5}$

138~139쪽 기초 집중 연습

1-1 $\frac{5}{12}$　　1-2 $\frac{3}{5}$

1-3 $1\frac{11}{35}$　　1-4 $1\frac{1}{14}$

2-1 $\frac{7}{10}$　　2-2 $1\frac{7}{24}$

2-3 $\frac{22}{45}$　　2-4 $1\frac{1}{4}$

3-1 $\frac{1}{8}$, $\frac{3}{8}$　　3-2 $\frac{5}{9}$, $1\frac{17}{63}$

3-3 $1\frac{13}{36}$　　3-4 $\frac{13}{15}$

4-1 $\frac{8}{21}$, $\frac{2}{3}$　　4-2 $\frac{3}{5}$, $1\frac{6}{35}$

1-2 $\frac{4}{15}+\frac{1}{3}=\frac{4}{15}+\frac{5}{15}=\frac{9}{15}=\frac{3}{5}$

1-4 $\frac{1}{6}+\frac{19}{21}=\frac{7}{42}+\frac{38}{42}=\frac{45}{42}=1\frac{3}{42}=1\frac{1}{14}$

2-1 $\frac{3}{10}+\frac{2}{5}=\frac{3}{10}+\frac{4}{10}=\frac{7}{10}$

2-2 $\frac{7}{8}+\frac{5}{12}=\frac{21}{24}+\frac{10}{24}=\frac{31}{24}=1\frac{7}{24}$

3-1 $\frac{1}{4}+\frac{1}{8}=\frac{2}{8}+\frac{1}{8}=\frac{3}{8}$ (L)

3-4 $\frac{1}{6}+\frac{7}{10}=\frac{5}{30}+\frac{21}{30}=\frac{26}{30}=\frac{13}{15}$ (L)

4-1 (빨간색 테이프의 길이)+(파란색 테이프의 길이)
$=\frac{2}{7}+\frac{8}{21}=\frac{6}{21}+\frac{8}{21}=\frac{14}{21}=\frac{2}{3}$ (m)

4-2 (선우가 동화책을 읽은 시간)
+(민경이가 동화책을 읽은 시간)
$=\frac{3}{5}+\frac{4}{7}=\frac{21}{35}+\frac{20}{35}=\frac{41}{35}=1\frac{6}{35}$(시간)

141쪽 똑똑한 계산 연습

❶ 4, $\boxed{1}\frac{\boxed{17}}{18}$ ❷ 4, 5, $\boxed{2}\frac{\boxed{1}}{2}$

❸ 19, 57, 65, $\boxed{3}\frac{\boxed{11}}{18}$

❹ $1\frac{25}{42}$ ❺ $3\frac{31}{35}$ ❻ $4\frac{31}{40}$

❼ $1\frac{19}{24}$ ❽ $2\frac{2}{3}$ ❾ $2\frac{33}{35}$

❿ $2\frac{29}{48}$ ⓫ $3\frac{5}{12}$

참고

- 자연수는 그대로, 분수는 분수끼리 계산한 후 계산 결과가 약분이 되면 기약분수로 나타냅니다.
- 대분수를 가분수로 나타내어 계산한 후 계산 결과는 대분수로 나타냅니다.

❹ $1\frac{1}{6}+\frac{3}{7}=1\frac{7}{42}+\frac{18}{42}=1\frac{25}{42}$

❺ $\frac{3}{5}+3\frac{2}{7}=\frac{21}{35}+3\frac{10}{35}=3\frac{31}{35}$

❼ $\frac{5}{8}+1\frac{1}{6}=\frac{5}{8}+\frac{7}{6}=\frac{15}{24}+\frac{28}{24}=\frac{43}{24}=1\frac{19}{24}$

❽ $2\frac{5}{12}+\frac{1}{4}=2\frac{5}{12}+\frac{3}{12}=2\frac{8}{12}=2\frac{2}{3}$

❿ $2\frac{5}{12}+\frac{3}{16}=2\frac{20}{48}+\frac{9}{48}=2\frac{29}{48}$

⓫ $\frac{9}{28}+3\frac{2}{21}=\frac{27}{84}+3\frac{8}{84}=3\frac{35}{84}=3\frac{5}{12}$

143쪽 똑똑한 계산 연습

❶ 14, 23, $\boxed{2}\frac{\boxed{5}}{18}$ ❷ 15, 47, $\boxed{4}\frac{\boxed{7}}{40}$

❸ 28, 49, $\boxed{2}\frac{\boxed{1}}{24}$

❹ $3\frac{1}{28}$ ❺ $2\frac{17}{24}$ ❻ $5\frac{2}{9}$

❼ $3\frac{7}{40}$ ❽ $2\frac{6}{35}$ ❾ $7\frac{7}{10}$

❿ $4\frac{5}{12}$ ⓫ $3\frac{37}{54}$

참고

- 분모의 최소공배수를 공통분모로 하여 통분한 후 계산하고 계산 결과가 가분수이면 대분수로 나타냅니다.
- 대분수를 가분수로 나타내어 계산한 후 계산 결과는 대분수로 나타냅니다.

❹ $2\frac{2}{7}+\frac{3}{4}=2\frac{8}{28}+\frac{21}{28}=2\frac{29}{28}=3\frac{1}{28}$

❺ $\frac{7}{8}+1\frac{5}{6}=\frac{21}{24}+1\frac{20}{24}=1\frac{41}{24}=2\frac{17}{24}$

❻ $4\frac{2}{3}+\frac{5}{9}=\frac{14}{3}+\frac{5}{9}=\frac{42}{9}+\frac{5}{9}=\frac{47}{9}=5\frac{2}{9}$

❾ $\frac{5}{6}+6\frac{13}{15}=\frac{25}{30}+6\frac{26}{30}=6\frac{51}{30}=7\frac{21}{30}=7\frac{7}{10}$

❿ $3\frac{13}{15}+\frac{11}{20}=3\frac{52}{60}+\frac{33}{60}=3\frac{85}{60}=4\frac{25}{60}=4\frac{5}{12}$

⓫ $\frac{20}{27}+2\frac{17}{18}=\frac{40}{54}+2\frac{51}{54}=2\frac{91}{54}=3\frac{37}{54}$

144~145쪽 기초 집중 연습

1-1 $1\frac{7}{8}$
1-2 $3\frac{4}{15}$
1-3 $4\frac{4}{21}$
1-4 $5\frac{34}{99}$
2-1 $2\frac{43}{72}$
2-2 $2\frac{25}{36}$
2-3 $4\frac{11}{12}$
2-4 $2\frac{7}{60}$
3-1 $3\frac{1}{6}$, $3\frac{7}{15}$
3-2 $1\frac{2}{3}$, $2\frac{7}{24}$
3-3 $6\frac{8}{45}$
3-4 $3\frac{41}{42}$
4-1 $\frac{7}{10}$, $2\frac{9}{20}$
4-2 $\frac{5}{6}$, $1\frac{1}{8}$, $1\frac{23}{24}$

1-2 $2\frac{3}{5}+\frac{2}{3}=\frac{13}{5}+\frac{2}{3}=\frac{39}{15}+\frac{10}{15}=\frac{49}{15}=3\frac{4}{15}$

1-3 $\frac{5}{14}+3\frac{5}{6}=\frac{15}{42}+3\frac{35}{42}=3\frac{50}{42}=4\frac{8}{42}=4\frac{4}{21}$

2-3 $\frac{31}{60}+4\frac{2}{5}=\frac{31}{60}+4\frac{24}{60}=4\frac{55}{60}=4\frac{11}{12}$

3-3 $5\frac{2}{5}+\frac{7}{9}=5\frac{18}{45}+\frac{35}{45}=5\frac{53}{45}=6\frac{8}{45}$ (L)

3-4 $\frac{5}{14}+3\frac{13}{21}=\frac{15}{42}+3\frac{26}{42}=3\frac{41}{42}$ (L)

4-1 (한 도막의 길이)+(다른 한 도막의 길이)
$=1\frac{3}{4}+\frac{7}{10}=1\frac{15}{20}+\frac{14}{20}=1\frac{29}{20}=2\frac{9}{20}$ (m)

4-2 (어제 달린 거리)+(오늘 달린 거리)
$=\frac{5}{6}+1\frac{1}{8}=\frac{20}{24}+1\frac{3}{24}=1\frac{23}{24}$ (km)

147쪽 똑똑한 계산 연습

❶ 3, 11, $2\frac{11}{12}$
❷ 2, 1, 7, $6\frac{7}{8}$
❸ 9, 63, 103, $2\frac{33}{35}$
❹ $7\frac{2}{3}$
❺ $4\frac{31}{36}$
❻ $3\frac{11}{14}$
❼ $5\frac{13}{24}$
❽ $3\frac{9}{10}$
❾ $3\frac{10}{21}$

참고
- 자연수는 자연수끼리, 분수는 분수끼리 계산합니다.
- 대분수는 가분수로 나타내어 계산한 후 계산 결과는 대분수로 나타냅니다.

❹ $5\frac{1}{2}+2\frac{1}{6}=5\frac{3}{6}+2\frac{1}{6}=7\frac{4}{6}=7\frac{2}{3}$

❺ $2\frac{5}{12}+2\frac{4}{9}=2\frac{15}{36}+2\frac{16}{36}=4\frac{31}{36}$

❼ $1\frac{3}{8}+4\frac{1}{6}=\frac{11}{8}+\frac{25}{6}=\frac{33}{24}+\frac{100}{24}=\frac{133}{24}=5\frac{13}{24}$

❽ $2\frac{3}{5}+1\frac{3}{10}=\frac{13}{5}+\frac{13}{10}=\frac{26}{10}+\frac{13}{10}=\frac{39}{10}=3\frac{9}{10}$

149쪽 똑똑한 계산 연습

❶ 8, 8, 23, $\boxed{1}\frac{\boxed{3}}{20}$, $3\frac{3}{20}$
❷ 10, 10, 19, 4, 7, $5\frac{7}{12}$
❸ 20, 49, $8\frac{1}{6}$
❹ $6\frac{1}{2}$
❺ $4\frac{6}{35}$
❻ $4\frac{1}{6}$
❼ $8\frac{3}{44}$
❽ $6\frac{3}{28}$
❾ $5\frac{1}{15}$

참고
- 자연수는 자연수끼리, 분수는 분수끼리 계산한 후 계산 결과가 가분수이면 대분수로 나타냅니다.
- 대분수를 가분수로 나타내어 계산한 후 계산 결과는 대분수로 나타냅니다.

❹ $3\frac{4}{5}+2\frac{7}{10}=3\frac{8}{10}+2\frac{7}{10}=5\frac{15}{10}=6\frac{5}{10}=6\frac{1}{2}$

❺ $1\frac{4}{7}+2\frac{3}{5}=\frac{11}{7}+\frac{13}{5}=\frac{55}{35}+\frac{91}{35}=\frac{146}{35}=4\frac{6}{35}$

❻ $2\frac{2}{3}+1\frac{1}{2}=\frac{8}{3}+\frac{3}{2}=\frac{16}{6}+\frac{9}{6}=\frac{25}{6}=4\frac{1}{6}$

❾ $1\frac{5}{12}+3\frac{13}{20}=1\frac{25}{60}+3\frac{39}{60}=4\frac{64}{60}=5\frac{4}{60}=5\frac{1}{15}$

150~151쪽 기초 집중 연습

1-1 $7\frac{5}{6}$
1-2 $6\frac{1}{2}$
1-3 $4\frac{23}{96}$
1-4 $4\frac{13}{28}$
2-1 $5\frac{3}{56}$
2-2 $7\frac{11}{20}$
2-3 $6\frac{25}{48}$
2-4 $6\frac{3}{10}$
3-1 $4\frac{15}{28}$
3-2 $8\frac{13}{24}$
3-3 $6\frac{8}{45}$
3-4 $3\frac{1}{4}$
4-1 $1\frac{3}{5}$, $3\frac{19}{20}$
4-2 $2\frac{7}{15}$, $1\frac{7}{10}$, $4\frac{1}{6}$

1-1 $5\frac{1}{3}+2\frac{1}{2}=\frac{16}{3}+\frac{5}{2}=\frac{32}{6}+\frac{15}{6}=\frac{47}{6}=7\frac{5}{6}$

1-2 $3\frac{3}{5}+2\frac{9}{10}=3\frac{6}{10}+2\frac{9}{10}=5\frac{15}{10}=6\frac{5}{10}=6\frac{1}{2}$

2-1 $2\frac{5}{8}+2\frac{3}{7}=2\frac{35}{56}+2\frac{24}{56}=4\frac{59}{56}=5\frac{3}{56}$

3-1 (집~마트)+(마트~학교)
$=1\frac{1}{4}+3\frac{2}{7}=1\frac{7}{28}+3\frac{8}{28}=4\frac{15}{28}$ (km)

3-2 $5\frac{3}{8}+3\frac{1}{6}=5\frac{9}{24}+3\frac{4}{24}=8\frac{13}{24}$ (km)

3-3 $2\frac{4}{9}+3\frac{11}{15}=2\frac{20}{45}+3\frac{33}{45}=5\frac{53}{45}=6\frac{8}{45}$ (km)

3-4 $1\frac{5}{6}+1\frac{5}{12}=1\frac{10}{12}+1\frac{5}{12}=2\frac{15}{12}=3\frac{3}{12}$
$=3\frac{1}{4}$ (km)

4-1 (딴 가지의 무게)=(딴 오이의 무게)$+2\frac{7}{20}$
$=1\frac{3}{5}+2\frac{7}{20}=1\frac{12}{20}+2\frac{7}{20}$
$=3\frac{19}{20}$ (kg)

4-2 (야구를 한 시간)=(축구를 한 시간)$+1\frac{7}{10}$
$=2\frac{7}{15}+1\frac{7}{10}=2\frac{14}{30}+1\frac{21}{30}$
$=3\frac{35}{30}=4\frac{5}{30}=4\frac{1}{6}$(시간)

153쪽 똑똑한 계산 연습

❶ 4, 11 ❷ 4, 1 ❸ 8, 3
❹ 11, 6, 3 ❺ $\frac{1}{3}$ ❻ $\frac{11}{30}$
❼ $\frac{1}{9}$ ❽ $\frac{1}{84}$ ❾ $\frac{5}{48}$
❿ $\frac{1}{90}$ ⓫ $\frac{19}{36}$ ⓬ $\frac{7}{52}$

참고
- 분모의 최소공배수를 공통분모로 하여 통분한 후 계산합니다.
- 계산 결과가 약분이 되면 기약분수로 나타냅니다.

❺ $\frac{1}{2}-\frac{1}{6}=\frac{3}{6}-\frac{1}{6}=\frac{2}{6}=\frac{1}{3}$

❻ $\frac{2}{3}-\frac{3}{10}=\frac{20}{30}-\frac{9}{30}=\frac{11}{30}$

❼ $\frac{5}{18}-\frac{1}{6}=\frac{5}{18}-\frac{3}{18}=\frac{2}{18}=\frac{1}{9}$

❽ $\frac{1}{12}-\frac{1}{14}=\frac{7}{84}-\frac{6}{84}=\frac{1}{84}$

❾ $\frac{11}{16}-\frac{7}{12}=\frac{33}{48}-\frac{28}{48}=\frac{5}{48}$

❿ $\frac{9}{10}-\frac{8}{9}=\frac{81}{90}-\frac{80}{90}=\frac{1}{90}$

⓫ $\frac{11}{12}-\frac{7}{18}=\frac{33}{36}-\frac{14}{36}=\frac{19}{36}$

⓬ $\frac{5}{13}-\frac{1}{4}=\frac{20}{52}-\frac{13}{52}=\frac{7}{52}$

155쪽 똑똑한 계산 연습

❶ 12, 12, 9, $3\frac{9}{14}$ ❷ 5, 20, 17, $1\frac{5}{12}$
❸ 6, 18, 18, 7, $1\frac{7}{12}$
❹ $3\frac{5}{28}$ ❺ $\frac{13}{18}$ ❻ $6\frac{1}{10}$
❼ $1\frac{13}{18}$ ❽ $4\frac{1}{3}$ ❾ $3\frac{27}{40}$

정답 및 풀이

참고
- 분모의 최소공배수를 공통분모로 하여 통분한 후 계산합니다.
- 대분수를 가분수로 나타내어 계산한 후 계산 결과를 대분수로 나타냅니다.
- 분수끼리 뺄 수 없으면 빼지는 수의 자연수 부분에서 1을 받아내림하여 계산합니다.

❹ $3\frac{3}{4}-\frac{4}{7}=3\frac{21}{28}-\frac{16}{28}=3\frac{5}{28}$

❺ $1\frac{5}{18}-\frac{5}{9}=\frac{23}{18}-\frac{5}{9}=\frac{23}{18}-\frac{10}{18}=\frac{13}{18}$

❽ $4\frac{5}{6}-\frac{1}{2}=4\frac{5}{6}-\frac{3}{6}=4\frac{2}{6}=4\frac{1}{3}$

❾ $4\frac{3}{10}-\frac{5}{8}=4\frac{12}{40}-\frac{25}{40}=3\frac{52}{40}-\frac{25}{40}=3\frac{27}{40}$

156~157쪽 기초 집중 연습

1-1 $\frac{1}{9}$	**1-2** $\frac{17}{36}$
1-3 $\frac{23}{45}$	**1-4** $2\frac{13}{24}$
2-1 $1\frac{1}{8}$	**2-2** $1\frac{17}{36}$
2-3 $\frac{17}{70}$	**2-4** $5\frac{1}{15}$
3-1 $\frac{4}{9}$, $1\frac{53}{63}$	**3-2** $\frac{3}{8}$, $\frac{11}{56}$
3-3 $3\frac{1}{4}$	**3-4** $\frac{15}{77}$
4-1 $\frac{11}{12}$, $4\frac{5}{12}$	**4-2** $\frac{15}{16}$, $\frac{23}{48}$

1-1 $\frac{5}{18}-\frac{1}{6}=\frac{5}{18}-\frac{3}{18}=\frac{2}{18}=\frac{1}{9}$

1-4 $3\frac{5}{12}-\frac{7}{8}=3\frac{10}{24}-\frac{21}{24}=2\frac{34}{24}-\frac{21}{24}=2\frac{13}{24}$

2-1 $1\frac{5}{8}>\frac{1}{2}$이므로 $1\frac{5}{8}-\frac{1}{2}=1\frac{5}{8}-\frac{4}{8}=1\frac{1}{8}$입니다.

2-2 $\frac{7}{9}<2\frac{1}{4}$이므로

$2\frac{1}{4}-\frac{7}{9}=2\frac{9}{36}-\frac{28}{36}=1\frac{45}{36}-\frac{28}{36}=1\frac{17}{36}$입니다.

2-3 $1\frac{6}{35}>\frac{13}{14}$이므로

$1\frac{6}{35}-\frac{13}{14}=1\frac{12}{70}-\frac{65}{70}=\frac{82}{70}-\frac{65}{70}=\frac{17}{70}$입니다.

2-4 $\frac{31}{75}<5\frac{12}{25}$이므로

$5\frac{12}{25}-\frac{31}{75}=5\frac{36}{75}-\frac{31}{75}=5\frac{5}{75}=5\frac{1}{15}$입니다.

3-3 $3\frac{11}{12}-\frac{2}{3}=3\frac{11}{12}-\frac{8}{12}=3\frac{3}{12}=3\frac{1}{4}$ (m)

3-4 $\frac{10}{11}-\frac{5}{7}=\frac{70}{77}-\frac{55}{77}=\frac{15}{77}$ (m)

4-1 (토마토의 무게)

=(토마토를 담은 상자의 무게)−(상자만의 무게)

$=5\frac{1}{3}-\frac{11}{12}=5\frac{4}{12}-\frac{11}{12}=4\frac{16}{12}-\frac{11}{12}$

$=4\frac{5}{12}$ (kg)

4-2 (남은 식용유의 양)

=(처음에 있던 식용유의 양)−(사용한 식용유의 양)

$=\frac{15}{16}-\frac{11}{24}=\frac{45}{48}-\frac{22}{48}=\frac{23}{48}$ (L)

159쪽 똑똑한 계산 연습

❶ 5, 5, 7, $3\frac{7}{30}$ ❷ 10, 10, 1, $2\frac{1}{12}$

❸ 9, 27, 19, $3\frac{1}{6}$

❹ $6\frac{11}{50}$ ❺ $4\frac{8}{35}$ ❻ $4\frac{41}{60}$

❼ $3\frac{13}{40}$ ❽ $4\frac{4}{45}$ ❾ $3\frac{2}{5}$

참고
- 자연수는 자연수끼리, 분수는 분수끼리 계산합니다.
- 대분수를 가분수로 나타내어 계산한 후 계산 결과는 대분수로 나타냅니다.

❹ $7\frac{1}{2}-1\frac{7}{25}=7\frac{25}{50}-1\frac{14}{50}=6\frac{11}{50}$

❺ $5\frac{4}{5}-1\frac{4}{7}=5\frac{28}{35}-1\frac{20}{35}=4\frac{8}{35}$

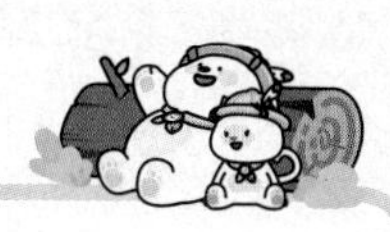

❽ $6\frac{11}{30}-2\frac{5}{18}=6\frac{33}{90}-2\frac{25}{90}=4\frac{8}{90}=4\frac{4}{45}$

❾ $7\frac{3}{4}-4\frac{7}{20}=7\frac{15}{20}-4\frac{7}{20}=3\frac{8}{20}=3\frac{2}{5}$

161쪽 똑똑한 계산 연습

❶ 9, 9, 5, $2\frac{5}{6}$ ❷ 25, 4, 25, 13, $3\frac{13}{15}$

❸ 5, 25, 47, $4\frac{7}{10}$

❹ $2\frac{55}{63}$ ❺ $\frac{8}{9}$ ❻ $\frac{2}{3}$

❼ $2\frac{47}{90}$ ❽ $1\frac{13}{28}$ ❾ $2\frac{19}{24}$

참고

- 분수끼리 뺄 수 없으면 빼지는 수의 자연수 부분에서 1을 받아내림하여 계산합니다.
- 대분수를 가분수로 나타내어 계산한 후 계산 결과를 대분수로 나타냅니다.

❺ $2\frac{1}{3}-1\frac{4}{9}=\frac{7}{3}-\frac{13}{9}=\frac{21}{9}-\frac{13}{9}=\frac{8}{9}$

❻ $3\frac{1}{6}-2\frac{1}{2}=3\frac{1}{6}-2\frac{3}{6}=2\frac{7}{6}-2\frac{3}{6}=\frac{4}{6}=\frac{2}{3}$

❾ $5\frac{1}{6}-2\frac{3}{8}=5\frac{4}{24}-2\frac{9}{24}=4\frac{28}{24}-2\frac{9}{24}=2\frac{19}{24}$

1-1 $6\frac{2}{3}-2\frac{4}{11}=6\frac{22}{33}-2\frac{12}{33}=4\frac{10}{33}$

2-1 $\square=8\frac{4}{5}-4\frac{2}{3}=8\frac{12}{15}-4\frac{10}{15}=4\frac{2}{15}$

2-2 $\square=7\frac{7}{18}-2\frac{8}{9}=7\frac{7}{18}-2\frac{16}{18}=6\frac{25}{18}-2\frac{16}{18}$
$=4\frac{9}{18}=4\frac{1}{2}$

3-3 호박의 무게: $5\frac{1}{6}$ kg, 배추의 무게: $2\frac{3}{4}$ kg
⇨ $5\frac{1}{6}-2\frac{3}{4}=5\frac{2}{12}-2\frac{9}{12}=4\frac{14}{12}-2\frac{9}{12}$
$=2\frac{5}{12}$ (kg)

3-4 감자의 무게: $1\frac{4}{9}$ kg, 고구마의 무게: $1\frac{2}{7}$ kg
⇨ $1\frac{4}{9}-1\frac{2}{7}=1\frac{28}{63}-1\frac{18}{63}=\frac{10}{63}$ (kg)

4-1 (우유의 양)−(주스의 양)
$=3\frac{2}{3}-2\frac{5}{7}=3\frac{14}{21}-2\frac{15}{21}=2\frac{35}{21}-2\frac{15}{21}$
$=\frac{20}{21}$ (L)

4-2 (남은 끈의 길이)
=(처음에 있던 끈의 길이)−(사용한 끈의 길이)
$=4\frac{7}{8}-1\frac{5}{32}=4\frac{28}{32}-1\frac{5}{32}=3\frac{23}{32}$ (m)

162~163쪽 기초 집중 연습

1-1 $4\frac{10}{33}$ **1-2** $\frac{4}{9}$

1-3 $5\frac{9}{16}$ **1-4** $3\frac{9}{10}$

2-1 $4\frac{2}{15}$ **2-2** $4\frac{1}{2}$

2-3 $3\frac{1}{10}$ **2-4** $3\frac{11}{20}$

3-1 $1\frac{4}{9}$, $3\frac{13}{18}$ **3-2** $2\frac{3}{4}$, $1\frac{13}{28}$

3-3 $2\frac{5}{12}$ **3-4** $\frac{10}{63}$

4-1 $2\frac{5}{7}$, $\frac{20}{21}$ **4-2** $4\frac{7}{8}$, $1\frac{5}{32}$, $3\frac{23}{32}$

164~165쪽 누구나 100점 맞는 TEST

❶ $\frac{13}{20}$ ❷ $1\frac{11}{42}$ ❸ $2\frac{17}{18}$

❹ $1\frac{2}{3}$ ❺ $4\frac{3}{35}$ ❻ $3\frac{1}{4}$

❼ $2\frac{49}{72}$ ❽ $6\frac{19}{20}$ ❾ $6\frac{1}{21}$

❿ $5\frac{47}{84}$ ⓫ $\frac{13}{48}$ ⓬ $\frac{1}{15}$

⓭ $4\frac{4}{21}$ ⓮ $3\frac{2}{3}$ ⓯ $\frac{19}{36}$

⓰ $1\frac{13}{24}$ ⓱ $4\frac{19}{56}$ ⓲ $2\frac{3}{14}$

⓳ $1\frac{11}{18}$ ⓴ $4\frac{29}{30}$

정답
풀이

❷ $\frac{3}{7}+\frac{5}{6}=\frac{18}{42}+\frac{35}{42}=\frac{53}{42}=1\frac{11}{42}$

❹ $1\frac{3}{7}+\frac{5}{21}=1\frac{9}{21}+\frac{5}{21}=1\frac{14}{21}=1\frac{2}{3}$

❻ $\frac{5}{6}+2\frac{5}{12}=\frac{10}{12}+2\frac{5}{12}=2\frac{15}{12}=3\frac{3}{12}=3\frac{1}{4}$

❾ $2\frac{5}{6}+3\frac{3}{14}=2\frac{35}{42}+3\frac{9}{42}=5\frac{44}{42}=6\frac{2}{42}=6\frac{1}{21}$

❿ $3\frac{9}{14}+1\frac{11}{12}=3\frac{54}{84}+1\frac{77}{84}=4\frac{131}{84}=5\frac{47}{84}$

⓬ $\frac{1}{6}-\frac{1}{10}=\frac{5}{30}-\frac{3}{30}=\frac{2}{30}=\frac{1}{15}$

⓮ $3\frac{4}{5}-\frac{2}{15}=3\frac{12}{15}-\frac{2}{15}=3\frac{10}{15}=3\frac{2}{3}$

⓯ $1\frac{5}{12}-\frac{8}{9}=1\frac{15}{36}-\frac{32}{36}=\frac{51}{36}-\frac{32}{36}=\frac{19}{36}$

⓰ $2\frac{3}{8}-\frac{5}{6}=2\frac{9}{24}-\frac{20}{24}=1\frac{33}{24}-\frac{20}{24}=1\frac{13}{24}$

⓱ $6\frac{5}{7}-2\frac{3}{8}=6\frac{40}{56}-2\frac{21}{56}=4\frac{19}{56}$

⓴ $7\frac{5}{12}-2\frac{9}{20}=7\frac{25}{60}-2\frac{27}{60}=6\frac{85}{60}-2\frac{27}{60}$

$=4\frac{58}{60}=4\frac{29}{30}$

166~171쪽 특강 창의 · 융합 · 코딩

융합 1 $5\frac{77}{90}$

융합 2 $\frac{4}{9}, \frac{4}{9}$

창의 3

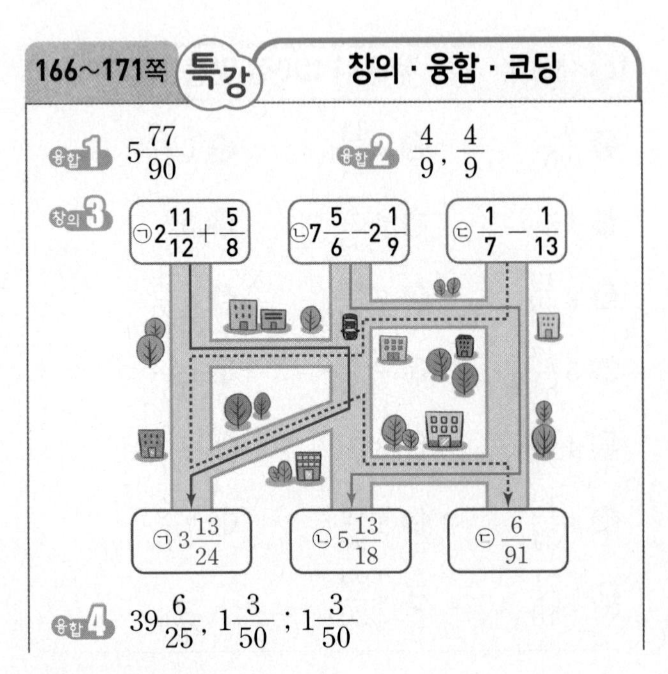

융합 4 $39\frac{6}{25}, 1\frac{3}{50}$; $1\frac{3}{50}$

코딩 5 $\frac{22}{35}, \frac{19}{70}$

코딩 6 $2\frac{13}{24}, 4\frac{5}{24}$

융합 7 $\frac{9}{10}, \frac{1}{6}$; $1\frac{1}{15}$

융합 8 $\frac{4}{5}$

코딩 9 $\frac{17}{24}$

융합 1 (주황색 페인트의 양)

=(빨간색 페인트의 양)+(노란색 페인트의 양)

$=2\frac{3}{10}+3\frac{5}{9}=2\frac{27}{90}+3\frac{50}{90}=5\frac{77}{90}$ (L)

융합 2 (성희의 멀리뛰기 기록)−(윤재의 멀리뛰기 기록)

$=1\frac{2}{3}-1\frac{2}{9}=1\frac{6}{9}-1\frac{2}{9}=\frac{4}{9}$ (m)

창의 3 ㉠ $2\frac{11}{12}+\frac{5}{8}=2\frac{22}{24}+\frac{15}{24}=2\frac{37}{24}=3\frac{13}{24}$

㉡ $7\frac{5}{6}-2\frac{1}{9}=7\frac{15}{18}-2\frac{2}{18}=5\frac{13}{18}$

㉢ $\frac{1}{7}-\frac{1}{13}=\frac{13}{91}-\frac{7}{91}=\frac{6}{91}$

융합 4 (남자 표준 몸무게)−(여자 표준 몸무게)

$=40\frac{3}{10}-39\frac{6}{25}=40\frac{15}{50}-39\frac{12}{50}=1\frac{3}{50}$ (kg)

코딩 5 $\frac{3}{7}+\frac{1}{5}=\frac{15}{35}+\frac{7}{35}=\frac{22}{35}$,

$\frac{22}{35}-\frac{5}{14}=\frac{44}{70}-\frac{25}{70}=\frac{19}{70}$

코딩 6 $3\frac{1}{8}-\frac{7}{12}=\frac{25}{8}-\frac{7}{12}=\frac{75}{24}-\frac{14}{24}=\frac{61}{24}=2\frac{13}{24}$,

$2\frac{13}{24}+1\frac{2}{3}=2\frac{13}{24}+1\frac{16}{24}=3\frac{29}{24}=4\frac{5}{24}$

융합 7 $\frac{9}{10}+\frac{1}{6}=\frac{27}{30}+\frac{5}{30}=\frac{32}{30}=1\frac{2}{30}=1\frac{1}{15}$ (L)

융합 8 (농구대 림의 높이)

−(선수의 발끝에서 손끝까지의 길이)

$=3\frac{1}{20}-2\frac{1}{4}=3\frac{1}{20}-2\frac{5}{20}=2\frac{21}{20}-2\frac{5}{20}$

$=\frac{16}{20}=\frac{4}{5}$ (m)

코딩 9 가$=2\frac{1}{3}$, 나$=1\frac{5}{8}$에서 $2\frac{1}{3}>1\frac{5}{8}$이므로

다=가−나$=2\frac{1}{3}-1\frac{5}{8}=\frac{7}{3}-\frac{13}{8}$

$=\frac{56}{24}-\frac{39}{24}=\frac{17}{24}$

기초 학습능력 강화 프로그램

매일 조금씩 **공부력 UP**

똑똑한 하루 독해&어휘

쉽다!

10분이면 하루치 공부를 마칠 수 있는 커리큘럼으로, 아이들이 쉽고 재미있게 독해&어휘에 접근할 수 있도록 구성

재미있다!

교과서는 물론 생활 속에서 쉽게 접할 수 있는 다양한 소재를 활용해 흥미로운 학습 유도

똑똑하다!

초등학생에게 꼭 필요한 상식과 함께 창의적 사고력 확장을 돕는 게임 형식의 구성으로 독해력&어휘력 학습

공부의 핵심은 독해!
예비초~초6 / 총 6단계, 12권

독해의 시작은 어휘!
예비초~초6 / 총 6단계, 6권

정답은
이안에
있어!